D0657584

LES AUTRES
ET LES MIENS

* *

CONTES À VIVRE DEBOUT

DU MÊME AUTEUR

Le cheval d'orgueil, coll. Terre Humaine, éditions Plon, 1975.

Le cheval d'orgueil, suivi de *Chroniques bilingues,* édition de luxe, Plon, 1976.

Les autres et les miens, Le trésor du cheval d'orgueil, édition Plon, 1977.

Les autres et les miens, Presse Pocket, tome 1, 1979.

Comment un Breton devint roi d'Angleterre, conte illustrations de Claude Kerfriden, éditions G. P., 1975.

La sagesse de la terre, entretiens avec Jean Markale, éditions Payot, 1977.

Manoir secret, poèmes bilingues, éditions Silvaire, Paris, 1964.

La pierre noire, poèmes bilingues, éditions Emgleo Breiz, Brest, 1974.

Le passe-vie, poèmes bilingues, éditions Emgleo Breiz-Le Signor, 1979.

Théâtre I (Le grand valet — La femme de paille — Le tracteur), éditions Galilée, 1977.

Théâtre II (Yseult seconde — Le roi Kado — Le jeu de gradlon), éditions Galilée, 1978.

Théâtre III, Compère Jakou, comédies et fabliaux, éditions Galilée, 1979.

Lettres de Bretagne, éditions Galilée, 1978.

PIERRE-JAKEZ HÉLIAS

LES AUTRES ET LES MIENS

* *

CONTES À VIVRE DEBOUT

Traduit du breton par l'auteur

PLON

La loi du 11 mars 1957 n'autorisant aux termes des alinéas 2 et 3 de l'Article 41, d'une part, que les *copies ou reproductions strictement réservées à l'usage privé du copiste et non destinées à une utilisation collective*, et, d'autre part, que les analyses et les courtes citations dans un but d'exemple et l'illustration, *toute représentation ou reproduction intégrale ou partielle, faite sans le consentement de l'auteur ou de ses ayants droit ou ayants cause, est illicite* (alinéa 1er de l'Article 40).
Cette représentation ou reproduction, par quelque procédé que ce soit, constituerait donc une contrefaçon sanctionnée par les Articles 425 et suivants du Code Pénal.

© Librairie Plon, 1977

ISBN 2-2666-00819-6

LA MORT SANS LÉGENDE

LA MORT DU BON VOLEUR

IL y a eu un temps, en Bretagne, où le métier de voleur était un état comme un autre. Mais c'était un état exceptionnel parce qu'il n'y avait pas beaucoup de gens qui fussent capables de l'assumer avec honneur. D'abord, il fallait être plus honnête que les quatre quarts des chrétiens moins un, car le voleur était une sorte de juge, sauf que son droit n'était pas du côté de la loi écrite. Ensuite, il fallait être pauvre et rester pauvre, sinon la richesse n'eût pas tardé à grignoter, petit à petit, la conscience que l'on avait puisque les biens, hélas, sont un fardeau trop lourd pour beaucoup de bons bougres. Et enfin, un voleur devait être mince pour se glisser dans des lieux étroits, marcher sourdement par peur des abois du chien, avoir des mains habiles pour ouvrir les serrures sans clé et rafler le butin sans donner l'alarme dans la place. Toutes conditions qui ne se trouvent pas souvent réunies dans la même personne, marchez toujours !

Mais vous, je parie que vous êtes étonnés de m'entendre parler de voleurs honnêtes, n'est-ce pas ? C'est parce que je rappelle un temps passé depuis belle lurette, un temps où les poules riaient de toutes leurs dents après avoir pondu leur œuf, alors qu'aujourd'hui elles ne savent plus que chanter faux. Alors, écoutez-moi, il y avait un voleur dans chaque paroisse comme il y avait un seigneur au manoir et un curé à l'église. Mais les voleurs étaient plus difficiles à trouver que les seigneurs et les prêtres. Beaucoup de paroisses pouvaient rester longtemps sans en avoir et les pauvres gens se plaignaient parce qu'il n'y avait personne pour maintenir la justice entre eux. A quoi servait donc le voleur ? A retirer aux riches une petite partie des biens qu'ils avaient en trop pour la répartir entre les pauvres dans les moments où ceux-ci tombaient dans la misère.

Le voleur se rendait de nuit dans les maisons riches, prélevait quelque morceau de lard salé dans le charnier, une petite sachée de farine ou de pommes de terre dans le grenier, quelques hardes dans l'armoire. Puis, il allait dans les maisons pauvres et y laissait nourriture ou vêtements selon les besoins qu'il connaissait fort bien sans jamais se laisser tromper aux apparences. Le lendemain, les pauvres se trouvaient secourus et pleins de gratitude, les riches n'éprouvaient ni regret ni colère car la paix descendait dans leur cœur. Tous savaient qui avait fait le coup et lui rendaient intérieurement grâce. Ce vol valait bien mieux que la charité. La charité n'est pas mauvaise, bien sûr, mais elle met le riche au risque de concevoir de l'orgueil, elle porte le pauvre à l'humilité. Ni l'un ni l'autre ne vaut rien. Et le voleur de la paroisse reposait d'un doux sommeil dans son lit, sans rêve et sans souci, les mains étendues, paumes ouvertes, sur son drap de chanvre, des mains pures qui n'avaient jamais refermé leurs doigts sur or ni sur argent.

Or, une fois, dans la paroisse de Keribilbeuz, il se produisit une chose épouvantable. Le seigneur du manoir trouva son coffre-fort grand ouvert, la serrure cassée, les papiers répandus sur la place et la bourse de cuir parfaitement vide. Elle avait contenu cent vingt écus. Stupéfait et furieux, le seigneur sella son cheval et courut à bride abattue vers la grande ville pour porter plainte à qui de droit. On vit les archers se présenter à Keribilbeuz avec leurs moustaches, leurs brandebourgs blancs, leurs sabres courbes et leurs bicornes de cuir. Après avoir fouillé le bourg sans rien trouver, les représentants de la loi s'emparèrent du voleur de la paroisse. Et pourtant, c'était là le dernier homme à pouvoir être soupçonné. Que voulez-vous ? Les gens des villes ne connaissent pas le moindre brin des habitudes de la campagne. Tous les gens du bourg, monsieur le recteur et le seigneur du manoir lui-même eurent beau leur crier qu'ils se trompaient sûrement sur la personne, le pauvre malheureux voleur fut enchaîné et traîné au cachot.

Deux ou trois jours plus tard, un vagabond quelconque fut surpris dans un autre manoir, dix lieues plus loin, pendant qu'il brisait la serrure d'un coffre pour s'emparer de l'argent. Quand on l'eut un peu tourmenté à la manière du temps, l'épouvantail en question avoua qu'il avait fait le coup à Keribilbeuz. C'était trop tard. Quand on alla tirer le voleur de la paroisse hors de sa prison, on le trouva mort. Il était mort de chagrin, de vergogne et de quoi encore que personne ne saura jamais. Depuis cette affaire, on ne trouva plus de voleur honnête sous le ciel. Celui de Keribilbeuz était le dernier d'entre eux et la race, avec lui, se perdit. Aujourd'hui, il n'y a pas un voleur, en ce monde, qui ne soit un gibier de potence.

Ceci m'a été conté par Marie-Jeanne Bourdon de Pouloupri, un soir où j'étais allé lui demander un peu de lait. Quelqu'un lui avait trait sa vache en plein champ. Plus une goutte au pis. Marie-Jeanne en était réduite à la soupe aux trois chosettes : le pain, l'eau et le sel. Quand elle eut achevé le conte, elle cracha de dégoût dans le feu du foyer, avant de sucer sa pipe en terre qui était aussi vide que le pis de la vache. Elle n'avait pas plus de tabac que de lait. Et il n'y avait pas de bon voleur pour la faire profiter du surplus des autres.

TOLI ET L'ARC-EN-CIEL

Il vivait avec sa grand-mère dans une petite maison sèche, sur la route de Lanvao. Il avait porté des jupes plus longtemps que nous, qui avions hissé des braies aux environs de nos six ans, dès qu'il nous était venu assez de sagesse pour vaquer nous-mêmes aux besoins que vous savez. C'était un petit garçon assez sauvage, il est vrai, parce que sa grand-mère l'avait gardé de toute autre fréquentation qu'elle-même et sa vache. Ils étaient si pauvres que la vieille femme devait aller demander l'aumône quelquefois et qu'ils n'osaient pas venir à la grand-messe, n'ayant que des haillons sur le dos.

Il nous arriva de faire amitié avec lui pendant que nous étions à garder les vaches sur la grande lande de Moriou. Un jour, la vache de Françoise Le Du, piquée sans doute par un taon, détala follement si loin que nous ne pûmes jamais la retrouver avant la nuit, malgré nos recherches. Il nous fallait rentrer à la maison pour nous faire tanner les fesses à coups de bâton à bouillie. Main dans la main, pleurant à chaudes larmes, butant dans l'obscurité, nous voilà en route par le chemin creux qui descendait au bourg, quand nous entendîmes, derrière nous, le trot et le souffle d'une vache. C'était celle de Françoise, tenue à la corde par Toli. Il mit le bout de la longe dans la main de la fillette et disparut aussitôt sur ses pieds nus Mais, le lendemain, nous fîmes compagnie.

Toli connaissait un tas de choses qu'il avait apprises de sa grand-mère. Il connaissait les noms de toutes les plantes, particulièrement de celles qui servaient de médicament pour quelque maladie ou blessure. Il connaissait les mœurs des oiseaux parfaitement. Souvent, il leur sifflait si joliment que le taillis tout entier lui répondait sur tous les tons. Il connaissait les contes des anciens, il connaissait... Mais pourquoi chercher à vous dire par le détail tout ce que savait Toli ? Il était le roi de sa campagne.

Or, tout paisible qu'il fût habituellement, il lui arrivait de s'émouvoir et de s'exciter quelquefois : à chaque fois qu'il y avait de l'orage dans l'air, des nuages sur le point de crever en eau, quand l'arche aux sept couleurs se levait sur l'horizon. Alors, nous pouvions voir le sang rougir ses joues pâles, une flamme brûler dans ses yeux : « l'arc-en-ciel ! » hurlait Toli. Aussitôt, Françoise tournait le dos et crachait dans ses mains, selon la coutume, pour « couper la pluie ». « Suis-moi ! ordonnait Toli, droit dessus ! » Et il partait au galop dans la direction de l'arc-en-ciel, sautant par-dessus les talus, déchirant ses haillons au travers des haies, et moi sur ses traces. Mais je ne tardais pas à perdre haleine et à tomber dans une pâture, abasourdi par le battement de mon cœur dans mes oreilles. Assez longtemps après, je voyais revenir Toli, mort de fatigue, les jambes et les mains écorchées par les ajoncs et les ronces. « On ne peut pas atteindre un arc-en-ciel, Toli. C'est temps perdu de courir après lui. » Et Toli répondait : « C'est peut-être vrai, mais si je pouvais le traverser un jour, alors je me trouverais dans le Jardin des Merveilles. Mon grand-père l'a vu, mais il est resté sur le seuil de la porte. Moi, j'entrerai dedans tout à fait. »

Vint un temps où Toli dut aller à l'école pour apprendre à lire et à écrire. Il avait déjà passé par-dessus ses dix ans. Sans monsieur le Maire, il serait resté garder sa vache sur la grande lande de Moriou jusqu'à... La grand-mère lui cousit un sac de toile, Françoise, la bonne petite fille, lui donna une balle de chiffons brodée aux sept couleurs de l'arc-en-ciel, et voilà Toli en route pour le bourg avec les enfants de son hameau.

Ils sont arrivés devant la maison de l'oncle Alain Lautridou, l'horloger. Derrière sa fenêtre ouverte, l'oncle Alain, ses besicles sur le bout du nez, est en train de guérir une montre d'argent. Dans l'ombre de la maisonnette, brillent des cadrans émaillés et des balanciers de cuivre qui vont et viennent. Au-dessus de la tête du vieillard, des petites boules de pardon sont attachées aux poutres avec des rubans de couleur. Toli n'a jamais vu d'horloger : « Qui est-ce ? » demande-t-il. Et les petits enfants : « C'est l'oncle Alain Lautridou qui mesure le temps. — Et comment fait-il ? » L'un d'entre eux sourit : « Il a attrapé un arc-en-ciel et il le tient prisonnier dans une boule de pardon. La rouge, tiens ! » Toli demeure abasourdi. Un arc-en-ciel ! Prisonnier ! Soudain, le garçon tire de son sac la balle de chiffons et la lance tout droit sur la boule rouge. Pour libérer l'arc-en-ciel, bien sûr ! Un bruit de verre cassé et la voix sèche d'Alain Lautridou qui peste et hurle des malédictions aux enfants pourris. Les enfants se sont enfuis à l'instant derrière Toli. Mais celui-ci va se cacher dans la grande lande de Moriou au lieu d'aller à l'école.

On ne vit plus le gars Toli dans le bourg. Il était déjà mordu par le mal de poitrine. Peu de temps après, nos parents nous envoyèrent pour lui dire adieu. Il était étendu dans son lit-clos, aussi jaune que la cire, caressant de ses mains maigres une boule de pardon toute brillante et regardant son reflet à l'intérieur. L'oncle Alain Lautridou, le bon homme, lui avait apporté, de lui-même, une cage d'arc-en-ciel. Quand il nous vit nous présenter devant lui, Françoise et moi : « Cette fois-ci, murmura-t-il à voix basse, je sais comment traverser pour aller au Jardin des Merveilles. » Et là-dessus, il ne dit plus un mot.

Il mourut deux jours après. Quand il fut pour tirer son dernier souffle, le pauvre Toli, sur sa poitrine, brisa la boule d'or.

LE VENDEUR DE LARMES

Le bonhomme Gourgon la Pie courait les chemins de la Basse-Cornouaille, d'une ferme à l'autre, avec toute sa boutique pendue au cou, un coffret de bois léger rempli de pacotille à deux sous pour entretenir la vanité des filles. Gourgon ouvrait la barrière de la cour aux heures où les hommes se trouvaient aux champs et il chantait clair, sur les aboiements du chien : « Voilà le gars aux épingles ! Tête noire, tête blanche, tête de nacre, tête à fer... tête à fer... mer ! » Le plus souvent, il était le bienvenu, Gourgon, bien qu'il gagnât plus de billon que de pièces de cent sous. Un homme de bonne façon, ma foi, et qui avait quelque fortune dans sa boîte puisqu'elle contenait, outre les épingles, toutes sortes de liettes et de rubans, de fils et d'aiguilles. Et toujours ses affaires allaient de mieux en mieux. Il en était venu à vendre du papier à écrire, comme un marchand des villes, et pourtant il ne savait pas lire. Parfois même, il avait avec lui jusqu'à une douzaine de petits miroirs ornés, par-derrière, du portrait des filles du cinéma. Ceci pour vous dire que le bonhomme Gourgon n'était pas un méprisable vagabond, mais bien près d'être un monsieur parmi les gens modestes. Et il devint un monsieur pour de bon après le jour où il lui arriva de vendre ses larmes.

Gourgon passait par une certaine bourgade, en

Cornouaille, quand il avisa un linge blanc fixé au-dessus d'une porte de maison et deux rubans de velours noir en croix dessus pour faire savoir qu'il y avait un corps défunt à l'intérieur, attendant le cercueil. Comme il était un homme respectueux, Gourgon décida d'entrer pour dire un *pater* à l'intention du mort avant d'aller plus loin. A peine avait-il mis les pieds par-dessus le seuil qu'il entendit le bruit des conversations et des rires. La salle était bourrée de gens en habits de deuil, occupés à parler entre eux à haute voix comme s'ils étaient sur un champ de foire ou dans l'attente d'un cortège de noce. Pourtant, le corps était étendu sur le lit, un vieillard aux cheveux gris et à la mine renfrognée.

« Tonnerre, confia Gourgon à son chapeau, je suis tombé ici au milieu d'animaux sauvages. Comme ils sont sans vergogne, ces gens ! » Le gars des épingles s'approcha du corps et s'agenouilla pour prier dessus, après une aspersion d'eau bénite. Ce que voyant, les autres assistants firent silence d'un seul coup. Sa prière terminée, Gourgon cherchait la porte quand il sentit une main qui le tirait par le veston. C'était une femme, une pièce de femme toute sèche, complètement enveloppée d'un manteau de deuil, et qui le tira du côté de l'âtre :

— Je ne vous connais pas, mais vous êtes un homme de bonne conduite, d'après ce que je vois.

— Je le suis sûrement, répondit Gourgon d'une voix sévère. Mais j'ai peur d'être le seul dans cette maison.

— Avant de vous choquer, écoutez plutôt, dit-elle. Le mort est mon père. Pendant sa vie, il n'a jamais fait aucun bien à personne ni fréquenté le moindre chrétien-né. Tirer à lui et garder pour lui le plus possible, oui, pour cela il était le premier, et bien loin devant le second. Et maintenant, regardez ! Le voilà mort et on ne trouve personne pour le regretter, personne pour pleurer sur son corps. C'est une pitié.

— Une pitié ? Pourquoi ne pleurez-vous pas, vous qui êtes sa fille ?

— Hélas, il m'a tant fait pleurer pendant qu'il était vivant qu'il ne me reste pas une goutte d'eau pour sa mort. C'est pourquoi je vous demande de suivre l'enterrement près de moi et de verser des larmes entre l'église et le cimetière. En voyant votre douleur, les autres se tiendront tranquilles. Autrement, ils sont capables de danser la gavotte derrière le corbillard. Ce serait une honte.

— Ma pauvre femme, je dois aller vendre mes épingles.

— Vous ne perdrez pas votre temps. Je vous donnerai deux écus et la nourriture.

— C'est bien, dit Gourgon, pour deux écus, vous aurez de la pluie en abondance.

Et Gourgon la Pie suivit le corps en répandant de lourdes larmes pour gagner sa journée. Ecoutez maintenant le meilleur : pendant qu'il tirait de l'eau de son corps, il songeait combien il est terrible de mourir sans personne pour vous regretter, combien les gens sont mauvais les uns avec les autres et combien il est malhonnête de... feindre la douleur pour deux écus d'argent. Si bien qu'à la fin, le marchand d'épingles pleurait pour de bon sur l'humanité et sur lui-même. Il pleura tout au long du chemin entre la maison, l'église et le cimetière, il pleura de plus belle en revenant pour le repas des funérailles. L'assistance fut si frappée à la vue de tant de larmes que personne n'eut le courage de goûter le pot-au-feu jusqu'au moment où la fille du mort vint proposer deux autres écus au pleureur pour le décider à sécher ses yeux et à laisser manger le monde.

Après ce jour-là, Gourgon marcha sur la route de la richesse. Un homme qui a trouvé preneur pour ses larmes est capable d'aller vendre au Diable des cornes neuves.

LE GRAND JOUR DE PETIT LÉGER

Skanvig al Lenn se préparait à mourir. C'était un tout petit homme. Il avait beau ne pas enfoncer son chapeau sur la tête pour se grandir par le haut, beau mettre les plus gros clous dans ses sabots pour s'élever par le bas, il arrivait à peine au garrot d'un cheval. Et maigre avec ça ! Il tenait pourtant sa place à table et il n'aurait jamais laissé son assiette sans la nettoyer si bien que les femmes n'osaient pas faire la vaisselle après lui. Mais il était ainsi bâti que son corps ne profitait pas du travail de son estomac. Il y en a d'autres qui deviennent pesants avec seulement des soupes. Lui avait fait descendre le lard de je ne sais combien de cochons sans avoir besoin de lâcher la ceinture de sa première communion. C'est pourquoi on l'appelait Skanvig, le Petit-Léger. Et il était aussi le Petit-Léger du Lavoir, Skanvig al Lenn, parce qu'on le voyait laver lui-même ses petites affaires, agenouillé sur une pierre bleue devant le petit ruisseau qui coulait au bas de son verger. Il était propre et lisse comme un chat.

Et voilà qu'il se préparait à mourir. Toute son existence avait été irréprochable. Il avait passé sans peine, et donc sans mérite, auprès des sept péchés capitaux. Le travail était pour lui à la fois une nécessité de son état et un tel plaisir qu'il n'aurait jamais imaginé de rester à ne rien faire. Il mangeait solidement et buvait à sa soif sans jamais aller au-delà de ce qu'il fallait parce que de trop manger ou de trop boire l'aurait contrarié dans son travail, vous comprenez ! D'autre part, il n'aurait pas songé à se priver pour amasser du bien car il gagnait si peu que le salaire de toute sa vie aurait à peine suffi à le rendre propriétaire d'un champ de chardons. A quoi bon ! Rien ni personne ne lui faisait envie parce qu'il était content de lui-même et du peu qu'il avait. Content, mais non orgueilleux. Il savait qu'il n'y avait pas de quoi et qu'il était trop petit personnage pour se mettre en colère sans exciter les rires de la compagnie. Quant aux femmes, il était passé de l'autorité de sa mère à celles des patronnes successives dont il avait été le serviteur désigné en raison de sa petite taille. Pour le reste, s'il avait été légèrement troublé par quelques mignonnes, aux temps de sa jeunesse, il avait rattrapé très vite son sang-froid en se rappelant l'aventure du Paradis Terrestre sans trop bien la comprendre. Bref, aussi bien d'esprit que de corps, petit bonhomme avait vécu aux moindres frais.

Maintenant, il se préparait à mourir. C'était là, sans doute, sa première affaire importante depuis qu'il était né. Cela valait la peine d'y réfléchir un peu. Non pas qu'il fût malade, mais il avait passé les quatre-vingts ans, ce qui lui paraissait suffire pour un homme de sa condition. En allant au-delà, il aurait humilié les riches de son âge, du moins ceux qui étaient encore vivants car la plupart avait déjà dit adieu. Skanvig al Lenn ne voulait narguer personne. A certains signes, il se rendait compte qu'en se laissant aller un peu, il passerait sans mal de l'autre côté, là où tout le monde a la même taille et le même poids. C'est alors qu'il entreprit d'imaginer ce qu'on dirait de lui après sa mort. On l'oublierait très vite, c'était sûr. Il ne laisserait aucun souvenir dans la tête des gens. Un petit homme aussi insignifiant que lui. Jamais au centre de la moindre histoire, toujours à côté, spectateur. Sa chaumière croulait déjà. Quatre liards pour le pain quotidien. Pas même une tombe en pierre sur ses reliques. Pour la première et la dernière fois, le bon vieillard prit la mesure de l'injustice.

Skanvig al Lenn se leva, revêtit ses habits du dimanche, prit son meilleur chapeau et se mit en route. Il avait décidé de quitter ce monde sur un coup d'éclat. Pendant des années et des années, son nom resterait sur la langue des gens alors que les plus grosses têtes de la paroisse seraient oubliées depuis belle lurette. Avec un peu de chance, on lèverait une chanson sur lui et les conteurs embelliraient son histoire, d'un hiver à l'autre, sous le manteau de la cheminée. « Ecoutez et vous entendrez comment Skanvig al Lenn... » Ah ! Ils allaient voir d'abord, leurs enfants riraient plus tard.

Le petit homme entra dans sept maisons, ni plus ni moins. Dans toutes, il tint à peu près le même discours au maître qu'il connaissait bien : « Je viens d'avoir quatre-vingts ans, comme vous le savez peut-être (ils ne le savaient pas). Je n'espérais pas atteindre un tel âge (en effet, pour un pauvre bougre, c'est au moins dix ans de trop). C'est pourquoi j'estime qu'il me faut marquer la chose par une petite fête (pour qui se prend-il, celui-là !). Vous n'avez pas eu l'occasion de venir à mes noces parce qu'il s'est trouvé que je suis resté vieux garçon (quelle femme aurait voulu de lui !). Je suis donc venu vous inviter à un souper que je donne pour quelques amis à l'auberge du bourg... (bonne aubaine ! Un repas de pris qu'il ne faudra pas rendre). Nous ferons bonne chère pour une fois (nous espérons bien). Trouvez-vous autour de 7 heures devant le comptoir pour vous mettre en train (il doit coucher sur un matelas de gros sous, le vieux). Et gardez votre faim en réserve d'ici là (comptez sur nous). »

Vous avez déjà compris que Skanvig al Lenn avait soigneusement choisi les meilleurs représentants des sept péchés capitaux : l'orgueil, l'envie, la colère, l'avarice, la luxure, la gourmandise et la paresse.

Avant d'abandonner cette terre à patates, il voulait les voir à l'œuvre une dernière fois. D'autre part, il était sûr que les sept compères ne l'oublieraient pas de sitôt pour sept raisons différentes et que le bourg entier chanterait ses louanges sur tous les tons. Le septième invité n'était autre que l'aubergiste lui-même, un avaricieux qui aurait tondu un cloporte pour en vendre le poil.

A l'heure dite, il ne manquait personne devant le comptoir. Quand on se fut largement mouillé la gorge pour tuer le ver, Skanvig al Lenn fit passer son monde dans la salle et s'occupa lui-même de les placer. Il mit l'orgueilleux au haut-bout de la table et l'envieux au bas-bout afin que chacun d'eux pût exercer son vice. Le gourmand et le luxurieux se trouvèrent du côté où arrivaient les plats. Ainsi le premier pouvait-il sauter sur la nourriture tandis que le second lutinait la servante qui était un beau morceau de femme. Skanvig lui-même était entre le colérique dont il excitait la hargne en lui glissant à l'oreille des phrases perfides, et le paresseux qu'il servait comme un enfant en bas âge. Quant à l'avare, peu lui importait sa place. Il était toujours debout, se démenant de son mieux pour épargner les plats et les bouteilles. Dehors, agglutinés devant les fenêtres, les gens du bourg ouvraient la bouche sur neuf heures.

Je ne vous conterai pas le banquet mémorable qui se fit dans l'auberge en l'honneur des quatre-vingts ans du petit homme. Sachez seulement que les femmes durent mettre le luxurieux dehors à coups de torchons et qu'il fallut chercher de l'aide pour maîtriser le colérique. Le paresseux s'endormit sous la table dans les bras du gourmand. L'orgueilleux sortit, droit comme un trait, par la grande porte, et le jaloux par-derrière en rasant les murs. L'avare tremblait déjà de fièvre en faisant ses comptes quand Skanvig al Lenn s'en fut en disant : « Vous serez payé demain de bonne heure. »

Dehors, le petit homme se dit que ce n'était vraiment pas la peine de rentrer chez lui. Après une longue vie d'humilité, il avait gagné sa réputation en une seule nuit. Il choisit un fossé herbu le long de la grand-route et s'y étendit pour attendre ses fins dernières. Quand on le trouva, le lendemain, il était mort, les mains croisées, le chapeau sur la tête, bien proprement comme il avait vécu et pas le moindre liard en poche. Son visage était grave, sans aucune trace d'ironie. Etait-ce de sa faute, le misérable, s'il avait dû faire tout ce mardi-gras pour qu'on se souvînt de lui ? Mais il a réussi son coup puisque je vous chante aujourd'hui sa gloire.

L'AMBITION DE LA VIEILLE

La vieille Anna était restée seule sur la terre depuis la mort de sa mère veuve. Jamais aucun jeune homme n'avait osé l'approcher parce que la fille avait toujours été sèche, aussi bien de corps que d'esprit. Sa voix aigre rendait les chiens malades. Tant elle aimait l'argent qu'elle n'était pas capable de le lâcher. Une fois qu'elle s'était emparée d'un sou troué, celui-là ne revoyait plus la lumière du soleil béni. Il aurait fallu qu'un homme fût aveugle et sourd avant d'assumer la charge d'une femme aussi délaissée par le Seigneur Dieu.

Anna, donc, avait vieilli entre chat et tricot. Un chat d'une maigreur de femme coureuse et un tricot de vieux fil pelé. Sa cafetière était sa faiblesse, la seule. Mais, dans ce malheureux pot, il tombait un seau d'eau bouillante à chaque fois qu'on y répandait, tout au fond, un soupçon de café très fin moulu, assez pour emplir une demi-narine de priseur, et encore ! Au demeurant, la femme n'était pas plus mauvaise qu'une autre, nullement.

Quand elle atteignit ses soixante-quinze ans, Anna se mit à penser fermement à ses fins dernières. Mettre sa conscience en ordre était une tâche assez facile. Mais sa douleur était grande à l'idée de laisser derrière elle l'argent qu'elle avait amassé, sou par sou, pendant sa vie. A force de se casser la tête jour et nuit, elle trouva le moyen d'arranger l'affaire pour son meilleur agrément. Quand elle eut fait le compte de sa fortune, la vieille s'en fut trouver un menuisier, le pria de prendre ses mesures pour lui fabriquer d'avance un cercueil des plus beaux, chêne et plomb, avec une croix de bronze. Bien. Ensuite, elle se rendit chez le marchand de monuments funèbres pour choisir un tombeau de granit d'une seule pièce, avec une plaque de marbre où elle fit aussitôt graver son nom en lettres d'or, ménageant assez de place pour y marquer plus tard la date de son décès qu'elle ne connaissait pas encore, bien entendu.

Là-dessus, il ne lui restait plus qu'à faire un tour au cimetière en vue d'y acheter un morceau de terre exposé au soleil, tout près du mur de l'église, pour y faire creuser sa tombe. Or, elle s'était mis dans la tête d'avoir une tombe ensoleillée au midi. Elle désirait avoir chaud à ses membres dans la terre, une fois morte. Hélas ! Il ne restait plus un pied de sol à vendre du côté du soleil. La vieille Anna s'en alla trouver le maire à la mairie, lui offrit un tas d'argent, se démena comme une souris prise au piège, éleva les éclats de sa rouge colère. Rien n'y fit. Tout le terrain exposé au soleil, dans le cimetière, avait trouvé preneur depuis longtemps et personne ne voulait vendre son lot à la vieille Anna. Celle-ci se trouvait en état de grave maladie. Tous les jours, elle flairait la mort qui s'approchait d'elle, avec son haleine froide et moisie. Tous les jours, néanmoins, elle se traînait jusqu'à la mairie et disait à monsieur le

Maire, de sa voix aigre et de plus en plus faible : « Faites comme il vous plaît, Joseph Le Moigne, mais je serai enterrée contre le mur de l'église qui fait face au midi, à cause du soleil. Je suis bien déterminée : je ne mourrai pas avant d'avoir acheté un morceau de terre ensoleillé pour mes reliques. Je ne veux pas descendre dans le froid. »

A la fin, le monsieur le Maire, voyant qu'il ne pouvait pas s'en débarrasser, lui vendit son propre lot de terrain, le morceau qu'il avait acheté pour y faire creuser sa tombe de famille au soleil.

La vieille Anna régla le prix sur-le-champ, pourrie de joie, regagna sa maison avec mille peines, monta dans son lit et mourut aussitôt entre son chat, son pot à café et son tricot. Pourquoi rester plus longtemps à refroidir sur cette terre puisqu'un lit chaud lui était préparé sous le mur de l'église, du côté du midi ? Et, le jour de l'enterrement, les cloches de la paroisse lui firent un branle avec les transports de joie des cloches du mariage :

Vin, vin, vaon, alading aladennig,
Vin, vin, vaon, alading aladaon !

La vieille avait réalisé son ambition.

MARIE DES COURONNES

C'était une petite femme grasse et potelée, aussi vive qu'une souris. Personne ne l'avait jamais vue rester en place sauf quand elle faisait la morte à l'intention de ses clients, comme je vous le conterai plus loin. Elle courait sa vie à petits pas menus et pressés, Marie des Couronnes. Sa gorge n'arrêtait pas plus que ses pieds. Elle n'était pas bavarde outre mesure, mais elle émettait sans arrêt un curieux bruit, entre le caquètement de la poule et le bêlement de la chèvre. Ses joues molles, ses joues blêmes tremblaient comme fait la pâte du pain noir quand elle est bien levée. Mais des yeux étroits et deux douzaines de poils noirs sur le museau donnaient à la chère femme un air si sévère que nul plaisantin n'osait penser à la basse-cour en sa présence. Au demeurant, Marie ne recelait pas la moindre méchanceté. Elle aurait passé pour un ange si elle avait présenté une forme humaine acceptable. Mais, en ce monde, on demande aux anges d'être aussi beaux que les démons. Vous savez très bien que ce n'est pas possible. Le diable n'aurait plus aucune chance.

Marie tenait une petite boutique derrière l'église. Seulement une pièce avec une cheminée, une porte et une fenêtre. La cheminée fumait tout au long du jour pour chauffer le pot à café. La porte restait ouverte à chacun, même pendant la nuit. On n'ouvrait jamais la fenêtre. Elle servait d'appartement privé à un chat blanc, un grand seigneur assis tout droit sur sa queue, sans souci des mouches qui bourdonnaient autour de lui et couraient sans vergogne sur sa fourrure immaculée. Paresse ou dédain ? En vérité, c'était un chat de faïence. Et le dais de son trône se trouvait être un rideau blanc qui était toujours en mouvement à cause de l'unique souris, la maîtresse, trottinant sans arrêt à travers la maison et brassant les sept vents avec les plis de sa robe.

Mais les courants d'air ne sont pas une marchandise qui fait envie. Que vendait donc Marie derrière son rideau blanc ? Elle vendait les dragées du baptême, les « douceurs » de la noce et les couronnes de l'enterrement. C'étaient les cloches de l'église qui lui amenaient ses clients. D'après le branle, la chère femme savait quoi offrir et quelle contenance prendre. Sa figure portait l'enseigne de sa boutique selon les circonstances, la joie ou le deuil. Pour un baptême, le bruit de sa gorge imitait le caquètement de la poule qui vient de lâcher son œuf. S'agissait-il de mariage ? Elle arrivait à produire le cri du coq jusqu'à s'en ébouriffer la moustache. Mais, quand il y avait enterrement, c'est alors que Marie bêlait aussi pitoyablement qu'un chevreau qui a perdu sa mère. Personne ne pouvait durer sans rire ou pleurer à son exemple, personne ne sortait de chez elle sans acheter quelque offrande pour les vivants ou pour les morts. Marie réglait ses sentiments sur chacun et tous chantaient ses louanges.

Vous ai-je dit qu'il n'arrivait jamais aucune goutte de lumière dans sa maison, tapie à l'ombre de l'église ! Ecoutez maintenant comment était disposée cette merveille de maison, cuisine et chambre et boutique à la fois. Il y avait d'abord la grande cheminée où Marie allumait, été comme hiver, une claire flambée chaque fois que sonnaient les cloches d'un baptême ou d'un mariage. A l'entrée, les yeux des gens étaient attirés par ce feu dont le reflet brillait dans les boules de pardon suspendues, bleues, rouges, dorées, aux poutres du plafond. Sur le rideau du manteau de cheminée, Marie avait fixé toutes sortes de colifichets, des épingles de Bohême, des cocardes, des fleurs artificielles. Plus haut, les étagères cirées étincelaient de tous leurs clous de cuivre et supportaient des rangées de bocaux pleins de bonbons multicolores. Grands et petits découvraient les trésors de la caverne d'Ali-Baba. Les bouches s'étaient à peine ouvertes que les porte-monnaie s'ouvraient aussi. Qui aurait résisté ? Tout ce qui brille est de l'or pour les yeux. Le talent de Marie n'avait pas lieu de s'employer. La boutique, à elle seule, était miroir aux alouettes.

Avec les enterrements, la chère femme se trouvait mieux à son affaire. Quand elle entendait sonner le glas, elle éteignait le feu et fermait les rideaux de la cheminée après en avoir décroché la pacotille. Le décor de la joie entrait dans la nuit. Elle allumait une bougie dans un chandelier d'argent et sortait de l'armoire sa cape de deuil. Dès leur entrée dans la maison, les parents du mort voyaient devant eux le lit, bellement arrangé sous une couverture blanche au crochet. La bougie, sur la table de nuit, éclairait des couronnes de perles de toutes les dimensions et de tous les prix. Elles étaient fixées autour du lit, sur le mur blanchi à la chaux. Dans l'ombre, on entendait un bêlement étouffé dans les plis de la cape de deuil. On désirait acheter une couronne. Alors, Marie montait sur son lit pour s'étendre sur la couverture, l'haleine courte. Avec un bâton, elle décrochait une couronne ou une autre et se la posait joliment sur le ventre. Puis elle croisait les doigts sur un chapelet et demeurait immobile comme un cadavre, assez longtemps pour que les clients pussent voir l'effet produit par la marchandise. Pendant qu'elle faisait sa mise en scène, la femme expliquait le prix et l'avantage, glissait un avis, gémissait sur le défunt. Quand la couronne était choisie, les autres aidaient Marie à se relever de son lit et à préparer le café.

Il y a des comédiennes qui ont la foi de leur métier, des oiseaux-phénix qui se mettent en cendre tous les soirs sur une scène de théâtre. Elles savent, au moins, qu'elles jouent un rôle. Marie des Couronnes ne le savait pas.

UN FIEFFÉ FUMEUR

Quand on offre une pipée de tabac à Joz La Bernique, cet homme civilisé ne perd pas son temps à faire des manières ni à chanter vos louanges. Il met à sac votre blague à tabac avec un enthousiasme si évident que vous êtes prêt à jurer que le martyr n'a pas goûté à l'herbe miraculeuse du sieur Nicot depuis sept jours qui ont duré sept ans. Et, pendant qu'il charge son brûle-gueule à le faire éclater, vous l'entendez grommeler entre ses dents : « Je prends ma revanche ! Je prends ma revanche ! » Le plus difficile, ensuite, est d'allumer le tas, car il y a autant de tabac au-dessus de la pipe que dedans. Quand il est venu à bout de ce travail et qu'il s'est essuyé le front, Joseph expire sa bouffée en faisant chavirer ses yeux comme s'il voyait les portes du Paradis s'ouvrir devant lui sans autre avertissement. Alors, il détache légèrement son chapeau de la tête et il récite, sur un ton de litanies : « Dieu pardonne au Petit Bescond ! Dieu pardonne à mon bon ami ! Dieu lui pardonne le mal qu'il m'a fait ! » Et le chapeau retombe.

Si vous attendez un conte à dormir debout, vous serez joliment volé. L'histoire est vraie. Et ce n'est pas Petit Bescond qui dira le contraire puisqu'il habite sous terre depuis 1943, le pauvre. A cette époque, l'existence était difficile à vivre, comme vous savez. Un tas d'Allemands verdâtres étaient venus se nourrir dans nos assiettes sans attendre notre invitation, exactement comme les doryphores sur nos pommes de terre. La broche était maigre un peu partout. Les paysans eux-mêmes avaient quelque mal à tenir leur carcasse en état, à force d'ouvrir leurs oreilles et leur garde-manger à toutes sortes de solliciteurs qui menaçaient, enchérissaient ou suppliaient selon leur condition.

Cependant, Joz La Bernique s'en tirait assez bien avec trois champs, deux vaches, un cochon à l'engrais et de la bonne humeur à revendre. Il lui fallait peu de chose pour être heureux. On raconte qu'il montrait autant d'appétit devant un brouet de rutabagas que devant une soupe au lait. Une sorte de saint, en somme. Mais le saint avait un petit trou dans sa chemise de sainteté : c'était un amour immodéré du tabac. Il avait mal choisi sa faiblesse pour le temps qui courait. Le tabac, sous l'Occupation, était plus rare que le sel sous les rois. Deux fois par mois, on vous en donnait une ration ridicule contre un demi-timbre-poste que l'on tremblait toujours de perdre. Trois jours après, la blague était vide, le fumeur émoussait son envie par de méchantes préparations à partir d'armoise, de fanes de pommes de terre, de barbes de châtaignier ou de trèfle blanc. Mais notre Joz ne pouvait pas supporter ces produits illusoires. Quand on lui voyait les yeux ternes et le sourire jaune, les gens savaient tout de suite que le pauvre diable avait attrapé la « fièvre de la pipe froide », la seule maladie qu'il ait jamais connue. C'est alors aussi qu'on l'entendait éructer de pleines gorgées de malédictions où il était toujours question de berniques pourries, velues, sataniques ou verdâtres, ce qui lui valait son surnom.

Là-dessus, son ami Petit Bescond mourut sans crier gare. Comment aurait-il pu le faire, puisque ce fut un accident qui le précipita hors de ce monde. Petit Bescond étant un individu obscur, on ne sait pas bien s'il se cassa le cou en tombant de sa charrette ou s'il fut piétiné par son taureau furieux. Peu importe ! Il avait été à la guerre de 14 avec Joz et sa fille était mariée au fils de ce dernier. La Bernique fut donc chargé de porter le drapeau tricolore devant le cercueil. Mais, auparavant, il lui revenait d'habiller le défunt, son compère. Pour se donner un peu de courage, il alla d'abord toucher le paquet de tabac de sa ration.

Il y avait beau temps que sa dernière miette de « caporal » avait tourné en fumée. Son nez portait le deuil de l'encens terrestre en perdant ses couleurs petit à petit, pareil à une scarole dont on a serré la tête dans une ficelle. Or, s'il avait su ce qui allait arriver, le pauvre martyr aurait attendu deux jours de plus en mâchouillant la branchette d'aubépine dont il s'amusait les dents et la gorge quand sa pipe se trouvait en chômage, entre le souvenir de la dernière bouffée et l'espoir douloureux de la prochaine. Mais peut-on demander à un pauvre homme de dire adieu à son meilleur ami sans chercher quelque consolation dans les menus plaisirs de cette vie ! Ce serait aussi cruel que de supprimer le repas d'enterrement.

Joz La Bernique mit ses habits du dimanche et se rendit à la maison du mort. Auparavant, il avait vidé son paquet de tabac dans sa blague et placé celle-ci dans la poche du cœur. Il ne pouvait pas laisser ce trésor-là derrière lui à cause de sa femme. C'était une si brave personne que n'importe quel renard à deux pattes arrivait à lui soutirer ce qu'il voulait. Elle eût été capable d'offrir le tabac de son mari au premier venu qui aurait soupiré discrètement après l'herbe rousse. Hé là ! Doucement !

D'ailleurs, Joz n'avait pas l'intention d'allumer sa pipe avant d'avoir descendu en terre son compagnon d'armes, Petit Bescond. Quand on est en deuil, il faut s'endeuiller complètement, du moins les premiers jours. Cependant, il n'est pas défendu, au milieu des épreuves, de se fortifier un peu l'âme en appuyant du pouce, de temps en temps, sur le tabac frais qui vous fait, quelque part sur la poitrine, un matelas de douceur. Joz La Bernique n'en demandait pas plus, mais il lui fallait cela pour rester en vie. Qui lui jettera la première pierre ? Cherchez un autre que moi !

Le mort attendait son compère pour se mettre sur son trente et un. La veuve lui avait tiré de l'armoire ses meilleurs vêtements qu'elle avait proprement disposés sur une chaise. Joz fit une prière et se mit à préparer le corps. Mais le Petit Bescond, malgré son nom léger, était une pièce d'homme. Il était difficile de le remuer, bien qu'il n'y eût pas à lui reprocher de faire la mauvaise tête. Assez vite, le gars Joz fut en nage. La chemise lui collait à l'échine quand il décida de mettre bas la veste et de retrousser ses manches. Que voulez-vous ! C'est très beau de garder de la tenue, mais on ne peut rien faire de bon avec les bras. Et La Bernique voulait pomponner son compère comme un nouveau-marié. Il lui fallut s'activer pendant une bonne heure avant d'estimer que Petit Bescond pouvait être dignement présenté à sa veillée mortuaire.

Quand il remit son veston, Joz donna un léger coup de main sur sa poche de cœur, histoire de s'assurer que sa blague à tabac y était toujours. Un coup de main distrait, la force de l'habitude, sans plus. Il était stupéfait de sentir qu'il ne lui restait plus, entre le palais et le dos de la langue, cette sourde angoisse qu'il appelait lui-même « l'appel du tabac ». Etait-il trop fatigué d'avoir rempli un devoir si rude ? La réalité de la mort, qu'il avait tenue entre ses bras, lui faisait-elle compter pour vanité tous les soucis de la vie humaine ? Quoi qu'il en fût, il savait maintenant qu'il aurait la paix jusqu'au retour du cimetière.

C'est ce qui arriva, ou à peu près. Joz La Bernique ne trouva pas le temps de penser à son propre corps et celui-ci fut assez sage pour taire ses besoins pendant que son propriétaire se livrait à la douleur et à la méditation sur les fins dernières. Deux nuits et un jour passèrent sur lui, de longues heures coupées de soupes, de cidre, de viande froide et de quelques petits sommes entre deux corvées.

A la fin, Joz se vit à l'église, derrière le catafalque, écoutant monsieur le Recteur qui chantait faux, ce qui convenait parfaitement à l'office des morts, selon lui (les mariages étaient réservés à monsieur le Vicaire qui avait la voix belle et juste, heureux présage !). On le trouva sur la route du cimetière, portant le drapeau tricolore, sans faiblir ni dévier malgré ses yeux rougis qui n'y voyaient guère devant lui. Il ne sortit de son rêve qu'en entendant la première pelletée de terre tomber sur le cercueil. Alors, d'un seul coup, « l'appel du tabac » retentit en lui et gagna son corps tout entier.

Maintenant, il pouvait fumer une pipe. Il la chercha dans sa poche droite. Elle n'y était pas. Ni dans la gauche non plus. En tremblant, il porta la main à sa poche de cœur et en tira... non pas sa blague à tabac, mais un étui à lunettes. Les lunettes de fer du Petit Bescond. Le pauvre Joz La Bernique tomba assis sur le tas de terre, jeta un regard de reproche au cercueil qui n'en pouvait mais. La chose était claire.

Il s'était trompé de veston pendant qu'il achevait d'habiller le mort. C'était celui de Petit Bescond qu'il portait sur les épaules et le sien était enfermé à jamais dans le cercueil, avec son paquet de tabac frais dans la poche de cœur.

C'est pourquoi, s'il vous arrive d'offrir une pipée de tabac à Joz, ne vous étonnez pas s'il ne vous rend qu'une blague à moitié vide. La Bernique n'est pas un avare. Mais jamais il n'aura fini de prendre sa revanche.

NOUN ET LES CHIENS

La femme de Noun est en train de mourir. Naïg la Petite est son nom bien qu'elle soit une pièce de femme haute de six pieds en comptant la coiffe. C'est parce qu'elle est née fille de Naïg la Grande. Et Naïg la Grande, la mère, ayant attrapé ses quatre-vingt-quatorze ans, court encore à travers chemins, caquetant comme une vieille poule quand le grain vole par l'aire. Cela fait que la pauvre chère Naïg la Petite ne sera jamais la Grande après sa mère puisqu'elle doit filer dans l'autre monde assez tôt. « Tenez bien votre souffle, Naïg, dit Noun à sa femme, il ne faut pas voler son tour à votre mère. On doit avoir du respect pour les vieux et les laisser partir les premiers. — Que pourrais-je faire, pauvre Noun, soupire Naïg la Petite, vous savez bien que le veau disparaît souvent avant la vache. — C'est assez vrai, dit Noun, mais pour la raison que le veau est vendu au boucher pour être tué. Aucun boucher ne m'a proposé de vous acheter et moi je n'ai aucune envie de vous tuer, bien que vous ayez nourri en moi des ventrées de colère aussi souvent que tous les jours, pendant votre vie. — J'ai grand regret, Noun, gémit Naïg la petite, mais assez fréquemment vous m'avez cassé un bâton sur l'échine, souvenez-vous ! — Je l'ai peut-être fait, reconnaît Noun, mais à chaque fois j'ai coupé une baguette fragile qui cassait du premier coup. — Ou du second, Noun. Je n'ai pas trop souffert de vous. Vous avez été à peu près un bon époux. — Et vous, vous n'avez pas été une mauvaise femme, Naïg. » Noun se mouche le nez un bon coup, grandement ému. Ce n'est pas l'émotion de voir Naïg à l'agonie, mais d'entendre sa femme dire qu'il a été un bon maître et de songer qu'il ne trouvera plus personne pour lui faire des crêpes de froment. La belle-mère n'est bonne qu'à tremper la soupe rousse avec des croûtons secs. « Hélas, Naïg la Petite, si vous restez vivante encore un moment, au lieu de vous frapper avec un bâton, je prendrai le torchon à vaisselle. Cela vaudra mieux pour votre peau. »

Mais Naïg est tombée bien bas. Il est temps de porter nouvelle au fils Pierre-Marie, qui travaille à Paris sur le chemin de fer. De lui porter vite nouvelle sur un papier-télégramme pour qu'il vienne voir sa mère, puisqu'il a le train pour rien. C'est un bon garçon, Pierre-Marie. Il apportera sûrement un paquet de tabac à son pauvre cher père qui a tant de chagrin de rester veuf, sans personne pour lui faire des crêpes le vendredi midi. Noun se lève :

« Demeurez gentiment dans votre lit, Naïg. Je vais à la poste. Le " postillon " me mettra de l'encre sur le papier pour l'expédier à Pierre-Marie le plus vite possible. Attendez et surveillez bien votre souffle, de peur de le perdre. » Et voilà le bonhomme parti.

Sur la grand-route, deux chiens s'amusent l'un avec l'autre, deux chiens maigres à courte queue, aux oreilles de berniques, deux chiens sans race et trop misérables pour nourrir des puces. Et je t'aboie, je gronde, je roule-déroule dans la poussière, je fais mine de mordre le cuir de l'autre, que c'en est un vrai plaisir de les regarder. Noun reste raide sur ses jambes devant eux et un sourire éclôt sur son visage rembruni. Il ne pense plus à la privation de crêpes, le pauvre veuf à venir. Les deux chiens accourent dans ses sabots, dispersent le foin des coussinets, griffent le bas de ses braies et font mille amusements avec lui. Le bonhomme Noun rit à pleine bouche jusqu'à montrer sa gorge au soleil, le bonhomme Noun est aussi rouge de joie que si Naïg mettait la poêle à crêpes sur le feu au lieu d'attendre son cercueil, la pauvre femme. Il ramasse des petits cailloux sur la route, crache dessus et les lance le plus loin qu'il peut pour lâcher les deux chiens sur eux. Et du bruit, du tumulte, et hardi-hardi ! et attrapez, attrapez donc ! et apportez le caillou, apportez-moi le petit caillou rondelet, chien noir, chien blanc, pourriture de chiens ! Soudain, Noun se souvient du papier-télégramme à expédier au fils Pierre-Marie, à Paris, puisque... Le pauvre Noun prend ses sabots en main et file vers la poste, l'haleine courte, les deux chiens derrière lui : « Canaille damnée ! Me faire perdre mon temps quand la pauvre Naïg est en train d'étendre sa dernière crêpe. »

La nouvelle portée, Noun revient à la maison au galop rouge, les deux chiens sur ses talons. Là, il trouve Naïg la Petite tout à fait morte sur son lit et Naïg la Grande qui détrempe sa farine d'un flot de larmes pour accommoder une bouillie d'amertume. Aussitôt, Noun fait un bond dehors, un gros morceau de bois à feu dans les mains. Les deux chiens s'ébattent devant le seuil. Le veuf, fou de rage, leur tombe dessus à grands coups : « Chiens sauvages, chiens du diable, vous n'avez pas honte ! Me tenir à jouer l'amusette pendant que la pauvre Naïg rejoignait les Trépassés ! Et qui sait ! Elle avait peut-être quelque chose à me dire. »

On n'a jamais plus revu les deux chiens dans le pays.

L'AMI DU MORT

Une nouvelle de mort est parvenue dans la maison d'Henri Le Bescond. Pendant qu'il déjeunait d'une soupe au café, une main a frappé sur la grande porte qui est toujours ouverte. La cuillère du vieil Henri est restée à s'égoutter entre l'écuelle et sa bouche. Larmes de café. Si quelqu'un a pu traverser la cour sans faire aboyer le chien, si le visiteur n'élève pas la voix avant d'entrer, c'est parce qu'il porte les marques du deuil. Henri sait déjà. La cuillère tombe dans son écuelle. Il n'avalera pas une bouchée de plus. Petit-Michel est devant lui, silencieusement arrivé sur le caoutchouc de ses socques du dimanche.

C'est Petit-Michel qui porte les nouvelles, toutes les nouvelles, et qui sait ordonner son visage selon le deuil ou la joie qu'il tient sur la langue. Aujourd'hui, son gilet est boutonné sur le côté maigre, celui de la douleur et du velours étroit, grisâtre. Les yeux du vieux gars sont rougis, noyés de larmes et de sueur. Les larmes lui montent du cœur à cause d'un ami cher qui est mort et qui meurt de nouveau pour lui chaque fois qu'il entend sa propre voix s'élever, d'une maison à l'autre, pour convier les gens aux obsèques. C'est un homme tendre, ce pauvre Petit-Michel. La sueur lui coule du front dans les yeux parce qu'il n'a pas un poil de sourcils. Il sue à cause des petits verres qu'il doit boire, dans chaque endroit, après avoir délivré son message navrant dans des oreilles toutes fraîches. C'est avec un petit verre qu'on porte la santé des vivants et que l'on demande au Seigneur Dieu de recevoir le défunt dans son Paradis du même coup. D'ailleurs, il faut endormir la peine et prendre des forces pour aller plus loin. Le plus beau, c'est que Petit-Michel est un buveur d'eau de puits, vite saoulé par l'odeur d'une pomme aigre. Mais, quand il porte une nouvelle de mort, notre homme pourrait dessécher une auberge de cave en comble et rester droit sur son avant-train, sans autre effet que d'aller ouvrir plus souvent sa braguette contre le talus. Son corps et son esprit sont également tenus par la conscience de son devoir.

« Si vous me voyez en habits de dimanche dans la semaine... » Petit-Michel n'a pas le temps d'aller plus loin. « Que Dieu pardonne aux Ames », dit Henri Le Bescond de sa voix rauque. Il a enlevé son chapeau et l'a posé sur la table. Et Petit-Michel répond : « Ainsi soit-il ! » Les deux hommes font le signe de la croix. « Depuis quand, Petit-Michel ? — Hier soir, au moment de l'angelus. — Et l'enterrement ? — Demain, à 3 heures de l'après-midi. » Henri baisse la tête, se vide la gorge. Il a honte, dirait-on. « Je ne sais pas où la maîtresse a mis la bouteille de cognac », dit-il, les yeux à terre. Petit-Michel comprend très bien. Celui-ci est le meilleur ami du mort. Il est bouleversé jusqu'au fond du cœur. Il ne lui descendrait pas une goutte dans le corps. « Je n'ai d'ailleurs pas le temps de boire, mon pauvre Henri. Il me reste une sacrée tournée à faire. Ce sera pour une autre fois. » Henri trouve encore assez de force pour sortir deux petits mots : « Et voilà ! — Vous avez bien raison », dit Petit-Michel. Et notre homme se retire sur le caoutchouc de ses socques du dimanche. Le chien l'accompagne jusqu'à la barrière, la queue immobile pour une fois. Henri n'en finit pas de regarder sa cuillère.

Le lendemain, le voilà qui marche de son mieux derrière le char-à-bancs qu'on a attelé pour transporter le corps jusqu'à l'église de la paroisse. Près d'une lieue à faire, au travers de la campagne, par des chemins de terre défoncés. Et les jambes d'Henri sont devenues mauvaises, très mauvaises. Un autre serait resté chez lui, ou bien serait monté dans quelque voiture pour aller attendre le cortège au bourg. Mais Henri ne veut pas abandonner son ami avant qu'il ne soit descendu en terre. Les yeux fixés sur le cercueil, le vieillard peine durement pour avancer, boitant d'une jambe sur l'autre. D'abord, il est en compagnie des proches parents. Il peut toucher le cercueil de la main. Et alors, un élancement douloureux surgit dans sa hanche gauche pour envahir peu à peu ses reins. Le souffle court, le pauvre diable voit le char-à-bancs qui s'éloigne. Les voisins du hameau, derrière lui tout à l'heure, doivent le bousculer à coups d'épaules pour le dépasser dans l'étroit chemin. Quelqu'un lui murmure : « Allons, Henri, vous voilà devenu traînard ? » Henri sourit jaune. Il ne voit plus la croix, il n'entend plus le prêtre. Il tire ses jambes sous lui avec mille peines. Maintenant, le voilà pris dans le dernier groupe, celui des indifférents qui sont venus à l'enterrement pour se faire voir et qui parlent entre eux de leurs affaires privées. Là-dessus, la bride de cuir se détache du sabot d'Henri. Le vieillard n'ira pas plus loin. Le prochain tournant avale le cortège funèbre. Henri est abandonné tout seul avec sa douleur, encore plus lourde que ses jambes. Il va s'asseoir avec elle dans le fossé.

Une petite heure après, quand le livreur du moulin

de Kerskao vint à passer par là, il trouva Henri Le Bescond debout devant le talus, le regard tourné dans la direction de l'église paroissiale où tintaient les cloches de l'enterrement. Il suivait la messe dans sa tête et il la chantait de son mieux avec le latin qu'il savait. A la fin, il entonna le *Dies Irae* et il bénit un cercueil invisible avec sa cuillère pour goupillon. Jusqu'au bout, il avait rendu les honneurs à son vieil ami.

AVANT DE DIRE ADIEU

La vieille Maïvon va mourir. Sur son lit, l'haleine courte, elle est occupée à filer sa dernière robe, comme on dit par ici. Mourir est un travail comme un autre, elle le sait et elle fait les sept possibles pour qu'il n'y ait rien à lui reprocher. Avec le secours du prêtre de la paroisse, elle a réglé ses comptes avec le Seigneur Dieu aussi minutieusement que devant un notaire. Si elle a oublié quelque petit péché, ce n'est point par manque de mémoire, mais parce qu'elle ne sait pas qu'il s'agit d'un péché. Le mal a tant de racines qu'une pauvre femme n'est pas toujours capable de les reconnaître. Et maintenant, il ne lui reste plus qu'à donner un dernier coup de balai pour se nettoyer l'esprit des préoccupations menues. On ne dira pas, derrière elle, que Maïvon a manqué de politesse à l'égard de quinconque.

D'abord, elle renvoie chez elle sa nièce qui est à son chevet depuis deux jours pleins : « Filez autour de vos enfants, Corentine ! Je n'ai aucun besoin de vous. Et ne vous mettez pas en peine. Quand j'aurai trépassé, on vous portera la nouvelle parmi les premiers. Vous avez ma parole. » Elle appelle sa fille : « Louise, j'ai pris un coup de café chez Marie-

Jeanne Quéré et un autre à Langroaz, juste avant de tomber malade. Je n'ai pas eu le temps d'inviter ces gens-là chez moi. Il faudra le faire. Je ne veux pas laisser de dettes derrière moi, surtout des dettes de café. — Très bien, ma mère. — Et rappelez-vous bien ! A Langroaz, on a ouvert une boîte de pâté pour m'honorer. Et Marie-Jeanne Quéré avait une bouteille de boisson douce appelée cherry. Vous devez leur offrir la même chose et un petit peu plus. — Ce sera fait », dit la fille.

Maintenant, Maïvon est soulagée. Elle soupire et crache de son mieux dans ses mains sèches : « Alors, je m'en vais mourir », dit-elle avec le ton qu'elle prendrait pour annoncer : « Je m'en vais mettre mon linge à sécher. » Mais elle a beau peiner pour dételer son âme de son corps, il n'y a rien à faire. Quelque chose tient quelque part. « Je ne sais pas ce qui arrive. La mort ne me trouve pas, probablement parce que j'ai abandonné ma maison dernièrement pour venir ici. Pourvu qu'elle rencontre le facteur sur la route. Il lui dira où je suis. »

Au soir, la mort a réussi à trouver Maïvon. Les parents accourent. Voilà les prières et les lamentations qui s'élèvent. Alors la fille : « La mère a vidé la maison, mais la soupe est sur la table. Si vous la laissez refroidir, vous mettrez Maïvon dans une colère rouge, là où elle est. Jamais cette femme n'a supporté la soupe froide, ni pour elle ni pour le dernier mendiant de la création. »

Et tous les gens sautèrent sur la soupe.

LE PORTRAIT

Le père avait été tué pendant la guerre de 14, à l'âge de vingt-trois ans. Pendant toute sa courte vie, il ne s'était jamais entendu appeler que Francinet parce qu'il n'avait pas beaucoup de corps. Son fils, Francinet aussi, fut élevé par une mère qui avait été mariée trois semaines tout juste avant de devenir veuve. Elle n'avait pas eu le temps de bien faire connaissance avec son mari. Pour elle, il n'était plus qu'une photo jaunie au fond d'un tiroir et un titre de pension. Qu'aurait-elle pu en dire à son fils ? De temps en temps, elle lui montrait le portrait, le livret militaire et une médaille qu'elle conservait dans un morceau de grosse toile entourée d'un élastique. C'était une femme avare de ses paroles et de son temps. Elle s'était jetée dans le travail comme on entre au couvent. Quand elle eut fini de travailler, la mort vint la chercher entre le soir et l'aube, lui épargnant la dépense de dire adieu.

Francinet le fils s'était marié avec sa cousine. D'ailleurs, personne d'autre n'aurait voulu de lui ni d'elle. Ils étaient aussi naturellement pourvus que quiconque : ni laids ni infirmes, ni bêtes ni méchants. Plutôt bons, même, et d'assez belle apparence dans leur jeunesse. Mais des yeux sans couleur, un sourire qui restait à l'état d'ébauche, un corps qui trouvait le moyen de s'effacer partout, une parole courte et rare empêchaient les plus charitables de s'intéresser longtemps à ces deux-là. Leur mariage fut applaudi de bon cœur comme une union mieux qu'assortie, prédestinée. Mais on ne fut pas surpris de voir qu'il ne leur venait pas d'enfant. Quel enfant auraient-ils pu procréer, sinon un fantôme blafard !

Pendant des années et des années, Francinet et sa femme travaillèrent, mangèrent et dormirent sans éprouver le moindre mal de tête ou mal de coeur. L'amour est un sentiment trop violent pour aller se nicher dans d'aussi petites natures. Ils s'étaient assemblés parce qu'ils se ressemblaient, c'est tout. Leur bienveillance infinie désarmait toute querelle avec les plus hargneux. La femme n'avait de problèmes que quotidiens et l'heure suivante apportait la solution avant qu'elle n'allât s'asseoir pour réfléchir un tantinet. Et il se trouvait toujours quelqu'un pour souffler à l'oreille de Francinet le nom du candidat pour lequel il fallait voter. Ainsi s'écoula doucettement leur vie jusqu'aux abords de la cinquantaine. Alors, un jour qu'il pleuvait à verse, l'idée leur vint de regarder le portrait du père, Francinet l'Ancien, simplement pour passer le temps. Et le drame se mit en route.

Ils ne surent pas comment ils prirent l'habitude de sortir le portrait du tiroir chaque fois qu'ils étaient inoccupés. Et bientôt ils trouvèrent de bonnes raisons pour abandonner leur travail quand ils étaient gagnés, en plein champ, par la nostalgie de Francinet. Encore un peu de temps et la photo jaunie quitta définitivement le fond du tiroir pour trôner au coin du vaisselier, appuyée contre le bol à liseré d'or. Un samedi, enfin, la femme prit le train pour la ville. Elle en revint avec un cadre, le plus beau qu'elle avait trouvé en vente, et y mit le « petit Francinet ». Désormais, les deux époux furent incapables de se lever ou de se coucher sans se recueillir avec ferveur devant le portrait de ce mort, trop jeune maintenant, beaucoup trop jeune pour être leur père. En jaunissant, la photo avait affiné les traits du soldat inconnu qui leur ressemblait de plus en plus, à l'un et à l'autre. Exactement le fils qu'ils auraient eu si cela s'était produit. N'étaient-ils pas assez vieux, sous leurs cheveux gris, pour être les parents de ce Francinet, pour l'avoir élevé et... perdu ! Pendant que ses yeux se mouillaient malgré lui, l'homme répétait sept fois en lui-même le mot « père ». Mais, devant lui, le portrait refusait obstinément ce mot-là. Plus faible, la femme cherchait à rattraper vingt-cinq ans de tendresse maternelle. Elle venait seulement de s'éveiller à la douleur.

Ce fut elle qui décida de changer de pays. Après

avoir traversé trois cantons et trouvé un autre lieu pour s'établir, elle sortit de sous son tablier le portrait du soldat. Le verre en était cassé et ce fut là le dernier adieu de Francinet l'Ancien, mort à la guerre de 14. Quand la photo eut été agrandie et retouchée par un artiste capable, elle avait sauté deux générations. Les voisins apprirent que les nouveaux arrivants avaient perdu un fils unique à la dernière guerre, celle de 40. Oui, un jeune homme accompli de toutes les manières. D'une voix humble, le mari demandait d'excuser sa femme qui n'avait pas encore réussi à surmonter son chagrin. La nouvelle mère avait pris le deuil et ne le quittait plus.

Comment aurait-elle pu se consoler puisqu'elle n'avait même pas la ressource de se réconforter avec des souvenirs ! Ce fils qui lui avait été enlevé (oui, enlevé, elle en était sûre), jamais elle ne l'avait connu. Il n'avait rien laissé derrière lui qu'un portrait mystérieux et familier à la fois, une médaille de combattant et un livret militaire qui mentait de toutes ses dates. Elle dissimula d'abord ce faux témoin derrière la corniche de la grande armoire où son mari le découvrit beaucoup plus tard. Ensuite, la pauvre femme entreprit un pèlerinage sans fin dans le désert du passé, cherchant à retrouver les traces terrestres de son fils Francinet, disparu corps et âme.

Cela dura des années. Elle commença par le commencement. Un soir, son mari l'entendit réclamer l'accoucheuse d'une petite voix faible. Il sortit pour faire semblant de lui obéir. Une heure après, quand il revint à la maison, sa femme dormait paisiblement. Pendant les semaines qui suivirent, elle quitta souvent le champ en pleine tâche, après avoir dit à son compagnon qu'elle devait retourner chez elle en toute hâte parce qu'elle entendait son Francinet pleurer de soif. Le bonhomme la laissait faire. Lui-même ne savait plus où il en était. Sans mot dire, il écoutait la « mère » chantonner des berceuses et dévider des petits mots d'affection pour un bébé fantôme. On la vit laver des couches au lavoir, on la vit acheter des jouets dans les boutiques du pardon. Une fois, elle ramena une petite voiture d'enfant toute cassée qu'elle avait trouvée dans une carrière où l'on déchargeait les débris. Pendant la soirée, Francinet, son mari, l'entendit gronder Francinet, son fils, parce que le garçonnet ne faisait pas attention à ses petites affaires.

Malgré tout cela, la pauvre femme vivait à peu près comme tout le monde. S'il lui arrivait de se laisser aller à des actes assez déroutants, du moins ne la surprenait-on jamais proférant des paroles à faire croire qu'elle avait perdu le sens. Elle gardait ses divagations pour elle et pour son mari. Tout le temps que dura l'enfance de son fils imaginaire, le portrait du jeune soldat fut relégué par elle au fond du tiroir où ils l'avaient trouvé pour leur plus grand malheur. Son temps n'était pas encore venu, n'est-ce pas ! Avant d'aller à la guerre, il lui fallait aller à l'école.

Il y alla. Peut-être pas lui-même, mais du moins sa mère. Un jeudi, alors qu'il n'y avait personne par là, elle s'introduisit dans la classe des grands et fouilla dans le placard du mur. Elle y trouva un tas de vieux cahiers. Et la voilà qui choisit les meilleurs, c'est-à-dire ceux qui montraient la plus belle écriture et les plus hautes notes. Elle les apporta dans sa maison comme un trésor incomparable. Tous les jours elle tournait les feuilles écrites à l'encre bleue et s'émerveillait des compliments du maître, tracés à l'encre rouge. Son fils était un écolier modèle, dictées et exercices à l'appui. Celui-là ne raterait pas son certificat, ma foi non !

Dès lors, les choses allèrent très vite. Le mari entrait dans le jeu et y apportait sa mise. Bientôt, leur fils devint jeune homme. Maintenant il court les pardons et les aires neuves. C'est un garçon doux et de bonnes manières. Les jeunes filles se le disputent.

Il choisit la plus belle et presque la plus riche. Il le peut, n'est-ce pas ! Il n'a pas de rival à sa hauteur.

C'était la fille de voisins à eux. Ils ne mirent pas longtemps à la considérer comme la fiancée de leur fils qui faisait son temps de service et qu'elle attendait sagement. Le portrait du soldat était accroché maintenant dans la chambre des deux vieux. Tous les soirs, ils fermaient leurs yeux sur lui et, tous les matins, ils lui souriaient avec le premier rayon de soleil, aussi pâle que lui-même. Tout le jour, ils s'entretenaient de la jeune fille comme si elle était déjà leur bru. De temps en temps, ils lui offraient de menus cadeaux qu'elle acceptait sans façon. N'étaient-ils pas de bons amis de ses parents, des gens un peu simples, peut-être, mais à l'aise dans leur bien, solitaires, et sans descendance ! Elle fut heureuse de voir la femme quitter le deuil, acheter des coiffes de tulle et des tabliers clairs. Elle en était venue à les appeler marraine et parrain quand elle décida de se marier.

Tôt ou tard, cela devait arriver, bien sûr. D'ailleurs, la jeune fille ne savait rien du roman que les deux vieux avaient échafaudé pièce à pièce. Mais, quand elle apprit la nouvelle des noces, la « mère » de Francinet s'alita, le cœur brisé. Elle apprenait qu'on peut rêver sur un portrait à condition de ne pas faire entrer dans le rêve une personne vivante. Elle avait trahi son fils, il allait mourir, il était mort depuis longtemps, elle n'avait jamais eu de fils, elle le savait bien maintenant.

On l'enterra dans la semaine. Le mari s'en fut agoniser longuement à l'hospice des vieux, ayant emporté avec lui, dans le morceau de grosse toile, le livret militaire du mort de la guerre de 14, redevenu son père. C'est là que je l'ai connu.

Car si vous croyez que j'ai imaginé cette histoire de bout en bout vous me faites beaucoup trop d'honneur.

LE BOUT DE L'AN

LE GRAIN DE FOLIE

IL y avait une fois, quelque part en Bretagne, un petit garçon qui ne riait jamais. Ne me dites pas que ce n'est pas vrai. C'est Joz Scuiller, de la paroisse de Tréguennec, qui m'a conté son histoirc. Si l'on me donnait à choisir entre une seule parole de Joz Scuiller et les charretées de papier noirci qui sont conservées, à Quimper, dans la grande maison des archives, je mettrais le feu à toute cette encre. Ne me demandez pas non plus où habitait le petit garçon. Il habitait partout où l'on parle breton. Vous êtes contents, maintenant !

Il ne savait pas rire au soleil d'avril, aux fleurs qui s'ouvrent sur l'aubépine, à son image dans la fontaine, au chat qui joue avec une mèche de chanvre, à l'écume de la mer dans les galets. Aux grimaces des hommes non plus il ne riait pas. Il n'avait pas ri, dans son berceau, quand il avait fait connaissance avec son pied nu. Il ne savait même pas rire à sa mère. Pourtant, la pauvre femme avait fait les sept possibles pour lui apprendre. Cent fois, elle avait conté les tours du lièvre qui broute dans le petit pré du creux de la main et qui échappe aux cinq doigts pour se réfugier dans le nombril de l'enfant. Mais l'enfant ne riait même pas quand on lui chatouillait le nombril. Il regardait sérieusement sa mère. On voyait, dans ses yeux, beaucoup d'affection pour elle, mais encore plus d'indulgence. Elle n'avait pas vu sortir sa première dent. Quant à son père, il n'osait pas lever les yeux sur lui. Il se croyait devant un juge.

L'enfant trop sage n'avait pas d'amis. Les joueurs de marelle, les lanceurs de toupie, les coupeurs de sifflets, les manieurs de frondes, les patrouilleurs de campagne qui avaient son âge l'appelaient le *Korrigan* parce qu'il y avait en lui une âme de vieux avant même qu'il eût hissé ses premières braies. Personne ne l'avait jamais vu courir. Il passait son temps à s'occuper d'un oiseau qu'il avait mis en cage. Ce n'était pas pour se réjouir de ses ébats ni de son chant, mais pour le garder à l'abri des rapaces, des chats et de l'hiver. Il le nourrissait avec soin, lui tenait conversation quand ils étaient seuls, lui reprochait sa tête folle quand il se cognait aux barreaux. Tous les ans, à la fin de l'automne, il élevait la voix pour demander à son père de ramasser tous les oiseaux des champs dans la maison avant les grands froids. Il avait le cœur bon, mais il ne pensait pas à la liberté des bêtes. Il faut savoir rire de naissance pour avoir des idées pareilles. Il ne savait pas.

Une année, aux approches de Noël, sa mère s'en fut à Plonéour pour livrer la dentelle qu'elle faisait de nuit aux dépens de ses yeux. Sur la place, il y avait une boutique de bonbons qui vendait aussi des oranges. La pauvre femme en aurait bien acheté une pour son fils, mais l'aurait-il mangée, ce petit moine au désert ! Elle s'en allait en soupirant quand la marchande, une femme inconnue sous une coiffe étrange, lui dit d'une voix douce : « Pour votre fils, Marie-Jeanne, il faudrait un grain de folie. » Elle offrait une sorte de noisette grise, enfilée dans un lacet : « Vous la lui mettrez au cou, sous la chemise. Et qu'il la garde sept ans ! » La mère prit l'objet et fouilla dans sa jupe pour tirer sa bourse. Quand elle releva les yeux, il n'y avait plus rien devant elle, plus rien que la pierre du pilori qui s'y trouve toujours. Si grande était la joie de Marie-Jeanne qu'elle ne chercha pas plus loin. Vous et moi, nous aurions ouvert notre gorge au soleil pour mieux nous étonner ? Mais nous n'avons pas mis sur terre un enfant qui ne sait pas rire.

C'est ainsi que le petit garçon, au matin de Noël, trouva dans son sabot la graine couleur de cendre. A peine l'eut-il passée à son cou et réchauffée un moment sur sa poitrine qu'on le vit changer de visage. Et soudain, pour la première fois, on entendit son rire. Il se mit à tourner, à sauter, à danser sur l'aire de sa maison en débitant toutes les comptines qu'il avait entendues depuis sa naissance sans lever un sourcil ni montrer une dent. Il bondit sur le dos de son père qu'il fit trotter comme un cheval de manège en riant aux éclats. Il défit, pour s'amuser, le lacet de coiffe de sa mère qui manqua étouffer de joie. Et il riait toujours. A la fin, il se jeta dehors et rassembla tous les gamins du quartier pour une partie de colin-maillard. Quand il rentra, le soir, il avait déchiré ses braies en montant aux arbres. Avant de se coucher, il ouvrit la cage et libéra son oiseau. La nuit, on l'entendit rire et siffler dans son sommeil. Dehors, la neige s'était mise à tomber.

Le lendemain, quand il se réveilla, le nouveau luron engloutit sa soupe au café et sortit pour courir l'aventure. Or, en traversant le verger, il trouva son oiseau tout raidi de froid sur une branche morte. L'enfant avait bien changé depuis la veille, mais il était demeuré bon, la graine de folie n'y pouvait rien. Il déboutonna sa chemise et mit l'oiseau contre sa peau pour le dégourdir. La petite bête revint à la vie et, comme elle avait grand-faim, elle dévora la graine couleur de cendre qui était à portée de son bec, suspendue au lacet. Puis elle s'envola pendant que l'enfant sentait retomber sur ses épaules le poids de la sagesse.

Il rentra chez lui. Dehors, ses camarades l'appelaient à grands cris, à grands coups de sifflets. Il ne les entendait plus. Les yeux secs, il méditait devant la cage vide. Alors, il entendit un froissement d'ailes. L'oiseau était revenu. Il se glissa de lui-même dans sa cage et ne bougea plus. Il avait l'air vieux. Voilà ce que la graine couleur de cendre avait fait de lui. La folie des hommes, c'est la sagesse des oiseaux et, quand un oiseau devient sage, il ne veut plus de sa liberté. Le petit homme et la petite bête se regardèrent longtemps. Ils ne savaient plus ni rire ni siffler. Ils avaient pourtant su.

Quand la mère revint des champs, elle les trouva morts tous les deux.

TROIS CHEMISES DE CHANVRE

Clet Riou était tailleur-brodeur de son métier. Il usait gaillardement sa vie à bâtir, dans le drap de Montauban, les grands habits de noces des riches propriétaires, à les décorer patiemment de fils jaunes, rouges ou verts. Lui-même n'avait jamais eu sur le corps que la toile de chanvre filée par sa femme et tissée par un pauvre bougre de son espèce. Mais bah ! Il n'y avait pas là de quoi aigrir son humeur. Aucune jalousie n'avait trouvé le moyen d'entrer chez lui. Et comme il aimait les poireaux, c'est-à-dire les compliments, il s'estimait mieux payé de sa peine en écoutant chanter ses louanges dans le canton que par les quelques écus qui défendaient, vaille que vaille, sa famille contre la chienne de misère. Une aiguille, c'est peu de chose pour nourrir dix enfants. Il ne comptait pas sa femme, Marguerite Le Coz. Elle n'avait jamais faim. De temp en temps, Clet Riou lui apportait quelque bon morceau qu'on lui avait donné dans une ferme où il travaillait. Les enfants dévoraient le tout, Marguerite savourait les miettes quand il y en avait. Ce n'était pas souvent.

Avec du pain et ce qu'il faut de poireaux, le brodeur eût été le plus heureux des hommes de la terre s'il n'avait pas eu un ver à le travailler sous l'os du crâne. Ce ver était celui de la vocation. Et la vocation de Clet était d'être chemineau. Il n'y pouvait rien. Il aurait voulu parcourir le monde à la bonne aventure, les paupières levées, les narines ouvertes, la salive toute prête dans la bouche pour bavarder avec les gens. Il enviait les chiffonniers de l'Arrée qui vaguaient par le pays en tirant un cheval par la bride, les mercerots ambulants, les rémouleurs, les romanichels à peau noire, même les mendiants de pardons toujours en route avec leur sébile accrochée à la ceinture. Et les marchands de bétail galopant de foire en foire dans leur charrette anglaise, pourquoi non ?

Au lieu de cela, depuis son âge de onze ans, il s'installait avant l'aube, tous les jours que Dieu faisait, sur une couche de paille dans une étable ou une écurie de ferme. Et là, il tirait l'aiguille jusqu'au brun de la nuit sans autre compagnie que celle des animaux et des femmes. Les animaux, on en a vite fait le tour quand ils ne sont pas à vous. Les femmes, c'est agréable pour plaisanter un moment si elles veulent bien. Et puis, elles tiennent la cuisine, ce qui est considérable. Et surtout elles ne sont pas chiches de compliments pour le couturier, les finettes. Mais leur esprit est court quand il s'agit de philosopher. Les hommes, eux, s'activaient aux champs pendant qu'il croupissait sur la paille. Il ne les rencontrait qu'aux repas. Et là, il devait se défendre contre le grand sarcasme. « Où avez-vous laissé les six autres ? — Quels autres ? — On sait bien qu'il faut sept tailleurs pour faire un homme (et de rire) ! — Les six autres, répondait Clet, n'ont pas voulu se déranger pour une si petite compagnie. Ils prétendent qu'un seul tailleur a plus d'esprit que vous tous. Moi, je ne sais pas. » Là-dessus, les hommes devenaient hargneux. Il fallait parler d'autre chose. Ah ! Il est bien difficile de vivre quand on est à mi-chemin entre les gars et les filles. Et l'homme au dé, morose, brodait des plumes de paon, des chaînes de vie, des cornes de bélier, des arêtes de poisson pendant des semaines et des semaines en écoutant son ver lui brouter la cervelle. Il rentrait chez lui sous la lune, accompagné par le bruit de ses sabots. Et la lune, croyez-moi, ne lui faisait pas de bien.

Il avait pourtant ses jours de gloire, le Clet Riou. Quand il avait terminé un grand habit, avant d'aller plus loin entreprendre le suivant, il se donnait un peu de bon temps et le ver s'arrêtait dans sa tête pendant tout ce temps-là. Ayant remis à Marguerite Le Coz l'argent de son travail jusqu'au dernier sou, le brodeur partait en vadrouille, rien dans les mains, rien dans les poches. Il comptait sur sa langue pour le nourrir et il n'avait pas tort. Les gens aiment tant écouter les histoires que c'eût été péché de les en priver, les pauvres, ils ont assez de misère avec le reste. Des histoires, Clet en connaissait une râtelée, les vieilles qu'il avait apprises de son propre père et les nouvelles qu'il trouvait lui-même entre son aiguille et son dé. On accourait d'une lieue pour l'entendre débiter ses contes sous le manteau des cheminées. A sa volonté, il faisait s'ébahir les enfants, pleurer les filles, rire tout le monde, même les hommes, parole d'honneur, bien près d'avouer que cet avorton valait quelquefois sept gaillards de leur trempe. Quand il était parti, on s'étonnait de voir lever derrière lui des graines de sagesse. Quelle revanche ! Et bien sûr il avait les meilleurs morceaux qu'il aidait à descendre avec la meilleure goutte.

Pour ceux qui ne le savent pas, il faut dire qu'un brodeur devait se priver de boire pendant tout le temps qu'il était occupé à sa tâche, sinon la sueur de ses doigts aurait terni le fil. Or, pour amener un grand habit à la perfection, Clet Riou peinait de quarante à soixante jours en s'abreuvant modérément à l'eau de puits. Mais, quand il promenait ses contes d'une cheminée à l'autre, il ne voulait entendre parler que de boissons conséquentes, vous comprenez ce que je dis.

Une fois, il lui arriva de terminer l'habit de mariage d'une riche héritière l'avant-veille de la Noël. Une rude affaire. Le plastron double, les manches à retroussis et tout le reste, y compris le bonnet à cheveux, étaient brodés si juste et si serré qu'il n'aurait pas pu y enfoncer une fois de plus sa plus fine aiguille. Le chef-d'œuvre de Clet, fait pour durer cent ans et qui dure encore. Aussitôt l'habit exposé dans la maison de l'héritière, on accourut de toutes parts pour l'admirer. L'artiste fut si accablé de compliments qu'il en eut presque assez, je vous le jure. Mais il était épuisé jusqu'à la moelle. Dans sa tête, le ver menait un train du diable. Au lieu d'attendre la fête de la Nativité chez lui, entouré de Marguerite Le Coz et des dix enfants, il n'y put tenir, il s'enfuit sur la route. Il faisait un froid noir, la neige commençait à tomber. Marguerite fit enfiler à son époux trois chemises de chanvre toutes neuves pour lui tenir chaud et adieu !

A la première auberge de carrefour qu'il rencontra sur sa route, Clet Riou ne put s'empêcher d'entrer quand il vit une demi-douzaine de bêtes attachées aux anneaux de la façade. Il y avait donc du monde à l'intérieur, il pourrait faire aller sa langue à son aise. A peine avait-il mis le pied sur le seuil qu'il fut salué par des clameurs joyeuses. La nouvelle avait déjà couru que l'habit de noces de l'héritière de L... était le plus beau qui fût sorti des mains d'un brodeur.

Notre homme avait mille peines à digérer les compliments. C'était trop de poireaux d'un seul coup. Cela ne se passa pas sans boire. Le tavernier lui-même y alla de sa tournée. Sous peine de vergogne, Clet Riou ne pouvait demeurer en reste. Comme il n'avait pas un rouge liard, il enleva triomphalement sa première chemise et la laissa au gars du comptoir pour régaler son monde comme il faut.

Et le voilà parti, balancé au cul d'une charrette, vers un second carrefour et une seconde auberge où le même jeu recommença, mais sur un ton plus haut. Le gars Clet n'avait jamais eu la langue aussi bien pendue pour décrire en détail tous les motifs qu'il avait brodés sur l'habit de l'héritière. Je crois même qu'il en inventa sur le chaud quelques-uns qui n'y étaient pas. Et les poireaux de pleuvoir sur l'homme sans pareil. Une telle gloire ne peut s'accepter sans largesses. La seconde chemise y passa. Et ce fut la troisième auberge. Il y en a quatre-vingt-dix-neuf entre la terre et le Paradis, on était encore loin de celle de la mi-route qu'on appelle *Bitéklé*, mais Clet Riou entendait déjà le chœur des Anges. Il aurait bien voulu chanter avec eux, sa langue ne voulait pas l'aider. Il eut bien du mal à quitter sa dernière chemise.

Le lendemain, la neige n'ayant pas cessé de tomber pendant la nuit, un nommé Joseph Strullu se trouvait à marcher sur la route pour des raisons qui ne regardent que lui. Il vit, dans un fossé, un tas de neige qui lui sembla d'autant plus insolite qu'il était cantonnier de son état. Ayant donné un bon coup de sabot dedans pour savoir, il découvrit une main aux doigts effilés, au pouce en spatule. Sous le tas de neige, il y avait un tailleur. Vivement, Jos Strullu dégagea le corps qui était tout raide. C'était la dépouille du bon homme Clet Riou. Déjà le cantonnier faisait le signe de croix pour commencer une prière quand le corps éternua. Maigrement, chichement, mais c'était un éternuement. Alors, Jos courut à la première maison qu'il trouva. On vint au fossé avec une charrette à bras, on chargea dedans le corps qui ne pliait plus et au galop rouge vers la maison de Clet. Les dix enfants attendaient le père dans l'angoisse, Marguerite Le Coz tranquillement comme toujours. « Vous savez bien que cet homme-là en vaut sept comme vous », dit sa voix sereine. Elle alluma dans l'âtre un feu d'enfer, elle fit placer son homme sur le banc de la cheminée où il avait si souvent conté les merveilles et elle attendit.

Cependant, le bruit avait couru que Clet Riou, le roi des brodeurs, avait péri de froid dans un fossé parce que des aubergistes sans cœur lui avaient pris ses chemises, le laissant partir à moitié nu sous la nuit de décembre. Ce fut un beau branle-bas dans le pays. Les gens arrivaient de toutes parts, anxieux de savoir si le gars se dégelait ou si le Seigneur Dieu l'avait pris par la main à *Bitéklé*. La maison était pleine quand les trois aubergistes se présentèrent au soir, rapportant chacun une chemise de chanvre. On les laissa passer en raison de leur contrition. Marguerite Le Coz n'arrêtait pas de nourrir le feu. Le bois sec finit par manquer. Elle eut recours à du fagot un peu vert qui dégagea une fumée âcre. Et c'est alors que Clet Riou éternua pour de bon en s'écriant tout de suite après : « Dieu me fasse grandir ! » Il secoua la tête, il ramassa ses jambes, il se caressa les favoris, il ouvrit les yeux, il vit devant lui les trois aubergistes agenouillés qui lui présentaient les trois chemises. Juste à ce moment, la pendule sonna douze coups.

— Les trois mages, dit Clet Riou. Le Christ est né.

Il y eut plus de joie, cette nuit-là, dans ce petit recoin de notre terre à patates, qu'il n'y en eut jamais avant ni depuis.

C'est le facteur piéton de Plogastel qui a conté cette histoire, autrefois, dans ma propre maison. Et pendant tout le temps qu'il a parlé, les yeux de mon grand-père Alain Le Goff sont restés bleu de lin pour me donner à comprendre qu'il fallait écouter avec soin. Lorsque la conversation n'avait pas d'importance pour moi, ces yeux-là se mettaient à briller si fort que je n'en distinguais plus la couleur. Alors, je laissais les langues aller bon train et j'allais creuser cinq petits trous dans la route en prévision d'une prochaine partie de billes. Avant d'attraper la porte, j'entendais rire Alain Le Goff. Je savais donc que je faisais bien.

Cependant, je ne pourrais pas vous conter aujourd'hui le *Cavalier de Noël* comme il faut si je n'avais entendu parler de lui que cette fois-là. Je venais à peine de laisser mes jupons d'enfant pour hisser mon premier pantalon de velours à raies. Mais, chaque année, quand revenait le mois de décembre, mon grand-père trouvait l'occasion de me répéter le conte sans y changer un seul mot. La vérité des contes ne permet pas de jouer avec le gros ni les détails. Alain Le Goff reniflait de la même narine que le facteur de Plogastel et aux mêmes endroits. Pauvre homme que je suis, j'ai la mémoire étroite et ne nez rétif, mais je vais faire mes sept possibles pour que le *Cavalier* me pardonne.

Celui qui a rencontré le cheval brun, je ne vous dirai pas son nom, il s'appelait Scuiller, le Grand Scuiller exactement, étant donné qu'il pouvait moucher de l'épaule pas mal de gens qui avaient déjà les genoux très loin de leurs sabots. Quant à son prénom, il s'était si bien perdu que sa femme elle-même n'en connaissait pas le bruit. Pour elle comme pour les autres, il était le Grand Scuiller ou quelquefois le Grand tout court. Le pain quotidien de sa famille, il le gagnait avec ses bras qu'il avait longs et forts, en vérité. Estimé comme il était, il n'avait aucun mal à trouver des journées à faire dans les grandes fermes des alentours. Ou bien il travaillait avec les cantonniers à empierrer les routes quand le rouleau se trouvait dans le pays. Mais il ne manquait pas de rentrer tous les soirs dans sa chaumière auprès de la chapelle de Saint-Germain. Quelquefois, il lui fallait mesurer deux ou trois lieues avec ses grandes jambes par les mauvais sentiers de traverse. Le lendemain, il repartait avant le jour en sifflant.

Or, une fois, c'était la veille de Noël, on était en train de construire une cale pour les bateaux de Penhors. Le Grand Scuiller fut pris en retard pour retourner chez lui. Après la journée faite, un de ses amis l'avait invité à célébrer la fête du cochon. On ne refuse pas une invitation pareille quand on sait vivre, on ne soulève pas son pantalon du banc pour s'en aller avant la dernière goutte ou le dernier morceau. Bref, la nuit était au plus noir quand notre homme attaqua sa route. Un peu plus de deux lieues à faire avec une paire de bons sabots garnis de foin, ce n'était guère pour un gaillard aussi bien fendu de l'entrejambe. Pourtant, après une heure de marche, le Grand Scuiller se sentit mal dans sa peau. Il avait beau chercher, il n'arrivait pas à trouver pourquoi. La nuit de Noël, un temps doux, sept mille étoiles dans un ciel sec, la chaleur d'un fricot de première classe et ce têtard de chêne qui flambait déjà pour lui dans sa maison, que restait-il à désirer pour un homme de son état ? Rien ni la moitié de rien. Qu'est-ce qui faisait donc que son cœur se décalait dans sa poitrine ? Il s'aperçut qu'il marchait de travers quand ses sabots lui écorchèrent les chevilles nues.

Le Grand Scuiller s'arrêta pour reprendre ses esprits. Et il se prit à siffler, comme ça, sans y penser.

Alors, il entendit derrière lui le galop feutré d'un cheval lancé à toute allure. On aurait dit que les quatre fers de la bête avaient été enveloppés dans des chiffons. D'instinct, l'homme se plaqua contre le talus avec une terrible envie d'entrer dedans. Le cheval lui passa en trombe au ras des épaules, laissant une odeur de fumier froid et une haleine à faire vomir. C'était une masse grisâtre, sans contours précis, et qui hennissait curieusement, non pas avec la bouche, mais avec l'anus. Le Grand Scuiller avait compris. Le cheval d'ombre ! Le vieux dicton lui éclata dans la tête, dix fois répété par les voix discordantes des enfants du catéchisme :

Gardez-vous bien du cheval brun
Qui porte au Diable en fin de semaine.

Il va revenir tout à l'heure, se dit le pauvre Grand Scuiller qui n'avait plus un poil de sec. Et, cette fois-là, ce sera fini de moi. Mais quel péché mortel ai-je bien pu commettre ? Je ne suis pourtant pas plus mauvais qu'un autre, Seigneur Dieu ! Il finit par retrouver l'usage de ses jambes, il sauta le talus, il se mit à fuir à travers un champ immense qu'il n'avait jamais vu de sa vie, un champ qui était venu s'étendre, il ne savait comment, à la place des trois ou quatre fermes qu'il avait connues là depuis toujours. N'importe ! Le Grand Scuiller détalait de toutes ses forces vers il ne savait où. Et soudain, il entendit hennir de nouveau derrière lui, hennir à gauche, à droite et devant. Il avait beau casser sa course, changer de direction, la damnée bête était toujours sur lui. Jusqu'au moment où il fut jeté à terre par un poids énorme. Le cheval d'ombre était passé.

Etalé tout du long de son corps sur le champ inconnu, le Grand Scuiller attendait que la bête lui revînt dessus pour la troisième fois et ce serait la fin.

Trois fois, la mort arrive toujours en trois fois. Il croyait bien qu'il ne lui restait plus un seul os en état dans son sac de viande. Je suis peut-être déjà mort, se disait-il confusément. Et il attendait la suite, il attendait le cheval brun pour le conduire au diable puisque c'était samedi. Le cheval brun ne revint pas. Au bout d'une éternité, ce fut une cloche qui appela quelque part pour la messe de minuit. Elle n'était pas si loin, cette cloche. Le Grand ramena un bras, puis une jambe. Il parvint à se dresser sur ses genoux, puis en pied. Son corps lui obéissait bien. Et voilà qu'il vit, devant lui, un vieux chemin qu'il prenait souvent quand il voulait couper par le plus court. Il se mit en marche. D'autres cloches appelaient maintenant au fond des campagnes. A chaque volée, l'homme sentait croître son courage.

Il descendit dans un vallon où coulait un ruisseau qu'il passait d'habitude sur des pierres plates. Et juste au milieu du gué, il y avait le cheval d'ombre, immobile et transparent comme une fumée. On voyait distinctement l'eau couler entre ses sabots. Seulement, il portait sur son dos un enfant à longue robe, transparent aussi, mais encore plus clair. Lorsque le Grand Scuiller fut arrivé à six pas du courant, le cheval se mit en marche doucement. Il gravit la colline qui mène à la chapelle de Saint-Germain. Quand l'homme peinait trop derrière, plus à cause de l'émotion que de la fatigue, le *Cavalier de Noël* arrêtait sa monture pour l'attendre. Et c'est ainsi qu'ils arrivèrent tous les trois dans la cour de la maison du Grand. Mais, au lieu de s'arrêter devant la porte close, le cheval d'ombre et l'enfant à longue robe s'enfoncèrent dedans et disparurent. Juste à ce moment, la porte s'ouvrit et la femme parut sur le seuil : « Vous voilà quand même, Grand Scuiller, dit la voix soulagée. Vous avez peut-être rencontré le cheval brun ? » Et elle se mit à rire. Son mari aurait bien voulu rire avec elle, mais il ne trouvait pas assez d'haleine pour le faire.

Le Grand Scuiller attendit sept ans pour raconter son aventure. Encore la mit-il au compte de son père qui était mort depuis longtemps. Les gens ne veulent jamais ajouter foi aux histoires dont les témoins se trouvent parmi eux.

JOBIG DES ETOILES

C'était un penn-ti au bord de la route, quelque part dans le canton de Plogastel, je n'en dirai pas plus. On m'avait assuré qu'il y avait là un vieil homme bourru dont la mémoire conservait d'étonnantes chansons de conscrits. Mais personne n'avait voulu m'accompagner. Allez-y toujours, disaient les gens. Peut-être chantera-t-il, peut-être non. Il a sa tête à lui. J'ai toujours aimé les hommes qui s'en tiennent à leur tête. J'y suis allé pour en voir un. C'est qu'ils deviennent rares. Je n'avais pas grand espoir, mais j'ai tout de même choisi le soir de Noël pour mettre les meilleures chances de mon côté. Le soir de Noël, le plus grincheux des animaux baptisés ne saurait faire affront à son hôte.

Il n'y avait au logis que la fille du vieux. Quand j'ai arrêté la voiture devant la fenêtre, j'ai vu ses yeux au ras des rideaux. Je suis entré par étapes, avec les cérémonies d'usage. Il faisait noir dans la pièce. Elle s'était plantée, avec son tricot, devant le feu qui brûlait sur l'âtre et elle faisait aller ses aiguilles grand train pour occuper son embarras. Une femme autour de cinquante ans, épaisse et lourde. Sans se retourner, elle a dit :

— C'est vous Jakez, peut-être ?

Je me suis étonné. Comment savait-elle ?

— J'ai appris que vous étiez par là.

Donc les langues avaient marché. On m'avait préparé les voies. Le facteur, le cantonnier ou qui ?

— Il ne chantera pas, dit la femme sur le même ton. Il ne veut plus chanter. Jamais.

Allons ! Quand on enquête, parmi les bretonnants, il faut s'attendre à des refus. J'ai l'habitude. Et je les comprends bien, ces gens. Personne n'aime à passer pour une bête curieuse aux yeux d'un hors-venu, si bien intentionné soit-il. On s'introduit dans leur vie quotidienne, on vient guetter les vieux battements de leur cœur, essayer de surprendre leur âme à nu. Et pour tirer quoi de leurs confidences ! Pas toujours la plus juste image. Je fais deux pas vers la porte.

— Saluez le maître de ma part. Et joyeux Noël pour la maisonnée.

Elle se tourne vers moi d'un bloc. Ses yeux s'effarent dans son visage un peu gras. Elle enfonce le tricot dans sa poche. Cliquetis. Une aiguille est tombée sur l'aire.

— Vous avez bien le temps, tout de même. Avec une voiture comme la vôtre on va vite. Le père est allé chercher la vache.

J'attendais ces paroles, ou à peu près. L'hospitalité bougonne des campagnes. Toujours sur leurs gardes, mais civils à leur manière. La femme attrape un torchon et en frappe légèrement le banc. C'est une invitation à m'asseoir. J'obéis. Déjà elle frotte la toile cirée au bout de la table. Sur sa figure se forme une sorte de grimace qui est peut-être un sourire.

— Il finit toujours par chanter. La chanson est plus forte que lui. Elle demande à sortir. Quand on est vieux, on n'a plus la volonté de se fermer, n'est-ce pas !

Décidément c'est un sourire. Là-dessus, une vache meugle dans la cour. La femme remue vaguement des bouteilles dans l'ombre. Avant qu'elle ait trouvé ce qu'elle cherche (mais cherche-t-elle vraiment ?) le vieux est entré. Grand et maigre, tout le haut du corps cassé en avant jusqu'à la hauteur des reins. Il s'arrête au milieu de l'aire et fixe le foyer.

— Il me semble que notre feu est bien bas. Prenez garde qu'il ne tombe à rien.

Le souffle est court, la voix rogue et inquiète. Sûrement il m'a vu. D'ailleurs, ma voiture devant la maison... Mais je n'existe pas encore. Sa fille le rassure.

— Ne vous faites pas de souci avec le feu. Je vous ai préparé une panerée de bois sec au coin de la cheminée. De quoi tenir jusqu'à la soupe Pour la nuit, il y a la souche de chêne que vous avez mise à l'abri dans l'appentis.

— Mais la cheminée ne tire guère. Pas étonnant, avec ce vent fou. C'est le diable cornu qui chevauche dans le ciel. Il n'est pas à l'aise dans ses braies rouges à cause du Sauveur qui va naître à Bethléem. C'est celui-ci, Jakez ?

Il n'a pas détaché son regard du feu. Moi, je reste assis et j'attends. Je connais les usages. Il ne faut pas que je souffle mot avant qu'il ne m'ait parlé dans la figure.

— Oui, dit la fille. Votre diable aura beau faire, il n'arrivera pas à étrangler notre feu. Regardez ! Il flambe aussi clair qu'un soleil d'avril.

— Il flambe, je ne dis pas. Il flambe trop, à mon gré. Il va trop vite en cendres. Ménagez-le mieux.

Elle s'appuie des genoux sur la pierre du foyer et se met à serrer son feu. On la sent confuse et mortifiée de s'être fait donner leçon en présence d'un étranger. Sa voix tourne à l'aigre.

— Hé quoi ! Il peut mourir s'il veut. Je suis capable de le rallumer en un tour de main.

Le vieux crache par terre. Sans colère, mais avec le dépit du maître qui voit son enseignement perdu. Il vient s'asseoir en face de moi, sur l'autre banc. Maintenant, je rencontre ses yeux vifs sous les sourcils fournis. Il est vraiment très vieux, mais de la vieillesse nerveuse des hommes de plein air quand ils gardent le corps sec.

— Les femmes, soupire-t-il en détaillant curieusement tout ce qu'il peut voir de moi. La meilleure est toujours à reprendre. Celle-ci, depuis qu'elle est née, sait pourtant qu'il ne faut jamais laisser mourir le feu dans une maison, le soir de Noël. Vous le savez aussi ?

C'est le moment de faire attention. Il me fixe d'un air soupçonneux. Il attend. Je vais mentir pour me faire complice. Il faut que je me fasse complice si je veux tout apprendre.

— Je sais, dis-je.

Le bonhomme frappe du poing sur la table et se tourne vers sa fille. Sa voix claironne le triomphe.

— Vous avez entendu, Catherine ! Votre père ne radote pas. Mettez quelque chose sur la table. Le monsieur mangera un morceau avec nous.

Je proteste avec indignation. Je déclare que je ne suis pas un monsieur, que je n'ai pas faim, que je dérange, qu'il me reste une longue route à faire, que mon dîner m'attend ailleurs et que c'est Noël. Je me lève, je boutonne mon pardessus. Tout le grand jeu, quoi ! Le vieux n'a aucun mal à balayer mes prétextes. Il est ravi parce que je connais les bonnes manières.

— Vous avez beau avoir de l'instruction à vous éclater la tête, je pourrais encore vous apprendre. Oh ! oui, je pourrais.

Voilà. L'expérience contre les livres. La juste fierté des manuels. Je m'arrête au dernier bouton. Je regarde humblement ces quatre-vingts ans de paysannerie.

— Ça, c'est sûr, dis-je avec conviction.

— Enlevez donc votre sacré manteau, commande le vieux. Est-ce que vous savez seulement pourquoi il ne faut pas le laisser mourir, ce feu ?

Je demeure immobile et je le regarde un moment en silence. J'ai appris à jouer la comédie avec des gens comme lui. C'est d'autant plus facile que je vais dire la vérité.

— Ma foi, non.

— Quand on laisse mourir le feu de Noël, il n'y a plus qu'un moyen de le rallumer. C'est d'aller chercher le feu des étoiles.

Lentement, je déboutonne mon pardessus et je me rassois sur le banc. Il y a du conte dans l'air. J'ai été nourri au pain léger des contes, sous le manteau de la cheminée de Kerveillant. Je veux bien manger la soupe du vieux si elle a le goût de ce pain-là. L'autre pain, celui de froment, est déjà sur la table avec le plat de beurre. Le maître a ouvert son couteau et l'essuie avec soin sur sa cuisse.

— A la bonne heure, mon garçon. Donnez-lui ce qu'il faut, Catherine ! Il taillera selon sa faim. Il n'est pas de ceux qui prennent les histoires des vieux pour des faridondaines, je le vois bien. Mais ceci n'est pas un conte. C'est la vérité nue. Moi qui suis devant vous, j'ai connu Jobig, celui qui prit du feu aux étoiles, un soir de Noël.

— Vous l'avez connu en personne vivante ?

— En personne vivante. Ce n'était pas hier ni le mois dernier. En ce temps-là, tout le monde était pauvre, par ici, même ceux que l'on disait riches. Et les hivers étaient terribles, avec les mauvaises maladies, la disette et le froid. Prenez donc du beurre, ne faites pas semblant !

— J'en ai ma suffisance. Grand merci.

— Mais c'était le froid qui mordait le plus dur. Le froid était le premier ennemi du paysan et la torture promise aux plus mauvais d'entre eux. Connaissez-vous les trois grands maux de l'Enfer qui sont les enfants du froid ?

— L'éternuement, la toux et la diarrhée.

— C'est juste. Mais vous m'étonnez. Les jeunes

d'aujourd'hui ne le savent plus. Vous avez été bien élevé par vos parents. J'étais donc en train de dire que le meilleur réconfort de l'hiver était un grand feu dans l'âtre. Quand le froid nous engourdissait dans les champs glacés, nous reprenions courage à voir seulement fumer de loin une cheminée. Et les femmes se seraient perdues de réputation si leurs hommes étaient rentrés à la maison sans trouver de feu sur l'âtre. Elles ne redoutaient rien tant que de le voir s'éteindre. C'est pourtant ce qui arriva un jour à Tréogan, chez ma cousine Marie-Jeanne Le Meur, la pauvre femme. Et justement un soir de Noël. Une désolation. Et c'est une autre désolation de vous voir manger si maigre. Regardez-le, Catherine ! Il donne seulement le beurre à sentir au pain.

— C'est donc que votre pain est si bon que je pourrais bien l'avaler tout sec. Alors, le feu de Marie-Jeanne mourut. Mais comment ? N'avait-elle plus de bois ? Etait-elle restée aux champs trop tard avec les hommes ? Avait-elle oublié le temps en bavardant chez quelque voisine devant un bol de café ?

— Elle ne buvait pas plus de café chez les autres que vous de cidre. Videz donc votre verre ! C'était une femme de devoir. Elle avait bien arrangé son feu avant d'aller traire ses vaches. Quand elle revint, elle trouva son bois répandu sur l'aire, fumant encore, mais sans la moindre trace de braise. La maison sentait la corne brûlée et le poil roussi.

— Etait-ce encore un mauvais tour du seigneur de Kersatan ?

— Peut-être. Il y avait huit jours que le chien de Tréogan était mort subitement, sans aucun signe de maladie. Le maître, Michel, l'avait enterré au fond du verger, mais il n'eut pas besoin d'en chercher un autre. Le soir même, il trouva un chien noir couché sur l'âtre. « Quelque animal perdu, se dit-il. Bah ! Il arrive à point. Si personne ne vient le réclamer, je le garde. » Il le garda, en effet, bien que toute la maisonnée se sentît mal à l'aise devant la bête. Le plus gêné de tous était Jobig, le petit vacher, un garçon de dix ans, fils d'une pauvre veuve chargée de marmaille. Jobig ne mangeait plus. Il vivait de terreur depuis que le chien noir était apparu. Il disait qu'on avait laissé entrer le Diable. Les grandes personnes se moquaient de lui. Pourtant, quand Marie-Jeanne trouva son feu défait et son bois répandu, elle se mit en quête du chien et ne le découvrit nulle part. On ne devait plus jamais le revoir.

— C'était lui qui avait fait le coup ?

— Qui sait ! Moi, je ne le sais pas, sinon je le dirais. Mais le plus pressé était de rallumer le feu. Marie-Jeanne prit le vieux couteau qui servait à cet usage et le frappa contre un silex pour enflammer de l'étoupe et ensuite un petit tas d'aiguilles de pin. On n'avait pas encore d'allumettes. Peine perdue. Elle ne put tirer la moindre étincelle. Les hommes rentrèrent, s'essayèrent aussi sans plus de succès. Il faisait un froid de loup. Alors, le grand valet Corentin partit à la ferme la plus proche pour ramener de la braise dans un vieux sabot. Et voilà qu'on avait beau attendre, il ne revenait pas. A la fin, il parut sur la porte, rouge et furieux, avec le sabot vide : « Je n'y comprends rien, grogna-t-il. J'ai chargé quatre fois mon sabot de braise. La première fois, elle était morte avant que je n'aie eu le temps de refermer la barrière sur la cour des voisins. La seconde fois, ce fut pareil. A la troisième, j'ai pu atteindre le champ de la fontaine. Cette fois-ci, je suis revenu au grand galop et je n'ai cessé d'attiser la braise en courant. Mais elle s'est tournée en cendres d'un seul coup, à vingt pas de notre porte. Il y a quelque sorcellerie là-dessous. Ne comptez pas sur moi pour retourner. D'ailleurs, j'ai le corps à l'aise et les pieds chauds. Bonne nuit ! »

Alors, les autres hommes prirent une grosse marmite et allèrent jusqu'au bourg pour demander de la braise au boulanger. Le bonhomme leur remplit la marmite à ras bord. C'était un plaisir de voir flamber la braise tout au long de la route. Or, quand ils furent arrivés dans la cour de Tréogan, la marmite lâcha une fumée âcre qui répandit une odeur de corne brûlée et de poil roussi. Quand elle se fut dissipée, les hommes ne trouvèrent plus que de la cendre au fond de la marmite. Comme ils la regardaient tristement, vint à passer un grand vieillard que personne n'avait jamais vu dans la contrée.

— Ne perdez pas plus longtemps votre peine, leur dit-il. Quand le feu meurt dans une maison, le soir de Noël, aucune créature humaine ne peut plus le rallumer.

Là-dessus, il disparut d'un seul coup, comme s'il avait fondu dans la nuit.

Les deux valets et la servante abandonnèrent la place pour aller faire la veillée au chaud dans une autre ferme. Devant l'âtre mort de Tréogan, il ne resta que Marie-Jeanne, son mari et Jobig, le petit vacher, qui ne voulait pas aller au lit. Quelle pénitence faisaient-ils, ces trois-là ? Et pour quel péché inconnu d'eux-mêmes ? Le maître et la maîtresse étaient gelés jusqu'aux os, mais l'enfant ne tremblait pas. Quand Michel lui prenait la main, dans l'ombre, pour le rassurer, il la trouvait tiède. Et l'enfant n'avait pas besoin de réconfort. Il attendait quelque chose.

L'horloge sonna minuit. Alors, Jobig se leva, prit la chandelle de suif sur le manteau de la cheminée et sortit. Il rentra presque aussitôt. Dans ses mains, il portait la chandelle allumée.

— Comment as-tu fait, crièrent les deux autres d'une même voix. Où as-tu trouvé du feu ?

Et l'enfant de répondre tranquillement, comme il faisait toujours :

— J'ai pensé qu'une étoile de Noël me donnerait du feu puisqu'il n'y a pas moyen d'en avoir autrement. J'ai présenté la chandelle devant la plus grosse. Tout de suite elle s'est allumée.

Marie-Jeanne, tremblante d'espoir autant que de crainte, prit le feu de Noël, l'approcha du bois qu'elle avait préparé vainement, et aussitôt il s'éleva une flamme si vive et si claire que toute la salle en fut illuminée. On dit même que, vers le matin, le bois vint à manquer alors que le maître et la maîtresse s'étaient endormis sur le banc de l'âtre. Et la flamme continua de brûler toute seule au-dessus des cendres. Jobig n'avait pas fermé les yeux.

C'est après cette nuit-là qu'on l'appela Jobig des Etoiles. Mais le lendemain, il se coucha sans mot dire et il mourut trois jours après.

Le vieux s'est arrêté de parler. Il tient son couteau serré dans sa main droite, dans la gauche une dernière bouchée de pain où son pouce beurré est entré profond. Il ferme son couteau, avale sa bouchée et se tourne brusquement vers l'âtre. Le feu y flambe gaillardement et je vous dis que la fille n'arrête pas de l'entretenir. Alors, le paysan soupire et me regarde. Ce n'est pas seulement la vieillesse qui lui fait les yeux humides. Il se ramasse sur lui-même comme un enfant qui attend les coups. Je me tais. Je recueille les miettes de mon propre pain sur la table, soigneusement. Enfin, après un long silence, le bonhomme élève une voix enrouée :

— C'est tout de même un joli conte, vous ne trouvez pas ?

— Ce n'est pas seulement un conte, dis-je, puisque vous avez connu Jobig des Etoiles. Puisque vous l'avez connu en personne humaine.

Tout son visage et tout son corps me dirent merci. Tout à l'heure, sans que je lui demande rien, il me dévidera toutes les chansons de sa jeunesse, devant le feu de Noël qui fera craquer la vieille souche pour ponctuer ses couplets. Mais je ne saurais pas dire ce qu'il a chanté. C'est seulement quand je suis sorti dans la nuit que j'ai pensé au magnétophone, oublié dans le coffre de ma voiture. Je n'ai jamais plus fait d'enquête le soir de Noël.

LE JOUR DE L'AN DE JOB AR CHORD

Job ar Chord avait souvent été pris de court pendant sa vie de pauvre diable, mais jamais autant que cette année-là. Lui, sa femme et ses cinq enfants vivotaient sur une vache, deux cochons et trois champs. Ils n'étaient pas les plus mal lotis sur la palud. Mais voilà que la vache était morte sans crier gare à la fin de novembre. Elle avait dû vouloir se purger elle-même avec certaines herbes qui poussent autour des étangs d'eau saumâtre. Les vaches, vous savez... Il avait fallu vendre les deux cochons au galop pour payer quelques dettes ici et là. On ne fait plus crédit à quelqu'un qui n'a même plus de vache. Depuis, on vivait surtout de pommes de terre sèches et de bouillie d'avoine. Le jour de Noël, la mère était tombée malade sur son lit. La peau des enfants prenait la couleur du trognon de chou. Job était descendu avec eux sur la grève, à la recherche de coquillage maigres, comme faisaient ses premiers ancêtres. La mer était trop forte pour qu'il pût tenter la moindre pêche avec les pauvres engins qu'il avait. Pendant qu'il bêchait le sable et retournait les galets, le pauvre homme se rappela que son propre père avait cherché l'aumône à plusieurs reprises, au début de sa vie, quand la misère était trop forte sur la palud. Eh bien, quoi ! Il n'y a pas de honte. L'aumône se paie d'un *pater* et c'est toujours bien payé. On ne doit plus rien à personne. Pendant la dernière nuit de l'an, Job ar Chord prit sa décision. Il irait mendier pour nourrir ses petits.

Sans bruit, il sortit de son grabat et passa la porte. Les vents déchaînés balayaient la palud sans réussir à troubler aucunement la noirceur du ciel. Job prit la direction du nord-est, là où se trouvent les riches bourgs. Il ne voulait pas tendre la main dans sa paroisse s'il était possible de faire autrement. Comme il avait toujours eu le respect de lui-même et des autres, il avait revêtu ses meilleures braies et le *chupenn* de ses noces qui était aussi celui des noces de son père. On verrait bien qu'il était pauvre, et même pauvre-à-tuer, mais de bonne race. Il ne désirait pas faire pitié aux gens. Il leur expliquerait seulement ses malheurs du moment. S'il pouvait venir à bout, avec leur assistance, d'acheter une autre vache, il ne serait pas long à relever le dos. Les gens comprendraient.

L'aube se levait à peine quand Job ar Chord atteignit les premières maisons d'un grand bourg. Dans son désert de la palud, il en avait entendu parler. On disait qu'il y avait là un notaire, un médecin et trois gendarmes, ce qui montrait bien que les gens avaient la bourse garnie. Job n'avait jamais eu affaire à aucune de ces grosses têtes et il espérait bien pouvoir se passer d'eux pendant toute sa vie. On disait aussi que les bourgeois de ce pays-là n'étaient pas des plus mauvais et que même certains d'entre eux pouvaient passer pour de bons chrétiens. Mais comment trouver les chrétiens en question parmi les moins mauvais des autres !

L'homme de la palud avala une gorgée de salive pour se donner du courage. Alors, il s'aperçut qu'il avait grand-faim et que ses genoux étaient faibles sous lui. Il lui fallait frapper tout de suite à une porte s'il ne voulait pas tomber sur la route. Il s'approcha d'une grande maison où il voyait de la lumière. Juste à ce moment éclatèrent des rires et des bruits de sabots pressés. Apparut une troupe d'enfants qui se précipitèrent à genoux sur le seuil et se mirent aussitôt à débiter leurs souhaits en chœur et d'une voix claire : « Une bonne année aux gens de la maison, beaucoup d'avantages, une longue vie et le Paradis à la fin. » La porte s'ouvrit, une femme distribua des pièces de monnaie, on entendit merci sur tous les tons et les enfants coururent plus loin. Alors, la femme avisa Job, immobile à deux pas d'elle. « Bonne année à vous », parvint à dire l'homme. « Et autant pour vous, répondit-elle. Je ne vous connais pas, mais entrez donc puisque vous êtes là. Il y a du monde plein la maison, vous ne serez pas de trop. »

Ils étaient quatre hommes, assis au bas-bout de la table devant une bouteille d'eau-de-vie fraîchement débouchée pour le jour de l'an. Au haut-bout, trois enfants avalaient leur soupe au café dans des écuelles brunes. Entre les petits et les grands, un pain de six livres et une motte de beurre sur son assiette. A la vue de tout cela, le pauvre Job crut s'évanouir. Il n'entendait que bonne année par toute la maison. On lui mit un verre en main, on lui versa une forte rasade d'eau-de-vie. A votre santé ! Il vit les verres se lever, il but le sien d'un seul coup, la tête perdue. Le breuvage lui brûla la gorge tout du long et lui mit le feu à l'estomac. Il eut encore le temps de voir tourner le pain et le beurre devant ses yeux avant d'entendre son front sonner sur la terre battue.

Quand il revint à lui, péniblement, il était couché sous le bas-bout de la table, tout du long de son corps. Des voix lui parvenaient de haut et de loin. « Cet homme est ivre mort. — Vous croyez ? Comment a-t-il fait de si bonne heure ? — Tiens ! Il a dû passer toute la nuit en ribote. — C'est une honte. — Vous êtes trop bonne, Marie-Jeanne. Offrir le coup du premier de l'an à un fumier pareil. — Je n'ai pas vu qu'il était pris de boisson, que voulez-vous ! Il avait bonne apparence. — Oui, mais regardez comme il est maigre. Il y en a qui enflent à force de boire, d'autres qui se dessèchent comme celui-ci. — C'est terrible. — Cela vous apprendra, ma femme, à ouvrir votre porte à n'importe qui. — Mais qui diable est-il ? Je ne l'ai jamais vu. — Il n'est pas vieux et pourtant il porte encore de grandes braies. — Et un *chupenn* à l'ancienne mode. — Comment voulez-vous qu'il s'habille à la nouvelle s'il boit son bien dans les auberges ? — Tant pis pour lui. Je ne vais pas le garder ici. Aidez-moi à le transporter de l'autre côté de la route. On l'appuiera contre l'herbe du talus. Le temps est doux. Quand il aura repris son corps et sa tête, je parie qu'il taillera la route sans dire au revoir à la compagnie. »

Les quatre gaillards soulevèrent Job sans trop de ménagements et ils firent ce qu'ils avaient dit. Voilà le pauvre diable sous le ciel, accoté au talus d'en face. Il y a plus de pierres que d'herbe dans son dos. Autour de lui, des enfants piaillent en le montrant du doigt. Un homme saoul, venez voir ! Des femmes s'arrêtent pour prendre la Vierge Marie à témoin de l'indignité de certaines gens. Comment pourraient-elles savoir que le misérable est tombé parce qu'un sac vide ne tient pas debout ! Il y a trop longtemps qu'il jeûne malgré lui. La rasade d'eau-de-vie a suffi pour l'assommer net. Comment pourraient-elles savoir qu'il n'en a jamais bu la moindre goutte ! Il ne connaît que la piquette d'avoine, Job ar Chord. Il voudrait mourir là où il est, s'enfoncer dans le sol sous le fardeau de honte qui l'accable. Mais un ivrogne s'approche de lui, un vrai, compatissant à des malheurs qu'il connaît bien. C'est un ivrogne bien nourri. Il n'est pas long à remettre Job debout. Il le soutient, il l'encourage. Rentrez chez vous, petit frère ! Et le gars de la palud retrouve un peu ses jambes. Dans un concert de rires et de lamentations, il entreprend de traverser le bourg sans savoir où il va. Il ne veut pas le savoir.

Il ne sait pas non plus que trois de ses enfants sont à sa recherche. Quand il a quitté furtivement la masure de la palud, sa femme ne dormait pas. En voyant son manège, elle a été prise d'une folle inquiétude. Job allait-il les abandonner ou se détruire lui-même ? Elle a cogné au plafond du bout de son balai. Les trois aînés qui dormaient au grenier sont descendus. « Le père est parti, dit-elle. Courez après lui, voyez où il va, mais ne vous faites pas voir. Allez vite ! » Les enfants ont compris. Mais le père avait de l'avance et il marchait mieux qu'eux. Comment faisaient-ils pour suivre sa trace dans la nuit ? Ils se guidaient sur les aboiements des chiens qui saluaient le passage de Job devant les fermes. A la fin, pourtant, ils s'égarèrent plusieurs fois. Quand ils arrivèrent dans le riche bourg, le soleil était déjà haut. Hâves, aveuglés de fatigue, déguenillés, crottés jusqu'aux yeux pour s'être affalés dans la boue des chemins, les trois petits se présentèrent juste à la maison où Job avait trouvé sa détresse. « Bonne année ! Vous n'avez pas vu notre père ? — Comment est-il fait ? — Petit et maigre. Il a de grandes braies, un *chupenn* bleu et un chapeau court. — Vierge Marie, dit la femme. Il est passé par ici. Entrez donc ! Vous allez manger un morceau pendant que je vais demander par où il est parti. » Et elle courut chez les voisins. « Vous savez, l'ivrogne qui était là, ce matin ! Il y a trois de ses enfants qui le cherchent. On voit bien sur eux qu'ils ne mangent pas à leur faim, les pauvres anges. Ils font pitié. — Envoyez-les chez nous, dirent les autres. Nous leur donnerons quelque chose. C'est une si grande malchance pour des petits d'avoir un père qui boit. Et c'est le jour de l'an. »

Bref, les enfants furent gavés de nourriture à travers tout le riche bourg. Ils se croyaient arrivés au Paradis. On leur mit toutes sortes de mangeailles dans des sacoches de toile. On leur chargea les poches de pièces de bronze et de pièces d'argent. Les femmes pleuraient de pitié, les hommes étaient attendris par les libations de la bonne année. A force d'aller d'une maison à l'autre, les pauvrets finirent par retrouver leur père qui dormait sous le porche de l'église, veillé par les statues des Apôtres. Quand il ouvrit les yeux, le pauvre Job ar Chord vit ses enfants qui lui souriaient, la bouche grasse, tout rouges de s'être rassasiés jusqu'au nœud de la gorge. Sur le banc de pierre, à côté de lui, il y avait un tas de pièces blanches. Le prix d'une vache à la foire de Pont-Croix.

LE BONHOMME DE L'AN

La nuit était blanche et noire. Elle avait du mal à digérer le dernier jour de l'année. Le chemin était sec sous mes pieds nus. Qu'avais-je donc fait de mes sabots depuis le temps de Noël ? Mes talons reconnaissaient les cailloux qui m'avaient servi, ceux de ma fronde, ceux de la marelle, ceux des ricochets sur l'eau et ces douces pierres de farine qui faisaient de si beaux dessins sur les portes des étables. J'étais mort de fatigue et je ne me serais arrêté pour rien au monde avant d'avoir retrouvé tous ces cailloux, y compris ceux des batailles contre les garnements du bas-bourg. A l'horizon, la mer immobile m'attendait comme un lit.

Il n'y avait aucun bruit nulle part et pourtant je ne l'ai pas entendu venir. Il s'est trouvé près de moi d'un seul coup. C'était un petit homme sec, vêtu d'une chemise de chanvre et d'un pantalon de panne rapiécé, tout blanchi d'usure. Sur le grand chapeau grisâtre qui lui couvrait presque les épaules, il portait un grand sac noué qui me parut à peu près vide. Et le gars se tenait aussi droit qu'un manche de bêche. Je ne sentais plus les cailloux sous mes pieds. « Il est temps de rentrer chez vous, dit-il, et sa voix était sévère. Qu'est-ce que vous faites par ici, cette nuit et à cette heure ? Il y a des choses que vous ne devez pas voir. »

Quelles choses? J'avais honte, mais que faire? Savais-je pourquoi j'étais à marcher sous le ciel quand mon lit-clos m'attendait à la maison ! Quelle était cette route et qu'est-ce qu'il y faisait lui-même avec son sac sur la tête ? « Mon sac, dit-il, c'est vous et les autres qui me l'avez rempli l'an dernier, c'est pour vous que je l'ai vidé sur ma route. Il n'y reste plus grand-chose. Vous voulez voir ? » Sans attendre de réponse, il s'arrêta, baissa la tête et le sac lui tomba dans les mains. Pendant qu'il dénouait le chanvre, le nœud se refaisait dans ma gorge. « C'est toujours la même chose, soupira le bonhomme, vous laissez le meilleur derrière vous. Tout le monde en parle et personne n'en veut. C'est une pitié. » Il avait retourné le sac sur le chemin. Cela faisait un tas de cendres et de feuilles mortes où il se mit à fouiller. « Tenez ! Voilà le ver luisant qui marque votre fortune au long des chemins creux. Apprenez à le distinguer des autres. Il jette un éclat bleu de temps en temps. Et voilà l'herbe d'or sur laquelle il faut se garder de marcher pour ne pas fausser votre destin. Ou bien marchez dessus et vous apprendrez ce que les autres ne savent pas. Voilà encore le sel de terre que l'on met sur la queue des oiseaux pour les attraper à la main et leur demander le secret de leur langage. Et voilà enfin la corde à virer le vent. Je vous laisse le tout, car il est temps que je m'en aille. A vous de vous en servir ! »

Le bonhomme était déjà debout. Il roula le sac et se le mit sous l'aisselle. Là-bas, du côté de la mer, on voyait s'avancer fermement sur ses jambes une pièce d'homme en habits tout neufs qui portait un sac très lourd en travers de son échine. Quand il passa devant nous, sans s'arrêter le moindrement, il nous cria : « Bonne année ! »

« Bon voyage, petit Janvier ! », répondit le vieux pendant que sonnait le premier coup de minuit. Au douzième coup, il avait disparu. Le porte-vœux était déjà loin.

J'ai voulu ramasser la corde, le sel de terre, l'herbe d'or et le ver luisant. Hélas ! Il ne restait plus que la cendre et les feuilles mortes. J'étais déjà trop grand.

LA SOUCHE DE NOËL

Les gens du pays l'appelaient Ni. Elle avait eu un autre nom, mais il s'était perdu en route, au fur et à mesure qu'elle escortait au cimetière les membres de sa famille et à chaque fois il se perdait un peu plus. Voilà qu'ils étaient tous partis piquer des poireaux à Saint-Nic, façon de dire qu'ils étaient morts jusqu'au dernier. Maintenant, la femme restait seule dans sa maison avec sa vache et son tricot. La vache lui tenait chaud, n'étant séparée d'elle que par une cloison à mi-hauteur. Le tricot lui servait à venir à bout de ses journées, rien de plus. Elle n'en tirait ni bas, ni gilet, ni châle, ni écharpe, rien que des choses informes à défaire aussitôt avant de les recommencer. Jamais elle n'ouvrait la bouche la première. Quand on lui adressait la parole, elle faisait toujours la même réponse : Ni rien. « Le temps est beau, n'est-ce pas ! — Ni rien. — Vous allez au bourg ? — Ni rien. » Si elle avait d'autres *ni* dans la tête, personne n'en a jamais rien su. Mais ce Ni lui était resté. Son nom de baptême était Marie-Josèphe et ses parents s'appelaient Sauveur. Si je vous le dis, c'est parce que c'est marqué sur le registre de la mairie.

Le chemin creux qui menait à sa maison était

bordé de deux grands talus sur lesquels se dressaient à la file, de place en place, des têtards de chêne. Chaque année, à la fin de l'hiver, Ni déracinait l'un d'eux pour le mettre à sécher dans l'appentis. La nuit de Noël venue, elle le faisait rouler dans le foyer, sur une couche de bois menu et d'aiguilles de pin. Elle y mettait le feu, mais se gardait bien de laisser le morceau de chêne brûler trop longtemps. La souche de Noël, en vérité, passait pour éloigner la foudre. On la choisissait de bonne taille pour pouvoir la garder tout au long de l'année. Chaque fois qu'éclatait un orage, on s'empressait de la rallumer et l'on était sûr d'éviter tout mal. Et maintenant, vous savez à quel propos cette Ni avait le cœur faible : elle redoutait beaucoup le feu du ciel.

Or, une veille de Noël, la femme se trouvait dans son champ avec sa vache et son tricot. Il était à peine 4 heures de l'après-midi. Soudain, la nuit tomba autour d'elle, ses aiguilles jetèrent des éclats bleus. Et Ni de laisser choir son tricot dans l'herbe, d'arracher le pieu qui attachait sa vache au pré, d'enrouler la corde et de chasser la pauvre bête vers la maison à force de clameurs. Un éclair fendit le ciel sur la gauche. La femme se boucha les oreilles avec ses poings. Mais le bruit du tonnerre la traversa de pied en cap. Heureusement, elle n'était pas loin de sa maison. Elle y poussa sa vache et courut au foyer. Elle avait disposé d'avance, pour la nuit à venir, la souche de Noël sur un lit de petit bois. Ni se hâta de frotter une allumette, mais le petit bois refusa de prendre feu. Il avait plu le matin et, en raison de la direction des vents, la cheminée avait pris de l'eau.

L'orage se déchaîna, épouvantable. La maison tremblait d'un bout à l'autre sous les coups de tonnerre. Ni avait beau arranger le bois de son mieux, présenter ses allumettes de tous les côtés, rien à faire pour enflammer la souche de Noël. Soudain, la foudre s'abattit sur la cheminée. Le pignon de la maison se trouva fendu de haut en bas par une lézarde aussi large qu'une main, si bien qu'on voyait, à travers elle, fumer le verger comme l'enfer. Quelque part, un chien aboyait à la mort. La tête perdue, Ni s'efforçait toujours d'allumer le feu. A la fin, la flamme prit dans le petit bois et se mit à lècher la souche. Et alors, croyez-moi si vous voulez, la lézarde se referma bellement et l'orage tomba jusqu'à rien.

Pour une fois, Ni trouva bon de parler longtemps pour conter le miracle. Après quoi, elle devint aussi avare qu'avant de ses paroles. Mais elle avait changé sa réponse : « Il fait beau, n'est-ce pas ! — Ni le tonnerre. — Vous allez au bourg ? — Ni le tonnerre. »

Ni le Tonnerre, voilà le nom qui lui resta jusqu'à la fin.

YANN DOMINO ET LA TÊTE SÈCHE

Cette nuit-là, croyez-moi si vous en avez le temps, Yann Domino sortit de l'auberge de Bod-Lann encore plus tard que les autres nuits. On voyait déjà luire doucement, vers l'est, la paille de blé noir qui annonce le jour. Et c'était pourtant la fin de décembre, quand la lumière se lève plus tard que le laboureur.

Yann avait avec lui son domestique Gourgon Palud, un fils de bonne mère qui s'accusait toutes les semaines, en confession, d'avoir à servir un tel maître pour procurer du pain à sa maisonnée. Il n'avouait pas que ce pain était largement engraissé de beurre et de lard car le maître était plus généreux, à lui seul, envers Gourgon Palud, que tous les fidèles de la paroisse, ensemble, envers M. le Recteur. Mais

Gourgon s'était fait bâtir, derrière l'église, à l'emplacement de la chaumière de ses parents, une maison de granit avec un toit de pierre bleue (1). Ce qui ne l'empêchait pas de s'y reprendre à trois fois pour attraper sa respiration. En vérité, le pauvre Gourgon était si malade de peur que sa prospérité ne lui profitait pas au corps. Il avait peur de son maître, Yann Domino.

A celui-ci on ne connaissait aucune parenté dans le canton ni plus loin. Et pourtant on avait bien cherché. On n'aime pas voir s'installer dans votre paroisse quelqu'un qui ne peut même pas se réclamer d'un cousin issu de germain. Et cet homme-là, par-dessus le marché, était apparu un matin sur la place du bourg sans le moindre char ni le moindre animal autour de lui, sans la plus petite besace au dos de son mauvais pourpoint roussi, taillé sur une mode inconnue. Il avait les hanches étroites et le derrière plat, ce qui est inhabituel dans le pays quand on n'est pas tailleur de métier. Il ne l'était pas et jamais on ne le vit occupé à un travail de chrétien pendant tout le temps qu'il dura parmi nous. Il ne savait que jouer avec les enfants quand il en trouvait d'assez confiants pour rester avec lui. Il leur montrait des tours d'adresse qui les laissaient bouche bée parce que les plus habiles n'étaient jamais capables de les refaire. Il avait des mains d'une agilité surprenante, des doigts longs et souples dans lesquels on ne voyait pas de nœuds. Et entre ces doigts-là, il faisait apparaître à volonté des billes d'argile, des boutons, des noix, des tas de menus objets qui se trouvaient, l'instant d'après, dans la poche de l'un des béats. C'est un voleur celui-là, mon père, disaient les enfants. Et ils étaient pleins d'admiration pour lui. Mais il ne volait jamais rien, au contraire. Regardez dans votre chemise, ordonnait à l'un d'eux le gars. Entre la chemise

(1) Un toit d'ardoises.

et la peau, il y avait un bâton de réglisse ou une pièce blanche qui faisait rêver les parents. Un jour, deux ou trois galopins parmi les plus délurés le suivirent en cachette jusqu'à la petite chaumière délabrée qu'il habitait au milieu d'une lande. Quand il y fut entré, ils s'approchèrent de la fenêtre pour regarder à l'intérieur. Il n'y avait rien. Au bout d'un moment, ils s'enhardirent à pousser la porte. Il n'y avait personne. Les enfants prirent la fuite au galop rouge. C'est un sorcier, ma mère. Mais la mère n'y croyait pas, mais le père y croyait encore moins. Vous avez été victime du lutin, mon fils !

Yann Domino avait gagné son nom, dans les premiers temps, parce qu'il éclatait de rire à chaque fois qu'il était question de ce jeu rassurant qui sentait l'église et la messe du dimanche. Les dominos étaient pratiqués, dans le pays, surtout par les femmes et les enfants. Les hommes, en vérité, ne s'y adonnaient guère que chez eux et par devoir de chefs de famille, avec pour seul enjeu des haricots secs. Ils préféraient depuis toujours les cartes à l'auberge et des mises qui allaient facilement du *réal* (1) à l'écu et glissaient quelquefois, pour quelques-uns, de l'écu à la pièce d'or. Certains y avaient perdu la vache après le veau, la jument après le poulain, la maison après les terres, si bien qu'ils avaient dû partir sur les routes en l'état de mendiants. C'est pourquoi les prêtres, fatigués de tonner en chaire contre les cartes maudites et en vain, avaient introduit dans les paroisses le jeu de dominos avec lequel il était difficile de perdre son bien d'abord et son âme ensuite. Les paroissiens faisaient de leur mieux pour obéir aux pasteurs, mais le mieux ne suffisait pas toujours. Que voulez-vous ! Il y a aussi loin des dominos aux cartes que de l'eau claire à l'eau-de-vie. Je n'en dirai rien de plus sinon ceci : il n'est pas plaisant, quand on se croit un

(1) Le réal vaut cinq sous.

homme de caractère et un vrai maître de ménage, de s'entendre tourner en dérision par un Yann de nulle part et qui vous demande au cabaret, devant tout le monde : « Alors, vous, le gars aux dominos, votre femme vous a-t-elle encore gagné vos haricots hier soir ? Ou peut-être est-ce le petit dernier à la mamelle qui a ramassé tout le pot ? » Et de rire plus haut que les solives avant de s'arrêter net en brandissant un éventail de cartes soudainement apparu, on ne savait comment, entre son pouce et ses autres doigts : « Voilà mes dominos à moi ! Qui en a peur n'est pas un homme. »

Les autres regardaient fixement les rois et les reines, suivis de leurs valets, qui passaient en revue les bataillons de trèfle, carreau, cœur et pique à la tête desquels paradaient les as de même uniforme. Toute la puissance du monde. Et ils ne levaient la tête que pour avaler, entre deux soupirs, la boisson forte que Yann Domino leur offrait généreusement pour les aider, disait-il, à supporter leur indignité. C'étaient pourtant des hommes durs et qui se rebellaient, d'habitude, dès qu'on faisait semblant de leur piquer le cuir. Mais devant les cartes, ils étaient sans force. Quelques-uns s'enhardissaient cependant, un dimanche ou l'autre, à se glisser dans une arrière-salle avec Yann Domino pour faire une partie de ce jeu où la carte maîtresse est le valet noir, celui de pique. Et Yann, dès l'abord, faisait prendre pour règle que la plus forte mise ne dépasserait jamais l'*œil-de-bœuf,* la pièce de vingt *réaux.* Chose curieuse pour un homme si habile, il lui arrivait de gagner quelquefois, mais il perdait le plus souvent. Il gagnait quelques sous contre les pauvres et il perdait pas mal d'écus contre les riches. Ceux-ci rentraient chez eux, les poches sonnantes, en ruminant des projets de grandeur.

Gourgon Palud ne quittait pas Yann Domino pendant tout le temps où celui-ci était visible. Il l'attendait le matin sur la place et il le quittait dans la nuit au même endroit, car jamais son maître ne lui avait permis de l'accompagner jusqu'à son logis de la lande. Et le pauvre Gourgon n'arrivait pas à comprendre pourquoi, quand il avait dit au revoir à Yann, celui-ci n'avait que trois pas à faire pour disparaître sous la lune sans même laisser derrière lui le bruit de ses sabots.

Et pourquoi le Domino, sans terre, ménage ni métier, avait-il besoin d'un valet ? La plupart des gens auraient dit que c'était pour avoir quelqu'un de qui se moquer. En effet, il n'arrêtait pas d'humilier le pauvre homme devant eux. Il avait trouvé que Gourgon ressemblait au valet de pique. A chaque fois que sortait ce valet, le maître du jeu, Yann, s'exclamait, en donnant du poing sur la table : « Ce filou de Gourgon a encore gagné ! Comment fait-il son compte ? » Gourgon Palud, qui ne jouait jamais, s'efforçait de rire jaune pendant que toute la compagnie s'esclaffait à ses dépens sans trop savoir pourquoi. Il en avait perdu son sobriquet mérité de *Tortig-Kamm* (Bossu-Boiteux) pour n'être plus que le Valet Noir. Et à mesure que le temps passait, les joueurs se mirent à le redouter autant que lui-même redoutait son maître. Il n'en était pas fâché.

Mais n'allez pas croire que Yann Domino avait engagé le Valet Noir pour le seul plaisir de le tourner en dérision. L'autre, qui avait été garçon tailleur pendant longtemps, connaissait tous les gens du canton pour avoir tiré le fil dans leur grange ou sur la table de leur salle. Il pouvait estimer leur fortune à quelques dizaines d'écus près, il savait le juste poids de leurs faiblesses et de leurs forces qu'ils ignoraient souvent eux-mêmes. Et il n'aimait rien tant que parler de son prochain. Pendant qu'ils se promenaient tous les deux à travers la campagne aux heures où travaillaient les autres, Yann Domino le laissait parler tout son soûl pour mieux savoir sur qui jeter ses filets.

Car les petites parties de cartes du dimanche dans les arrière-salles du bourg n'étaient qu'un premier appât tendu par le joueur à ses futures dupes pour les entraîner sur le chemin de la perdition. Quand il avait bien observé leur comportement, il s'arrangeait pour leur faire dire en cachette, par son valet noir Gourgon Palud, qu'il y aurait gros jeu, tel ou tel soir, dans l'une des trois ou quatre auberges de carrefour dont la plus mal famée était Bod-Lann. Et Gourgon ajoutait que ce jeu-là n'était pas pour les pauvres bougres, mais seulement pour ceux qui avaient du bien et qui désiraient accroître ce bien par l'audace et la chance. Ceux qui voudraient y prendre part devraient s'alourdir les poches de pièces d'or ou d'un gros sac d'écus pour le moins. Et Gourgon Palud, en confidence, glissait dans l'oreille du benêt que son maître avait de quoi faire face à tous les enjeux sans se gêner le moins du monde, que peu lui importait, au reste, de perdre ou de gagner. Qu'on ne se fasse pas scrupule, disait le Valet Noir, de mettre Yann Domino sur la paille, il a tant de grain là-bas, dans son pays, que toutes les charrettes de la paroisse, roulant pendant sept ans, ne suffiraient pas à le transporter du manoir au moulin. Quel manoir ? Quel pays ? Gourgon n'avait pas le droit de le dire, mais Yann Domino était un grand seigneur à la tête un peu dérangée. Voilà !

Et le soir en question, le brelan faisait rage à Bod-Lann ou ailleurs. Yann Domino ne gagnait pas toujours, il avait le temps. Il en faisait gagner d'autres, ce qui excitait du même coup l'appétit des chanceux et le ressentiment des victimes. On vit des amis de baptême se battre jusqu'à bout de forces en sortant de la taverne ! A la cinquième ou septième soirée, Yann Domino relevait les meilleures cartes et reprenait tous les gains augmentés du contenu de toutes les poches et de toutes les mises d'animaux et de terres faites sous serment. C'est ainsi que furent réduits à se pendre, les uns après les autres, Pierre Scoarnec, le marchand de chevaux, Louis Le Pennec et François Talhouarn, propriétaires, et enfin M. Calloc'h du Minven, la plus grosse tête du canton. Et je ne parle pas des moindres personnages qui étaient partis sur les routes avec leur baluchon. Il y avait trois ans que Yann Domino détruisait la paroisse quand il sortit de l'auberge de Bod-Lann encore plus tard que les autres nuits comme je l'ai dit en commençant le conte. Car c'est un conte, ne l'oubliez pas.

Yann Domino disait à son valet Gourgon Palud en sortant de Bod-Lann :

— Gourgon, mon fils, il est temps d'aller dormir. Au reste, je n'aime pas demeurer dans une compagnie où les poches des hommes ne chauffent plus un seul écu. Qu'ils se grattent la tête puisque je leur ai laissé les doigts. Et qu'ils se saoulent à crédit jusqu'à en perdre la vue. Ils me verront revenir quand ils auront de l'argent frais.

Et le Valet Noir, comme à son habitude, faisait la leçon à son maître :

— Vous allez faire un pendu de plus, Yann Domino, j'en ai peur. Cette nuit, vous avez fini de ruiner Yves Crenn, le boucher. Et j'ai bien vu, à son air, qu'il faisait son acte de contrition. Il n'y aura pas de viande douce dans cette paroisse pour les jours de Noël. Vous êtes le Diable.

— Il n'y a pas de diable, Gourgon. Ou, s'il y en a un, j'aimerais bien qu'il se montre. Mais peut-être y en a-t-il autant que de têtes baptisées. N'est-ce pas ce que dit le prêtre à l'église ?

— Il dit aussi que chacun de nous a un ange gardien. Mais le vôtre s'est découragé depuis longtemps.

— Et c'est vous, Gourgon Palud, qui prêchez à sa

place. Vous perdez votre temps. Je vous l'ai dit cent fois, je n'aime pas la richesse. L'or que je prends aux imbéciles, je vous en donne un peu pour vous pourrir la tête et je me sers du reste pour appâter d'autres corniauds qui ne valent pas mieux que la corde pour les pendre. Mon plaisir est de mener à leur perte les chrétiens de mauvaise étoffe. Je n'ai pas d'autre raison, foi de Yann Domino !

— Vierge Marie, quel homme d'enfer est celui-ci ! Au nom de Père, du Fils, et du Saint-Esprit.

— Que marmonnez-vous entre vos dents ? dit Yann a son Valet Noir.

— Nous passons devant le cimetière, mon maître. Je dis une prière pour les morts.

— Pour les morts ? C'est vrai, mon fils. Il ne faut pas oublier les morts. Je vais leur rendre une petite visite.

Et Yann Domino franchit l'échalier du champ de l'église au grand désespoir de Gourgon Palud.

— On dit que les morts sortent parfois du tombeau pour aller se promener quand ils ont les pieds froids. J'ai envie d'aller voir si Pierre Scoarnec, Louis Le Pennec, François Talhouarn et M. Calloc'h du Minven sont capables de laisser un moment leur pourriture pour faire une partie de cartes, une toute petite partie. Et tenez ! Voilà justement une tombe ouverte et vide. Son occupant s'est fatigué de rester étendu. Il est allé courir la campagne. Mais il n'avait pas besoin de sa tête, sans doute, car il l'a laissée derrière lui. Un beau crâne tout blanc, avec une rangée de dents comme un jeune homme, ha ha ! ! !

Gourgon Palud se tordait les mains de désespoir. Il avait si peur qu'il n'arrivait même plus à pleurer.

— Yann Domino, laissez ce crâne sur la terre bénie. Et prenez garde ! Qui n'a pas de respect pour les morts, celui-là sera bien à plaindre, le Jour du Jugement.

— A qui appartient ce crâne, mon fils Gourgon ?

A Pierre Scoarnec ou à François Talhouarn sûrement, car les deux autres n'avaient pas assez de dents pour mordre sur leurs pipes. Ils devaient la sucer comme les nourrissons. Eh bien, écoutez, Pierre ou François ? Je vous invite à jouer aux cartes le prochain soir dans ma maison si le travail ne vous presse pas trop. Qu'en dites-vous ?

— Mon maître, gémit Gourgon Palud, vous n'y pensez pas. La nuit prochaine est celle de Noël. Même le plus mécréant des hommes n'oserait pas jouer aux cartes cette nuit-là. Invitez-le pour la dernière nuit de l'année si vous ne voulez pas le laisser dans la paix de la terre.

— Mort ou vivant, Gourgon, l'homme n'aime pas la paix. Et vous me rappelez justement que je n'ai jamais joué aux cartes la nuit de Noël. Cela me manque. Entendez-vous, tête sèche ! La nuit prochaine, dans ma maison de la lande, sans faute.

Alors, écoutez bien, on entendit un rire profond et ironique.

— A la bonne heure, mon fils Gourgon, voilà que vous riez aussi. Vous finirez par devenir un homme de courage.

— Ce n'est pas... moi, mon maître. Je n'ai pas envie de... rire.

— Ce n'est pas vous ? Mais qui est-ce donc, mille tonnerres !

Et la tête de mort, dans sa main, répondit :

— C'est moi. Personne d'autre.

— Vous ? Ce morceau d'os a-t-il une langue ?

— Laissez ma langue. M'avez-vous prié aux cartes, oui ou non ?

— La nuit prochaine. Je ne m'en dédis pas.

— C'est bien. J'irai.

— Affaire faite. Mais il vous faut un corps pour vous porter là-bas. Ou voulez-vous que je vienne vous chercher ?

— Inutile. Le boucher Yves Crenn vient d'aller se pendre. Son corps me suffira pour un coup.

— Et apportez des écus. Il en faudra.

— J'aurai de l'or. Et maintenant, jetez-moi à terre !

— Vous seriez mieux dans cette tombe ouverte et qui semble fraîche.

— Elle n'est pas à moi. Elle attend quelqu'un.

— Yves Crenn ? Déjà ?

— Vous-même. Nous l'avons creusée pour vous. A vos justes mesures.

— Ai-je dit que j'aimerais jouer aux cartes avec les vers ? Décidément, la conversation des morts est encore plus sotte que celle des vivants.

Et Yann Domino jeta la tête sèche loin de lui. On ne l'entendit pas tomber.

Gourgon Palud fuyait déjà vers sa maison en se signant tous les trois pas. Le jour était presque levé. Les paysans se rendaient aux champs, la faucille au pli du bras. En passant devant eux, le misérable Valet Noir mettait un genou en terre et se frappait la poitrine en criant : « Pardonnez-nous nos offenses ! » Et eux, ils avaient grand-pitié de lui car ils voyaient bien qu'il avait rencontré l'*Ankou* (1) quelque part.

Quand la nuit fut revenue, Yann Domino attendait son partenaire dans sa maison de la lande. A côté de lui attendait Gourgon Palud, plus mort que vif. Il avait reçu l'ordre d'apporter, dans sa charrette à bras, une table et deux escabeaux. Le maître et le valet attendirent longtemps. La nuit était déjà avancée quand retentit dehors, sur le chemin tout raidi de gel, le pas d'un homme lourdement chargé. Et la porte s'ouvrit avec un grincement funèbre. Apparut

(1) Le valet charretier de la Mort.

le corps du boucher Yves Crenn sommé de la tête sèche. Yann Domino se mit à rire.

— Vous êtes un peu en retard, mon ami. C'est à cause de votre fardeau, sans doute. Qu'est-ce que vous portez là ? Un cercueil ! Ha ha ! ! ! Il ne fallait pas amener votre maison avec vous, comme un escargot qui va voir sa parenté.

— Ce cercueil est le vôtre, Yann Domino.

— Merci beaucoup. Je n'en ai pas l'usage pour le moment, mais il pourra servir d'auge pour les cochons. Posez-le ! Avez-vous de l'or ?

— Plein ce sac. J'ai fait la quête parmi les morts, au cimetière. J'ai récolté assez de bagues et de chaînes pour jouer beau jeu. Voilà !

Le trésor des défunts couvrit les trois quarts de la table et il en tomba un peu par terre.

— Holà, dit Yann Domino, vous êtes bien riche, mon ami. Je n'ai pas une assez grosse pile d'écus pour égaler votre mise.

— Qu'importe ! Mettez ce que vous avez.

— Soixante écus d'or et trois cents d'argent.

— Bien. Un seul coup pour le tout.

— Un seul coup ! Je n'ai jamais joué si gros jeu. Mais je n'ai pas peur. C'est plutôt que, si je vous prends la mise en une seule fois, le jeu n'aura pas duré longtemps et la nuit est longue. Où est le plaisir ?

— Je suis pressé. L'éternité n'attend pas. Commençons tout de suite.

— Avec mes cartes ou les vôtres ?

— Je n'en ai pas. Coupez, donnez ! Et trêve de discours !

A la première donne, Yann Domino retourna trois dames, les plus mignonnes du monde, je ne vous dirai pas lesquelles. Mais l'autre découvrit trois têtes barbues et couronnées.

— Les Trois Rois sont déjà en marche, dit-il.

— Feu d'enfer, hurla Yann. Je n'ai jamais perdu encore quand je ne voulais pas perdre.

— C'est que quelqu'un était derrière vous, dit l'autre, et maintenant il est devant.

— Un coup, ce n'est pas assez. Donnez-moi une revanche.

— Je veux bien, mais pour quel enjeu ?

— Est-ce que je peux jouer... mon âme ?

— Non. Elle est déjà vendue et achetée. Vous n'en êtes plus maître.

— Alors, dites-moi ce que vous voulez, tonnerre, et jouons !

— Il vous reste votre corps pour tout bien, Yann Domino. Sur un seul coup, je mets tout votre or et le mien. Si vous perdez, je prends... vos jambes.

— Mes jambes ! Quelle idée ! Va pour mes jambes. Coupez !

A la seconde donne, l'autre retrouva ses trois rois et Yann Domino n'avait en main que deux dix et un huit. Il n'y comprenait rien. Il avait pourtant fait ce qu'il fallait pour être le plus fort. Le froid lui mordit la chair par le bas jusqu'aux reins. Il demanda au Valet Noir de le mettre debout.

— Pourquoi vous mettre debout, dit la tête sèche. Ne voulez-vous plus jouer ?

— Si, par l'enfer et les cornes ! Que me reste-t-il à miser ?

— Le grand-corps (1) et les bras. J'accepte.

— Si je perds, me voilà raidi tout du long.

— Vous garderez votre tête. Et si vous gagnez, je vous rends tout.

— Bien. Je ne filerai pas.

A la troisième donne, les trois rois reparurent du côté d'Yves Crenn ou de celui qui portait son apparence. Yann Domino, malgré toute son adresse, n'avait réussi qu'à se donner deux dix et un huit.

(1) Le tronc.

Maintenant, il était plus glacé qu'une branche morte sur un étang durci.

— Vous n'avez pas de chance ce soir, dit l'autre. Je vous laisse. Mais, si vous voulez, je reviendrai demain.

— Pas demain. Tout de suite. Gourgon, levez-moi tout droit contre la table. Je joue quitte ou ma tête. Levez-moi donc, Gourgon, chien pourri.

— Il vaut mieux l'étendre dans le cercueil. Gourgon, dit la tête sèche. Pour un homme dans votre état, Yann Domino, il n'y a rien de mieux qu'un cercueil pour être à l'aise.

— Jouons vite ! Gourgon, prenez les cartes pour moi puisque je ne suis bon à rien pour le moment. Eh bien ! Retournez-les !

Et Gourgon retourna pour son maître les trois plus mauvaises cartes que l'on peut tirer d'un jeu. La tête sèche avait trois rois. Yann Domino était cadavre.

— Il est mort d'un bout à l'autre, dit la tête. Gourgon, posez le couvercle, les clous y sont déjà. Portons le cercueil au cimetière et descendons-le entre les tombes de Pierre Scoarnec, Louis Le Pennec, François Talhouarn et M. Calloc'h du Minven.

— Oui, maître, bégaya le Valet Noir, le boiteux, le bossu, le pauvre homme Gourgon Palud. Mais vous, qui êtes-vous ?

Il n'eut pas de réponse, l'autre était déjà sorti, laissant Gourgon tirer le cercueil dehors. Et Gourgon vit, à la place de sa charrette à bras, un vieux tombereau tout délabré auquel était attelée une haridelle dont les os perçaient la peau. La tête sèche était maintenant dissimulée sous un chapeau à large bord, un très très vieux chapeau, et le corps du boucher enveloppé dans un manteau de bure, un très très vieux manteau. Le personnage grimpa dans le tombereau et la haridelle se mit en marche. Alors on entendit crier l'essieu sur tous les tons et Gourgon Palud reconnut l'*Ankou*.

Arrivé au champ de l'église derrière l'attelage et son terrible conducteur, il n'eut aucune peine à descendre en terre le cercueil de son maître Yann Domino car l'*Ankou*, d'une seule main, le soulageait de tout le poids. Quand il eut tassé la terre de son mieux, il était tout seul. C'était fini. Il revint chez lui comme un somnambule. A la place de sa maison de granit au toit de pierre bleue, il trouva la chaumière de ses parents encore plus misérable que lorsqu'il l'avait quittée pour entrer au service de Yann Domino. Il tâta sa poche qui s'était remplie si souvent des écus maudits de son maître. Il n'y trouva que son aiguille de garçon tailleur. Et c'est le tailleur Gourgon Palud, devenu très vieux, qui n'arrêtera pas de conter à qui voudra bien l'entendre l'aventure de Yann Domino et de la tête sèche.

C'est un conte, ne l'oubliez pas.

LA NUIT DES VIVANTS

C'était donc entre les deux guerres, me dit le vieil homme rencontré dans le train de Paris à Quimper vers la fin de décembre, il y aura bientôt vingt ans. Un compartiment de wagon tiré par une locomotive est le plus étonnant confessionnal que je connaisse quand il ne s'y trouve que deux personnes pendant des heures, et peu importe si elles ne se confessent qu'à elles-mêmes. Quant au mois de décembre, il entraîne aux confidences plus que n'importe quel autre mois de l'année. C'était donc entre les deux guerres. Je n'aurais garde d'oublier le *donc*. Ce petit mot témoigne que celui qui parle a déjà commencé à se raconter l'histoire pour lui-même ou qu'il cherche à la faire entendre parce qu'il n'est pas maître chez lui. Vous n'y échapperez pas.

C'était donc entre les deux guerres, dit le vieil homme, et j'avais réussi, à force de liarder sur tout et même sur le travail de mon estomac, à devenir patron d'une petite scierie, une toute petite scierie sous un hangar de bois. Je la faisais marcher avec trois compagnons du pays et un quatrième gars qui n'a jamais été le compagnon de personne pendant les deux ou trois mois qu'il a bien voulu passer avec nous. Il était apparu, à la fin de l'été, à la porte du hangar, attiré sans doute par le bruit de la scie qui marchait déjà à l'électricité. Il poussait à côté de lui un antique *cheval de fer*, un vélo d'avant la guerre de 14 au guidon duquel tintait un grelot de cuivre pour avertir les populations de son approche. Sans dire un mot ni regarder quiconque, il s'était avancé jusqu'au fond de l'atelier, à l'endroit où demeurait encore en place, au-dessus de sa tranchée, l'échafaud de la scie de long dont on ne se servait plus jamais. Mais moi j'ai été scieur de long dans ma jeunesse et j'en suis encore fier, croyez-le bien, car c'est là un métier d'homme capable. Quand je me suis approché du gars, il marmonnait en breton, sous sa moustache d'ancien combattant : « Sept à huit réaux et trois sous percés, sept à huit réaux et trois sous percés, sept à huit… » Et moi je l'ai interrompu en martelant à voix sèche : « Un écu et plus, un écu et plus, un écu (1)… » Il s'est tourné d'un bloc, il m'a fixé de ses yeux très bleus sous des sourcils roux presque aussi fournis que sa moustache : « Bien. Vous avez du travail pour moi ? » Et je lui ai répondu, sans réfléchir ni calculer : « Sûrement j'en ai. » Il a posé sa vieille bécane contre l'échafaud de la scie et s'est mis à l'ouvrage aussitôt.

Avant que je n'aille plus loin, il vous faut savoir

(1) L'écu vaut trois francs.

que les scieurs de long, au temps de ma jeunesse, travaillaient souvent pour un salaire de journée assez misérable qui tournait autour de huit réaux, rarement plus. Aussi les gars ménageaient-ils leurs forces, faisant aller leur scie sur un rythme économe qu'ils scandaient ironiquement en disant : « Sept à huit réaux et trois sous percés. » Et le patron en avait pour son argent, pas beaucoup plus. Mais quand ils étaient payés à la tâche, la scie des deux compères, celui du haut et celui du bas, montait et descendait comme un trait d'éclair parce qu'il leur était possible de gagner, en s'échinant de l'aube au crépuscule, un écu et plus. Vous avez compris. L'homme était aussi un ancien de la scie à quatre mains et avec ces gens-là, on ne perd jamais rien, sachez-le. Ils savent tirer d'un arbre tout ce qu'on peut en tirer en fait de planches car ils ne font presque pas de sciure et encore moins de copeaux.

Outre son vieux costume de panne sans couleur et ses gros souliers, il avait pour tout bien deux chemises, un manteau militaire reteint en noir, un quart de fer-blanc ramené des tranchées et une vieille chaîne de montre au bout de laquelle pendait un couteau. Son premier soin fut de se bâtir un petit réduit en croûtes de bois dans un coin du hangar et personne, pendant tout le temps qu'il fut avec nous, n'y mit jamais les pieds bien qu'il n'y eût qu'un simple loquet sur la porte. Je n'avais pas besoin de lui assigner de tâche précise et je ne sais pas si je m'y serais risqué tant il en imposait à tout le monde. Il faisait ce qu'il y avait à faire et le faisait mieux que n'importe lequel d'entre nous. Habituellement il travaillait seul, mais il se trouvait toujours à point nommé auprès de ceux qui avaient besoin d'aide pour les lourdes manœuvres, ce qui leur évitait de lui demander quoi que ce soit et les dispensait de lui dire merci car nous savions, sans nous être rien dit qu'il ne tenait pas à s'entendre interpeller ni à desserrer lui-même les dents. Depuis qu'il m'avait dit : « Bon, vous avez du travail pour moi », jusqu'à la nuit de Noël que je vais vous conter, je n'entendis plus le son de sa voix.

Le premier jour, je lui avais proposé un lit-cage qui ne me servait plus, quelques ustensiles de cuisine et un vieux poêle pour remplacer la cheminée, enfin les moindres accommodements que l'on trouve de nos jours dans une habitation humaine. Il avait accepté avec un sourire et un geste de la main qui ressemblait à une bénédiction. Depuis, il vivait de soupes, de pain et d'un peu de vin qu'il coupait d'eau pour le faire chauffer quand il faisait trop froid. Un samedi sur deux, je lui remettais son salaire dans une enveloppe comme je faisais pour les autres. Il ne l'ouvrait jamais. Un jour, quelqu'un du bourg, une tête folle, s'était aventuré à lui demander : « Qui êtes-vous ? » Après un silence, il avait répondu : « *Den ebed, mab da zen ebed* (personne, fils de personne). » Le nom de Personne lui était resté. De lui, un de mes ouvriers s'était laissé aller à dire d'une voix embarrassée : « Il est trop vieux pour être le Seigneur Jésus-Christ, sans quoi on aurait pu croire qu'il est revenu sur terre chez nous. » Et le plus jeune avait éclaté de rire : « Il ne reste plus qu'à attendre un miracle », avait-il dit. Il n'y a pas eu de miracle, mais il s'est produit quelque chose qui y ressemblait un peu, un tout petit peu.

La veille de Noël, cette année-là, j'ai eu tous les tracas du monde. Pour être tranquille pendant les fêtes, j'avais voulu livrer les commandes les plus pressées en bois de charpente et de menuiserie. Et mon vieux camion était d'abord resté en panne au premier tiers d'une côte qu'il grimpait d'habitude allégrement. Quand il voulut bien repartir, c'est le chargement qui se mit à glisser entre ses cordes, nous obligeant, mon ouvrier et moi, à nous arrêter pour le refaire presque entièrement, ce qui ne nous était jamais arrivé. Je n'ai pas besoin de vous dire que nous étions aussi vexés l'un que l'autre. Et pour achever la déconfiture, voilà que je trouve le moyen d'embourber le camion dans la boue d'un chantier dont je connaissais pourtant les traîtrises. Il nous fallut réclamer l'aide des maçons pour nous tirer de là. Une honte rouge.

Quand je parvins à ramener mon engin dans ma cour, il faisait nuit depuis longtemps. J'étais à peine descendu à terre que je me mis à jurer les sept tonnerres pourris. J'avais complètement oublié la commission essentielle de ce jour-là, qui était de pousser jusqu'à Quimper pour acheter une poupée à ma filleule de six ans, la fille de mon plus ancien ouvrier. Une poupée qui fermerait ses yeux quand on la mettrait sur le dos. Et maintenant il était trop tard, tous les magasins seraient sous clé. Et la pauvre petite était déjà au lit avec la promesse qu'on la réveillerait à minuit pour voir si le petit Jésus avait bien voulu déposer sur l'âtre, auprès des sabots bien cirés, cette poupée attendue qui avait déjà un nom, Aline. Comment ferai-je pour me présenter tout à l'heure, les mains vides, chez les parents qui m'avaient invité, comme tous les ans, à partager leurs petites réjouissances nocturnes, moi le patron, le vieux garçon, qui n'avais pas de famille dans le pays ni ailleurs. Et ce n'est pas avec de l'argent que l'on soulage le crève-cœur d'une fillette qui veut jouer à la maman avec une enfant de son choix, une enfant aux yeux bleus qui se ferment quand on la couche. Par le Diable du Juch, si j'avais pu meurtrir ma chair avec mes propres pieds je l'aurais fait.

Allons ! Il fallait pourtant mettre des vêtements propres et y aller avec ma honte. Or, quand j'ouvris la porte de mon garage pour sortir la petite auto un peu poussive qui me servait à visiter les clients importants, j'entendis un bruit de grelot et peu après le surnommé Personne entra dans la cour sur sa bécane d'avant 14. Il lui arrivait parfois de se promener ainsi dans la nuit noire et le bruit de son grelot avait fait germer dans les têtes quelques histoires de bonnes femmes. Je savais que je devais faire semblant de ne pas le voir, mais le voilà qui s'arrête devant moi, descend de son cheval de fer et se met à parler. Et que dit-il ?

« FAITES ATTENTION, JEAN-MARIE ! LA NUIT EST PLEINE DE VIVANTS. »

J'en suis resté tout raide de stupéfaction pendant qu'il se dirigeait vers son réduit du hangar sans plus s'occuper de moi que si je n'existais plus. Et le grelot se tut. Je mis la voiture en marche, mais j'étais si bouleversé que je passai le portail et sortis sur la route avant d'avoir allumé mes phares. Je secouai durement la tête pour me réveiller et je fis la lumière. A l'instant même, dans le faisceau jaunâtre, je vis apparaître un grand jeune homme à barbe rousse, la tête nue, vêtu d'un costume bleu d'ouvrier, et qui me faisait de la main, doucement, le signe de m'arrêter. Ce que je fis. L'inconnu, en souriant, contourna le capot et l'aile comme pour venir à la portière dont je baissai la vitre pour entendre ce qu'il allait me dire. Mais il ne vint pas. Et moi de crier : « Où êtes-vous ? Que voulez-vous ? » Pas de réponse. Je sortis de la voiture assez irrité. Il n'y avait personne devant, ni derrière ni à côté. J'éteignis mes phares pour mieux écouter. Aucun bruit nulle part, sauf ce que je crus être une respiration qui se déplaçait autour de moi. Je remontai dans la voiture, je remis les phares en pestant tout haut pour dissiper mon malaise. A peine avais-je roulé cent mètres que la lumière se peupla de petits groupes de paysans qui marchaient de part et d'autre de la route. Il y avait là quelques hommes porteurs de lanternes, mais surtout des femmes et des enfants. Je ne les voyais que de dos et, chose étrange, aucun d'eux ne se retourna, ne parut s'émouvoir de l'arrivée d'une voiture derrière eux. Autant que je pouvais en juger, ils étaient tous habillés à la mode qui régnait dans le pays une trentaine d'années plus tôt, avant le départ des hommes pour la guerre de 14. La route étant assez étroite, je roulai lentement pour ne pas les gêner. Tout occupé à ma conduite, je ne songeai même pas à m'étonner de cette foule inconnue et surannée qui peuplait cette pleine campagne, en marche peut-être vers quelque messe de minuit, mais laquelle ?

Si bien que je fus quelques instants avant de m'aviser d'un phénomène extraordinaire : dès qu'ils étaient sortis de la lumière de mes phares, tous ces gens-là entraient apparemment dans le néant car je n'en voyais plus la moindre couleur par ma vitre baissée. Je sentais vaguement que j'étais couvert de sueur. Je m'arrêtai de nouveau, j'ouvris la portière, je descendis et, aussitôt le pied à terre, je me trouvai seul dans le désert. Le moteur arrêté, ce fut le silence avec seulement cette respiration unique et tournante que j'attribuai à la présence invisible du jeune homme roux. Dans la lumière des phares, personne. Que pouvais-je faire sinon me passer la main sur le front et repartir ! Ce que je fis, et progressivement la route se peupla des mêmes personnages. Soudain, l'un des enfants fit un écart, m'obligeant à freiner sec pour ne pas le heurter. Il se tourna vers moi en souriant, un bel enfant roux qui portait dans ses bras une poupée dont le nom aurait pu être Aline. Il la renversa devant mon capot et je la vis distinctement fermer les yeux. Après quoi l'enfant se retourna et repartit avec les autres. Et moi de repartir aussi, résigné aux sortilèges de cette nuit. Cela dura jusqu'à ce que nous atteignîmes le carrefour où se dressait la maison de mes amis. Alors, toute la procession des personnages se fondit je ne sais où.

Je fus accueilli par des exclamations joyeuses car on désespérait déjà de me voir venir. Il était très tard. Dans la grande pièce, une bûche rougeoyait au fond de la cheminée. Assise sur la pierre du foyer, ma filleule me regardait d'un air ravi en berçant dans ses bras une poupée aux yeux papillotants, la même que portait tout à l'heure l'enfant roux, une poupée qui s'appelait sûrement Aline. Mais qui donc l'avait apportée et d'où ? Le père me dit que c'était le bonhomme Personne, arrivé au crépuscule sur sa bécane à grelot, et qui l'avait remise en grand mystère de ma part. Le plus étonnant, c'est qu'il avait parlé pendant un grand quart d'heure. Ecoutez bien ! Il avait raconté par le menu toutes les péripéties de ma journée de camionneur, la panne, le désarrimage du chargement de bois et l'embourbement final, tout cela pour m'excuser de n'être pas venu moi-même porter la poupée. Or, comment pouvait-il connaître mes aventures puisqu'il n'était pas avec nous, ne parlait à personne et que, surtout, je ne m'étais pas encore embourbé dans le chantier à l'heure où il racontait le coup.

Comme un somnambule, je répondais oui, je répondais non, je ne répondais rien. Ils ont dû me trouver très fatigué. La petite a été remise au lit avec Aline, nous avons mangé je ne sais quelle nourriture et je me suis remonté dans mon auto pour rentrer chez moi. Non sans appréhension. J'étais tout près de croire que le surnommé Personne, fils de Personne, avait jeté un sort sur cette auto qui faisait du cinéma avec ses phares.

Et voici la fin. D'abord, les phares en question se comportèrent comme tous les autres. Ils se contentèrent d'éclairer honnêtement une route déserte, celle-là même par laquelle j'étais venu. Et puis, sans transition, ils découvrirent une autre route que je connaissais aussi, mais qui se trouvait à l'opposé de la première, de l'autre côté du bourg. Alors, j'entendis sonner le grelot de la bécane devant moi et je ne fus pas long à rattraper le cycliste qui pédalait tranquillement dans la nuit sans lumière d'aucune sorte, comme il faisait toujours. Sur son porte-bagages il y avait son manteau militaire attaché par une ficelle qui retenait aussi le quart de fer-blanc. Les deux chemises devaient être à l'intérieur du paquet. Je donnai deux coups d'avertisseur, un long et un court, comme je faisais quand je rentrais tard à la scierie pour lui demander de m'ouvrir le portail. Il me fit un signe du bras qui pouvait être aussi bien un adieu qu'une invitation à poursuivre ma route. Je l'ai dépassé et je me suis arrêté un peu plus loin pour l'attendre. Mais il ne venait pas, il n'est jamais venu. Et pourtant le grelot sonnait autour de moi, devant, derrière et à côté, de plus en plus faiblement. Il finit par s'éteindre tout à fait.

Je suis rentré chez moi sans autre rencontre. J'ai couru vers le hangar, j'ai levé le loquet du réduit de Personne sans penser à frapper. Je savais déjà que la place était vide, le lit de fer refermé, la vaisselle propre, le poêle nettoyé de ses cendres. L'homme était pari sans rien laisser derrière lui, absolument rien. Et depuis je n'ai jamais eu de ses nouvelles. Ni moi ni quelqu'un d'autre. C'est comme s'il n'avait pas existé. Mais il m'arrive quelquefois, la nuit de Noël, d'aller faire un tour en voiture, lentement, par les petites routes, attendant de piéger dans mes phares des vivants en marche vers je ne sais quel office. Et de temps en temps j'arrête le moteur, j'éteins mes lumières pour guetter le bruit d'un grelot ou le marmottement sourd d'une voiture qui scande : « Sept à huit réaux et trois sous percés, sept à huit réaux et trois sous percés, sept à huit... »

Le vieillard du train de Paris à Quimper avait fini. Il y eut un silence. Puis il me jeta un regard timide. C'est un regard que je connais bien, celui d'un homme qui vient de conter malgré lui une histoire étrange et qui ne s'attend pas du tout à être cru. Alors moi, que voulez-vous, j'ai scandé avec mon pied, sur le plancher du wagon, la vieille formule des scieurs de long qui ont décidé d'en mettre un bon coup pour leur propre compte : « Un écu et plus, un écu et plus, un écu... » Il a bien senti que j'étais complice et croyant. Après quoi, nous avons parlé d'autre chose.

C'est la dernière fois qu'il m'a été donné d'entendre un conte de Noël revécu par l'un de ses acteurs.

CONTES A VIVRE DEBOUT

LA ROSE DE LA MORT

La Rose de la Mort, j'ai entendu conter son histoire il y a vingt ans. C'était au mois de novembre et depuis aucun novembre ne m'a passé sur le corps sans que j'entende hurler un loup entre ma nuque et mes talons. C'était au mois de novembre, dans la maison d'un vieux garde du château de Trévarez qui appartenait encore à la marquise. Il y avait là trois chasseurs bons vivants qui n'arrêtaient pas de plaisanter et de rire jusqu'à faire trembler le vin dans les verres. Chasseurs de lièvres et de perdrix, piètres seigneurs. Mais ils se mirent à parler de loups et le vin cessa de trembler, vaut-il la peine que je dise pourquoi ? Les loups amenèrent à leurs trousses le marquis de Kersalaün, et l'on entendit, sur la huée, chanter la Rose de la Mort. De la voix des trois gaillards, il ne restait qu'un murmure de confessionnal. Aujourd'hui, c'est à mon tour de me confesser à vous parce qu'il serait péché de serrer les dents sur un conte qui a été levé pour le bien de tous. Ecoutez et vous entendrez !

Un jour, le marquis de Kersalaün, le plus grand louvetier des Montagnes Noires, chevauchait à travers bois quand il crut être entré au Paradis par distraction. Le chant d'un ange s'élevait d'une logette autour de laquelle paissaient quelques moutons. A peine se fut-il approché qu'une jeune fille parut sur la porte. Elle était plus belle que tout ce qu'on peut voir en ce bas monde, je ne peux pas m'expliquer mieux. Aussitôt, elle s'arrêta de chanter pour demander au seigneur ce qu'il cherchait par là.

— Je vais à la chasse, dit Kersalaün, comme tous les jours de ma vie. Mais, je vous en prie, continuez votre chant. Je n'ai jamais entendu plus douce voix sous le soleil béni.

— Je ne fais que répondre aux oiseaux, dit-elle. Je suis trop pauvre pour donner mon chant à un chevalier, à un gentilhomme vêtu de soie sous son pourpoint de cuir. Si vous aviez un écu d'argent, peut-être...

— Voici l'écu. Vous l'avez déjà gagné. Une autre fois, vous me chanterez plus longuement pour le même prix. Aujourd'hui, je n'ai pas le temps d'en entendre plus. Adieu !

— C'est donc vous le marquis de Kersalaün, le marquis aux loups ?

— Comment le savez-vous ? Je ne suis pas d'ici. Je n'ai jamais passé par ce bois.

— Dans la Basse-Bretagne, et peut-être dans la Haute, il n'y a personne qui ne sache que lorsque Tanguy de Kersalaün est monté à cheval pour aller au loup, rien ni personne ne saurait lui faire mettre pied à terre, ni l'orage, ni la foudre, ni le tremblement du sol, ni l'Ankou, ni la plus belle fille du monde.

— C'est vrai pour l'orage, la foudre, le tremblement. Pour l'Ankou, je ne sais pas, je ne l'ai pas encore rencontré. Mais la plus belle fille du monde est devant moi. Je descends.

— Pour quelqu'un qui ne parle d'ordinaire qu'à

ses chiens, ses chevaux et ses palefreniers, vous ne seriez pas long à savoir parler aux filles, m'est avis.

— Je ne demande qu'à apprendre. Que vous disent les autres ? Quels mensonges ?

— Les gentilshommes font cent compliments de ma voix, de mes cheveux blonds, de mes yeux bleus et du reste. Et puis, ils m'offrent des écus d'or. Les paysans ne parlent pas beaucoup, mais ils aimeraient tous me conduire à l'autel.

— Et que répondez-vous ?

— Aux gentilshommes, je réponds que je ne suis à vendre à aucun prix, mais que chacun peut me regarder pour rien. Aux paysans, je réponds qu'il faudrait plus de courage qu'ils n'en ont pour s'attaquer à moi. Et à tous, je réponds que je suis toujours prête à danser le jabadao avec quiconque se sent capable de me mener jusqu'à ce que je tombe à terre. Hélas ! Plus de trois fois sept ont accepté, mais ils avaient l'haleine trop courte et des jambes de chiffon. Voulez-vous savoir ce qu'ils sont devenus ?

— Peu m'importe. Je ne sais pas danser le jabadao ni rien d'autre. Mais je ferai venir les meilleurs sonneurs et les meilleurs danseurs du pays pour m'apprendre. Nous nous retrouverons dans dix jours à l'endroit qui vous plaira.

— Dans dix jours, il y aura une aire neuve au moulin de Kerskao. Je vous y attendrai. Si vous me faites perdre le souffle, je serai marquise de Kersalaün. C'est juré.

— Je le jure aussi. Mais dites-moi au moins votre nom.

— Mon nom est Rose de la Mort. Un joli nom, n'est-ce pas. Rose est pour mon corps, la Mort peut-être pour mon âme, qui sait ? N'avez-vous pas peur ?

— Le marquis aux loups prendrait peur d'une chevrette ! Vous voulez rire.

— Eh bien ! je ris.

Et elle s'en fut en riant. Quand elle eut disparu, on entendit hurler un loup.

Pendant neuf jours, ni plus ni moins, le manoir du marquis retentit des éclats de la bombarde et du biniou sonnant le jabadao de la prime aube à la nuit tombante. Toutes les fines danseuses des environs furent priées de venir danser avec Kersalaün. Plus tard, elles avouèrent qu'elles n'avaient jamais connu de plus dures journées pendant toute leur vie. Le marquis était infatigable. Six couples de sonneurs parmi les plus célèbres se relayaient sur les barriques. Mais, le septième jour, il fallut d'urgence en quérir d'autres parce que les premiers étaient tout près de perdre haleine pour de bon. Or, au soir du neuvième jour, quand Kersalaün monta dans sa grande salle pour souper, il se trouva tout seul à table. Il avait pourtant invité tous les gens du jabadao, car il ne méprisait pas le menu peuple, outre qu'il était naturellement porté aux largesses. Mais les danseuses n'avaient plus assez de force pour dire pain, ni les sonneurs pour réclamer à boire. Ils dormaient en tas à travers la cour, chacun à l'endroit où il était tombé, sans bouger pied ni patte quand les chiens du marquis venaient les flairer. Qui les aurait vus dans cet état aurait cru que la guerre était passée par le manoir, ne laissant derrière elle que des cadavres. Le marquis mangea comme quatre, mais ne put trouver le sommeil. La Rose de la Mort l'occupait tout entier.

Le lendemain, de bonne heure, quand il descendit dans la cour, les gens du jabadao continuaient à ronfler. Mais un de ses fermiers, un nommé Fanch Roparz, l'attendait, debout près de la grande porte.

— Qu'y a-t-il, Fanch, dit Kersalaün, courtoisement comme toujours, mais il pensait à la Rose.

— Monsieur le marquis, dit l'autre, je suis envoyé vers vous par les gens de mon quartier, ceux du Peulvan. Un loup énorme est arrivé dans nos taillis depuis huit jours. Il a déjà emporté plusieurs moutons et tué un cheval au pré. Les enfants sont fous de peur, les femmes n'osent plus aller au lavoir et nous-mêmes nous sommes trop faibles pour nous attaquer à ce monstre sans risquer nos vies. Il n'y a que vous, marquis de Kersalaün, qui puissiez en venir à bout. C'est là travail de gentilhomme.

— J'irai, Fanch, mon ami. J'irai demain sans faute. Allez le dire aux gens du Peulvan. Demain soir, la peau de ce loup sera clouée contre cette porte que voilà.

— Il faut venir tout de suite, Monsieur le marquis. Les gars sont prêts avec leurs fourches. On a trouvé le repaire de l'animal. Si vous venez, il est à nous.

— Aujourd'hui, je ne peux pas, Fanch. J'ai à m'occuper d'une affaire plus grave qu'une chasse au loup. Mais demain j'irai.

— Demain ! Les autres fois, quand on vous signalait l'ombre d'un loup, vous sautiez à cheval sans demander quoi ni comment. Vous n'êtes plus le même, Monsieur le marquis. Et les gens sont inquiets. Toute la semaine, ils ont entendu mener le sabbat au manoir. Ils disent que le Malin Esprit est sur vous, qu'à présent vous êtes perdu pour eux. Regardez tous ces ivrognes, vautrés dans votre cour, ces femmes fourbues de mauvaise vie. Vous croyez que c'est convenable, tout ça, quand il y a tant de misère par le monde !

— Assez, Fanch ! Plus tard, je vous expliquerai mes raisons. A demain !

— Demain, c'est quelquefois jamais. Adieu, Monsieur le marquis ! Ne vous dérangez pas demain. Le vicomte de Rozivin nous a proposé d'aller au loup. Il a chez lui un gentilhomme saxon qui est un chasseur réputé dans son pays. Je vais les chercher tous les deux. Mais c'est grand dommage pour vous. Un loup comme celui-là, on n'en voit pas deux par siècle.

— Il est si grand que ça, Fanch ?

— Encore plus grand, Monsieur le marquis.

Quand j'ai vu ses traces, la première fois, je ne croyais pas être réveillé : elles font au moins trois empans. Et le cheval qu'il a tué, c'est l'étalon de la Villeneuve, une bête qu'il ne faisait pas bon approcher.

— Le vicomte de Rozivin est bien jeune, Fanch Roparz. Et l'autre là, le Saxon, on ne sait pas trop ce qu'il a dans le ventre. Il vaut mieux que j'y aille. Avec un peu de chance, j'en aurai fini avant la nuit et je tiendrai ma parole au moulin de Kerskao. Faites rassembler les chiens pendant que je prends les armes ! Et sus au loup, Kersalaün !

L'après-midi s'avançait déjà quand le marquis descendit de cheval devant le moulin de Kerskao. Il ne restait plus sur l'aire que les plus forts danseurs, ceux qui dansaient pour leur plaisir et pour se défier mutuellement. Les autres étaient rentrés chez eux après avoir travaillé des jambes comme il faut pour tasser la terre et l'aplanir. Mais la bombarde et le biniou sonnaient toujours. Ils sonneraient jusqu'à ce que le dernier couple baisse les bras. A l'écart des autres femmes et sans le moindre galant autour de ses jupes, la Rose de la Mort attendait Kersalaün.

— Jeune fille, je vous avais promis de venir, me voilà !

— Je vous trouve bien faraud, Monsieur le marquis. Le feu aux yeux et le sang aux joues !

— Et les jarrets aussi durs que l'acier, demoiselle. A votre service.

— Nous verrons ce qu'il en adviendra quand le jabadao sera fini.

— Il adviendra que vous serez à terre et moi debout.

La Rose de la Mort tendit la main. Les sonneurs s'arrêtèrent net. Le temps de changer d'anche à la bombarde et de regonfler le sac du biniou, voilà les deux compères qui attaquent un jabadao comme on n'en avait jamais entendu dans le pays, un vrai jabadao du Jugement Dernier à vous nouer les entrailles. Surpris et vaguement effrayés jusqu'au fond de l'âme, les paysans n'eurent pas le courage d'entrer en danse.

— Etes-vous prêt, petit marquis? dit la Rose.

Et on entendit en écho la voix de la Mort qui sortait de la même bouche :

— Prêt à mourir avant la nuit?

— Comme il vous plaira, dit Kersalaün.

Il saisit la main de la jeune fille. Alors, trois autres couples s'avancèrent, venus on ne sait d'où et qui n'étaient sans doute pas des créatures de chair car le soleil couchant leur traversait le corps comme rien. Et la ronde infernale commença.

Au même moment, écoutez bien, au même moment, le marquis fendait avec son grand couteau, de la gorge à la queue, le cadavre du loup qu'il venait d'abattre après l'avoir harcelé tout le jour. De sa main gauche gantée, il arracha le cœur de la bête qu'il présenta tout fumant à ses rabatteurs. Les gens du Peulvan s'étranglaient à force de hurler la gloire de Kersalaün. Et Fanch Roparz pleurait de joie et de remords.

— Je vous ai manqué de respect ce matin, Monsieur le marquis. J'ai cru que vous étiez tombé dans la luxure et les débordements. Mais un homme dissolu n'aurait pas pu faire le quart de ce que vous avez fait aujourd'hui. Il faut me châtier à coups de fouet pour me faire avaler ma honte. Voilà mon dos. Laissez-moi seulement enlever ma chemise car je n'en ai qu'une. Quant à ma peau, elle est capable de se réparer toute seule. Allez-y!

— La peau du loup me suffit pour aujourd'hui, Fanch Roparz. Mais une autre fois vous parlerez moins vite au vu des apparences. Moi-même, l'autre jour, peut-être... Mais qu'importe! Maintenant, il faut que je me rende au moulin de Kerskao avant la nuit.

— Au moulin de Kerskao ? Mais c'est tout là-bas, de l'autre côté des collines. Il n'y a pas de vrai chemin pour y aller d'ici. Vous vous perdrez cent fois.

— Il faut pourtant que j'y aille. La plus belle fille du monde m'attend sur l'aire neuve pour danser le jabadao.

— Et c'est pourquoi... Je parie que son nom est Rose de la Mort.

— Vous avez gagné. Faites porter au manoir la dépouille du loup. Et adieu !

— N'y allez pas, Monsieur le marquis. Cette femme est une...

— Vous parlez encore trop vite, Fanch Roparz. Attention !

— Je ne dis rien. Mais laissez-moi vous accompagner, Monsieur le marquis. Seulement pour vous montrer par où. A travers bois, nous y serons dans la demi-heure.

— Bien. Sautez en croupe et tenez votre langue !

Au moulin de Kerskao, le jabadao faisait rage. La Rose de la Mort tourbillonna longtemps, longtemps, sans presque toucher le sol, comme quelqu'un qui n'a d'autre poids que celui de ses vêtements. Mais le marquis de Kersalaün lui menait la vie dure. Ne pouvant la fatiguer, il faisait les sept possibles pour l'étourdir. Les sonneurs n'arrêtaient pas pour changer d'air. Plus étonnant encore, ils n'avaient pas besoin de se mouiller la gorge. Les autres danseurs n'étaient plus que des ombres. Et il vint un moment où la fille s'alourdit. On entendit d'abord le bruit de ses talons, puis celui de son souffle. Avant peu, elle demanderait grâce.

Au même moment, écoutez bien, au même moment, le marquis galopait à travers bois, Fanch Roparz en croupe. Et ce fut Kersalaün qui éleva la voix le premier.

— Qui est celle-là, Fanch ? Qui est la Rose de la Mort ?

— Une diablesse, Monsieur le marquis, une diablesse incarnée. Elle a mené plus d'un jeune homme à l'Enfer par la main. C'est une danseuse infatigable. Quiconque se laisse entraîner par elle dans le jabadao ne peut plus s'en détacher. Elle l'oblige à sauter et à tourner sur l'aire jusqu'à ce qu'il tombe évanoui. Certains restent vivants, mais l'esprit perdu. La plupart meurent deux ou trois jours après. Ne donnez pas votre main à la Rose, Monsieur le marquis, vous la donneriez à la Mort en même temps.

— J'ai juré. Kersalaün tient ses promesses, quoi qu'il puisse en coûter.

— Attendez d'avoir vu son joueur de biniou. On l'appelle Guillaume le Martyr. Il passe pour son père. Quand il souffle dans son outre, Guillaume se tord la bouche, se tord le corps comme une vipère coincée sous un bâton, se roule à terre et lâche quelquefois le *sutell* pour hurler à mort. Un grand gaillard sec, tout sec, un tas d'os. Certains disent, Dieu nous assiste, qu'il n'est autre que l'*Ankou* lui-même. Il vaudrait mieux retourner au manoir.

— Non ! Kersalaün ne recule pas devant la Mort, surtout sous la forme d'une Rose !

Cependant, au moulin de Kerskao, la Rose de la Mort suppliait le marquis de lui lâcher la main. Mais l'autre la tenait debout à la force du bras. La fille demandait pitié d'une voix de plus en plus faible, le marquis ricanait de plus en plus fort. Et les hurlements de Guillaume le Martyr couvraient l'agonie de la Rose. A la fin, son âme lui remonta entre les dents, elle ouvrit la bouche et tomba morte juste au moment, écoutez bien, juste au moment où le marquis de Kersalaün entrait dans la cour du moulin avec Fanch Roparz en croupe. Les sonneurs s'arrêtèrent d'un seul coup.

Le marquis aux loups n'en crut pas ses yeux quand il vit s'avancer vers lui le vainqueur de la Rose. C'était lui-même, ou plutôt quelqu'un qui lui ressemblait comme un frère jumeau, un autre marquis de Kersalaün.

— Je vous salue, marquis, par le feu et les cornes, dit l'autre. Excusez-moi d'avoir emprunté votre corps pour un moment. J'en avais besoin et je ne suis pas quelqu'un à demander la permission de personne. Mais j'ai fini ce que j'avais à faire.

— Et qu'aviez-vous à faire, s'il vous plaît ?

— Ma tâche de tous les jours, sans excepter dimanches et fêtes. M'emparer des âmes, si je peux, et envoyer les corps brûler où vous savez. Celle-ci, la Rose de la Mort, était ma servante. Et voici mon serviteur l'*Ankou.* La Rose m'a gagné beaucoup d'âmes, mais depuis quelque temps, elle ne valait plus rien. Elle faisait trop peur. Vous-même, Monsieur le marquis, vous avez préféré aller au loup que de venir lui faire la cour. Il ne me restait qu'à prendre ma servante qui ne pouvait plus me servir. C'est fait.

— Fanch Roparz, dit Kersalaün, votre loup m'a sauvé le corps et l'âme.

— Ce loup était aussi à moi, dit l'autre. Et c'est son corps que je vais prendre pour vous quitter. Je vous salue, marquis. Et vous de même, Fanch Roparz.

Là-dessus, on entendit hurler le loup du Peulvan et les deux hommes se retrouvèrent tout seuls sur l'aire neuve du moulin de Kerskao. Une charrette grinça dans le chemin. Sans doute l'Ankou, Guillaume le Martyr, qui emportait la Rose de la Mort.

La dépouille du loup ne fut jamais retrouvée. Et, de toute l'aventure, il n'est resté qu'un conte

où l'on ne trouve rien de faux
sinon, peut-être, un ou deux mots.

LE GARS DE L'ÉPOUVANTE

Il n'y a pas encore longtemps, il se produisait en Bretagne des merveilles dont les causes n'ont jamais été établies par les hommes de science eux-mêmes. On entend quelquefois les vieillards, quand il leur arrive d'exposer les mœurs de leur jeunesse, raconter devant nous la révolution qui s'élevait parmi les hommes et les bêtes quand arrivait, sans crier gare, le Gars de l'Epouvante.

Qui est le Gars de l'Epouvante ? Un homme ou un esprit ? Un lutin, peut-être, un être malin sans doute. Il n'est pas facile de le savoir puisque ce Gars-là n'a jamais été vu par personne. Il arrive en coup de vent, il disparaît encore plus vite. Et son arrivée produit un si grand trouble que les pauvres gens ne conservent pas assez de présence d'esprit pour regarder autour d'eux. Jamais regard vivant ne s'est posé sur le Gars de l'Epouvante. Peut-être le Gars de l'Epouvante n'existe-t-il pas ?

Plus d'une fois, sur le foirail de Quimper, lors de la foire de mai ou de la mi-avril, les chevaux ou les vaches attendaient les acheteurs, parfaitement tranquilles, attachés à quelque mur ou tenus à la longe par leurs maîtres. Les choses allaient leur train ordinaire, les acheteurs demandaient des rabais, les vendeurs proposaient un prix plus élevé que la valeur de leurs bêtes, les pauvres bêtes ne demandaient rien d'autre que de passer la langue sur quelque peu de foin ou de trèfle. Tout allait bien selon la coutume du pays. D'un seul coup, on ne sait comment, voilà les chevaux de hennir sur un mode horrible, de casser leurs longes et de s'enfuir au galop rouge sous un fouet invisible. Voilà les vaches de baisser la tête, de lever la queue et de partir en folie ensemble avec des meuglements à faire frémir. Quoi ? Pourquoi ? Comment ? Ne cherchez pas plus loin ! C'était un mauvais tour du Gars de l'Epouvante. D'après ce que j'ai entendu, quand les vaches fuyaient vers le haut du champ de foire, les gens disaient : « Le beurre va renchérir ! » Et, quand elles fuyaient vers le bas : « Hélas ! il n'y aura pas preneur pour notre marchandise, cette année ! » Qui était le responsable, sinon le Gars de l'Epouvante ?

Pis encore ! Les gens eux-mêmes prenaient peur devant lui pendant les pardons. On m'a conté, à Quimper, que le jour où fut bénie la croix de Tréqueffelec, en territoire de la paroisse de Kerfeunteun, une énorme panique s'empara de la foule à deux reprises. Au beau milieu du prêche, d'un coup, toute l'assistance vida les lieux si vite que les gens faillirent se rompre le cou à travers champs. Les femmes appelaient la Vierge à leur secours, les hommes hurlaient miséricorde. Et, tout aussi vite, la paix revint. Chacun, après avoir couru droit devant lui de son mieux comme une bête sauvage devant le chasseur, retourna vers la croix sans faire mine de rien et entendit très bien la fin de la cérémonie. Qui était le responsable, sinon le Gars de l'Epouvante ?

Or, un vieil homme de Kerfeunteun m'a conté un événement semblable qui se produisit à Rumengol vers l'an 1890. Pendant le prêche, le prédicateur en vint à dire : « Une foule de gens sont venus à Rumengol vers Madame Marie. Des gens de Brest... » A peine avait-il prononcé le mot de Brest que toute l'assistance s'épouvanta. Pourquoi ? Comment ? Qu'était-il arrivé ? C'était le Gars de l'Epouvante, sans nul doute. Le vieillard ajouta : « Mon frère se trouvait à Rumengol, ce jour-là. Il avait emporté un panier noir, bourré de solides victuailles, de quoi nourrir trois hommes capables. Mais il fut tellement soulevé d'émotion qu'il s'enfuit au galop dans la foule épouvantée et perdit le pauvre panier avec le ravitaillement. Il lui fallut retourner au logis le ventre vide. Depuis, quoi qu'il arrive, mon frère ne peut plus prendre peur. Il n'a pas encore pardonné au Gars de l'Epouvante de lui avoir fait perdre son panier. »

Je ne sais rien de plus au sujet du Gars de l'Epouvante et je n'ai nulle envie de me trouver face à face avec lui, porteur d'un panier noir ou sans panier du tout. Les hommes de l'Antiquité, quand j'y songe, avaient foi en un dieu du nom de Pan qui nourrissait la panique de la même façon que notre Gars nourrissait l'Epouvante.

SAINT KODELIG

Il arriva qu'une année, au soir de Noël, le nommé Gwillou Barz rencontra saint Kodelig lui-même et entendit la voix immortelle parce qu'il s'était trouvé à court de cidre avant les jours de fête. Gwillou Barz, tout le monde le connaît, je n'en dirai pas autre chose. Mais le bienheureux Kodelig, j'en ai peur, a été oublié sur la liste des saints. C'est peut-être parce que Kodelig n'est que l'un de ses noms. Notre saint Vio de Cornouaille s'appelle bien Vougay dans le Léon. Vous savez comment sont les gens. Ils veulent un saint entier pour eux tout seuls. Comme il n'y en a pas assez, ils les rebaptisent à leur convenance et l'affaire est faite. Les saints ne protestent jamais. Ils ont besoin de l'agrément des hommes pour mieux s'occuper d'eux, pas vrai !

Le Kodelig dont je vous parle règne toujours sur une colline pierreuse de ma paroisse. C'est un saint du désert. L'église du bourg est vouée à saint Faron et à saint Fiacre qui y font bon ménage. Sans doute Kodelig y a-t-il trôné autrefois, mais vous savez que les saints eux-mêmes sont mis à la retraite par l'ingratitude des chrétiens. Quoi qu'il en soit, il lui reste cette colline aride, sommée d'un bois de pins. Tous les saints n'en ont pas autant. Celui-ci a même conservé son ménage. C'est d'abord un lit de pierre où l'on voit très bien en creux la forme de son corps et celle de son fusil. Que faisait donc de son fusil cet homme de paix ? Il s'en servait pour chasser les mauvais esprits. Si vous vous avisez de prétendre qu'il n'y avait pas encore de fusil au temps de Kodelig, je vous entreprendrai sur votre peu de foi. Et puis, il y a son armoire de pierre que personne, jamais, n'a su ouvrir (j'ai essayé moi-même, au temps du catéchisme) si bien que je ne saurais vous dire ce qu'il y a dedans. Et enfin, on peut voir, tout près, une énorme platée de beurre, en pierre également, avec des rayures dessus pour faire joli. Vous voyez donc que Kodelig était un homme de précaution. Mais jamais il ne s'était laissé voir à personne jusqu'à cette nuit de Noël où il advint que Gwillou Barz, un chrétien comme un autre, ni meilleur ni pire, se trouva passer par la colline avec un petit fût de cidre dans sa brouette.

En ce temps-là, il fallait déjà un papier bleu pour transporter toute boisson qui n'était pas de l'eau de source. Une honte ! Et ce papier bleu, on vous le délivrait au bureau de tabac contre du bel argent. Gwillou était content de payer son tabac et aussi le papier de soie pour le rouler dedans, mais pour le papier bleu du congé, rien à faire ! Qui lui donnerait tort ? Le cidre qu'il allait chercher du côté de Peumerit, chez un cousin de sa femme, il l'avait gagné en donnant un coup de main pour la moisson. Il était donc à lui, le gouvernement n'avait rien à y voir. La conscience en paix, le bonhomme graissa libéralement la roue de sa brouette pour le cas où les oreilles de quelque gabelou se trouveraient ouvertes sur la campagne. Il attendit la nuit pour charger le fût vide et se mettre en route par les chemins creux. Tout se passa le mieux du monde. Le cousin de Peumerit le régala de toutes sortes de nourritures, lui fit choisir lui-même son meilleur cidre et voulut absolument lui pousser sa brouette jusqu'à moitié chemin. Ceci pour faire savoir que Gwillou Barz était un homme heureux quand il entreprit de contourner la colline de Saint-Kodelig pour rentrer chez lui. La brouette ne faisait pas plus de bruit qu'un chat qui joue dans les cendres.

C'est alors qu'il vit le saint. Il n'y avait pas de lune, mais le bois de pins diffusait une lumière étrange. Le lit, l'armoire et la platée de beurre semblaient éclairés du dedans. Une sorte de moine à longue robe brune allait d'une pierre à l'autre comme quelqu'un qui fait son ménage. Gwillou crut si bien avoir la berlue qu'il ne pensa même pas à s'arrêter. « J'ai dû forcer sur le cidre du cousin. Il a fallu que je goûte à toutes les barriques qui étaient en perce. » Et il poussait toujours sa brouette. Il était à dix pas de Kodelig (c'était sûrement lui) quand celui-ci ouvrit l'armoire de pierre sans la moindre clé. La porte roula sur ses gonds avec un bruit d'harmonium. Et le saint homme fit entendre sa voix ! « Gwillou Barz, mon ami, attendez-moi, s'il vous plaît. Vous allez me conduire à la messe de minuit chez saint Faron et saint Fiacre. Je me fais bien vieux pour courir les chemins tout seul. Le Seigneur a dû penser qu'un peu de compagnie me ferait du bien. Et vous voilà ! Marchez devant, je vous suis. »

Kodelig avait tiré de l'armoire un grand manteau à capuchon. On entendit de nouveau le bruit d'harmonium. Gwillou reprit sa route sans souffler mot. Il ne savait pas trop ce qui lui arrivait, mais il n'avait pas peur. Avec un vrai saint sur ses talons que peut-on craindre ! Il était tout ravi de lui servir de guide. Quel honneur pour lui et sa descendance ! Oh ! certes, il avait un peu honte de cet honneur car il n'était pas sans reproche. Depuis sa dernière confession, il avait légèrement sali sa robe d'innocence, mais rien de grave. Un coup de cidre en trop par-ci par-là, une poussée de colère de temps en temps, saint Kodelig était un homme à comprendre les choses. Et ce n'était pas lui qui se mettrait du côté des gabelous, marchez toujours.

Gwillou Barz faisait rouler sa brouette en prenant soin d'éviter les ornières boueuses. Il croyait bien que saint Kodelig, derrière lui, marchait pieds nus dans des semelles de cuir à lanières, comme ces capucins qui prêchaient les missions. Mais avait-il de la barbe ou non ? Et quelle était l'expression de son visage ? Gwillou aurait bien voulu le savoir pour le raconter plus tard à ses amis et aux autres, mais il n'osait pas se retourner. Il sentait bien qu'on ne peut pas regarder un saint dans les yeux sans manquer à la révérence qu'on lui doit. Et de quoi aurait-il pu parler avec lui s'il avait osé remuer sa langue dans sa bouche autrement que pour avaler sa salive ! Ils étaient doublement séparés par la mort et la sainteté. Qu'importe ! Gwillou Barz rougissait de confusion sous la nuit en songeant qu'il ferait sûrement parler Kodelig dans les jours à venir. Il lui ferait dire des choses extraordinaires dont il n'avait pas encore la moindre idée. Mais il trouverait.

Là-dessus, les cloches se mirent à sonner et notre homme s'aperçut qu'il était devant l'église de saint Faron et saint Fiacre. Alors, il rangea sa brouette contre le mur du presbytère avant d'entrer le plus dignement qu'il put par la porte du clocher. C'était là sa place ordinaire, entre le bénitier et les cordes. Seulement, il se poussa un peu plus avant que d'habitude pour laisser entrer saint Kodelig derrière lui. Un saint, n'est-ce pas, n'a pas assez d'orgueil sous son capuchon pour aller se pavaner dans le chœur, sinon en statue de bois ou de pierre.

L'église était pleine à éclater. Dans l'allée centrale,

les gens se tenaient debout de leur mieux, épaule contre épaule. On chantait comme on pouvait, avec l'aide d'un harmonium poussif. Et, bien entendu, la voix de Henri Bescond dominait toutes les autres, plus fausse que jamais. Gwillou Barz en fut mortifié. Saint Kodelig aurait une piètre idée de ses paroissiens en entendant beugler ce taureau loucheur. Alors, notre homme se mit à tousser le plus fort qu'il put pour couvrir les beuglements. Devant lui, quelques-uns se retournèrent et aussitôt leurs visages exprimèrent la plus grande stupéfaction : « Ça y est, se dit Gwillou. Ils ont vu le saint homme Kodelig derrière mon dos. » Et il entreprit de chanter de sa meilleure voix, celle qu'il trouvait en lui tous les sept ans. Il fallait bien être à la hauteur de l'événement. Maintenant, la moitié de l'assistance, au lieu d'être tournée vers le chœur, regardait dans sa direction. « Quels effrontés ! se dit-il encore. Mais pourquoi seraient-ils les seuls à dévisager le saint ? S'il y en a un qui a gagné de contempler sa glorieuse face, c'est bien moi, Gwillou Barz. » Et il se retourna lentement. Derrière lui, il n'y avait personne d'autre que Chan Piton, la marchande de bonbons, avec la roupie au nez.

Le lendemain, le bruit courait par le bourg que Gwillou Barz, pendant la messe de minuit, avait été si bien transfiguré qu'il semblait être un bienheureux du Paradis ou un Roi Mage pour le moins. Et il avait chanté presque aussi juste que le chœur des Anges, celui que l'on écoute en rêve. Henri Bescond lui-même était d'accord. C'est pourquoi on s'était retourné sur l'homme au cidre. Le pauvre diable eut beau raconter par le menu sa rencontre avec saint Kodelig et ce qui s'ensuivit, personne n'a jamais voulu le croire, sauf moi. Et si je l'ai cru, c'est parce qu'il avait été transfiguré, devant sept douzaines de témoins, pendant la messe de minuit. Il n'y avait que saint Kodelig qui fût capable de faire un tel miracle. Le cidre de Peumerit n'aurait pas eu ce pouvoir.

LE FABRICIEN DES ÂMES

Ecoutez-moi de tous vos yeux !

Demain, je suis allé à Saint-Konogan et j'en reviendrai si vite que les pieds sautaient sous mes pierres. Il a fallu que j'entre chez la faucille pour faire aiguiser mon maréchal. Et puis je suis grimpé dans un prunier de saules et j'en ai fait tomber les cochons pour mes glands. En voulant traverser la chemise pour aller plus vite, j'ai mouillé ma rivière. Arrivé de l'autre côté, j'avais si mauvaise mine que mon bâton m'aurait mordu si je n'avais cassé un chien sur son dos.

C'est alors que j'ai rencontré le fabricien des Ames et qu'il m'a raconté son histoire. Il était avec le fabricien de Saint-Isidore dont il faut toujours se défier car il imagine les choses dont il ne voit pas la couleur. Mais quand on est fabricien des Ames, on n'aimerait pas mentir. Et moi je n'aime que la vérité :

Quand on ne dit pas vrai, alors on ment,
Ce n'est pas cent fois le jour, mais souvent.

Donc, il y a un demi-siècle, les deux hommes avaient entrepris de faire le demi-tour de la paroisse après la moisson, comme c'était leur tâche de fabricien, pour ramasser les dons des fidèles en grain, en beurre ou argent comptant. Deux autres faisaient l'autre moitié du tour. Ceux dont je parle allaient d'une ferme à l'autre, traînés en char à bancs par le cheval Poilu qui ressemblait parfaitement à un bedeau triste et qui savait hennir, dit la légende, sur l'air du *Libera*. Tout au long de l'année, il avait été formé au recueillement par son maître Job, le fabricien des Ames. A tel point qu'il ne voulait plus mettre un sabot devant l'autre quand on essayait de l'atteler pour aller à un mariage ou un baptême. Job soutenait dur que ce Poilu descendait directement de Carne-Sèche, le cheval de l'Ankou, bien qu'il fût de chair fort grasse et de poil fort luisant. Et pourquoi n'aurait-il eu que les os et la peau, dites-moi, puisqu'il était bien vivant, Dieu merci ! Il attendait l'autre monde, comme nous tous, pour abandonner son lard dans la terre. Et d'ailleurs, un cheval maigre n'est respecté de personne. Voilà ce que disait Job des Ames, lequel pesait lui-même deux cents livres et plus. Pourquoi riez-vous ?

Mais Joz-Isidore, le compère de Job, ne l'entendait pas de cette oreille. Il racontait à qui voulait l'écouter que le cheval Poilu et son maître n'étaient que des fainéants jurés dont la vie se passait à soupirer après l'heure du picotin. Joz-Isidore, comme son nom le dit bien, était le fabricien de Saint-Isidore, le patron des laboureurs de terre. En bon paysan, il n'aimait pas perdre son temps en chemin. Passe encore de bavarder une heure ou deux avec un autre coupeur de vers, devant une table éclairée par des bols d'un cidre deux fois soutiré. A ces conversations entre hommes d'un même état, on gagnait toujours quelque chose, on apprenait toujours quelque chose sur soi ou sur les autres, sur la terre ou les animaux, sur les grosses têtes qui mènent le monde et sur les véritables raisons de vivre qui se moquent des grosses têtes. Un homme a besoin de se frotter à ses prochains comme la faux réclame la pierre à aiguiser. Et puis on doit être poli avec tout le monde. Avec tout le monde peut-être, mais pas avec Poilu, ce traîne-fer, ce hoche-queue, ce broute-cailloux qui peinait à charrier sa panse, l'encolure pendante comme une rosse de corbillard. Et croyez-vous qu'il est agréable, chaque fois que l'on rencontre quelqu'un sur la route, de s'entendre interpeller d'une voix moqueuse : « Vous allez à l'enterrement de qui, mes gens ? Je n'ai pas entendu sonner le glas. »

Le fabricien de Saint-Isidore enrageait ferme sur son banc, à côté des deux cents livres et plus du fabricien des Ames. Comme il eût été plus agréable de faire la tournée avec le fabricien de Saint-Hervé. Voilà un homme ! Le dimanche, quand il faisait la quête à la messe, il n'arrêtait pas de danser en allant d'une chaise à l'autre avec son plat. Et il trouvait le moyen de chanter avec tout le monde en disant merci en breton entre deux mots latins. Mais hélas ! Ce joyeux luron faisait une autre tournée avec le fabricien de Saint-Faron et de Saint-Fiacre qui était sourd d'un œil et bègue des deux oreilles, ce qui le faisait éternuer sans fin quand il n'était pas en proie au hoquet. Vous voyez ce que je veux dire ! Monsieur le recteur devait avoir de bonnes raisons.

Là-dessus, le cheval Poilu s'arrêta net pour réfléchir à ses fins dernières en faisant du crottin. Et Joz-Isidore parla haut tout en regardant la queue de l'animal :

— L'an prochain, Job, je ne serai plus avec vous ni avec personne. J'en ai fini de quêter.

— Moi aussi, répondit tranquillement Job des Ames. Il me vient envie de m'amuser un peu.

Et il se mit à rire sans bruit, de l'intérieur. Ses deux cents livres et plus en furent si secouées que le char à bancs cria de tous ses ressorts et que le cheval Poilu remit sa queue en ordre avant d'avoir fini.

Qui fut bien étonné en voyant son compère rire de tout son poids ? Joz-Isidore et nul autre. Job des Ames, on n'avait pas entendu son rire depuis qu'il avait été choisi pour faire la quête à l'église avec le plat des Trépassés. On a beau dire, c'est une charge qui fait un devoir à celui qui la tient de rester grave en tout lieu. D'une certaine façon, il représente les morts sur la terre. Les morts lui prennent ses dimanches et l'obligent au recueillement pendant le reste de la semaine. Joz-Isidore ne put que rougir de honte quand il se rappela que Job des Ames avait été autrefois un plus joyeux drille que le fabricien de Saint-Hervé lui-même. Un lascar sans ventre ni fesse ni joue en trop. Un bougre de cent livres de chair sans graisse. Il avait engraissé à force de se recueillir nuit et jour pour les Trépassés. Le pauvre homme avait été victime de son plat. Et voilà que, d'un seul coup, il revenait parmi les vivants. Il devait avoir une énorme provision de rire dans le corps. On allait en voir de belles avant peu.

— Compère, dit Job quand il eut repris son souffle, j'ai envie d'aller faire la quête au Beuzit.

— Chez Fantig et Delig ! Jamais je n'irai là-bas, Job. Ces deux-là sont si avares qu'elles ne donneraient pas une écuellée de soupe à saint Isidore s'il allait lui-même frapper à leur porte avec sa couronne en tête. Non, je n'irai pas au Beuzit, ni pour l'or ni pour les perles. Ces deux filles m'ont fait assez de honte car nous sommes cousins germains. Je vous suivrai n'importe où, sauf là-bas.

— C'est là-bas qu'il faut aller. J'ai grande envie de leur jouer un bon tour. Je ne sais pas encore quoi ni comment, mais je trouverai l'étoffe et la façon. Allons-y ! Vous n'aurez pas à le regretter.

Et Job des Ames déchargea un bon coup de fouet sur l'échine de Poilu qui n'avait pas senti la mèche de toute l'année. L'animal en fut si stupéfait qu'il s'ébranla presque au trot, je vous le jure.

A la ferme du Beuzit, Fantig et Delig se lamentent sur le prix du beurre qui a encore baissé. Si elles n'avaient pas peur de se faire prendre, elles mettraient bien un gros caillou dans chaque motte. « Quand on songe, dit Delig à sa sœur, combien d'argent roule entre les mains de gens qui ne savent pas le retenir ! Pourtant, l'argent est fait pour être gardé dans une armoire. Je ne m'étonne pas de voir que le monde a tourné si mal depuis ma jeunesse. C'est que la plupart des gens ne connaissent plus le respect dû à l'argent. Il y en a même qui s'habillent de neuf tous les ans et qui mangent de la viande douce trois fois par semaine. »

Elles sont en train d'écrémer le lait pour faire du beurre. De la crème, soyez certains qu'elles ne perdront pas la valeur d'une tête d'épingle. Et quant au beurre, il y restera autant de lait qu'il se pourra. A un moment, Fantig, en essuyant la goutte qui lui pend au nez, jette un coup d'œil par la fenêtre. Et de hurler à sa sœur :

— Regardez donc ! Les fabriciens qui viennent faire la quête.

— Mon Dieu, gémit Delig. C'est Job des Ames avec Joz-Isidore. Qu'est-ce qu'ils viennent chercher par ici, ces deux-là ? Je n'ai jamais vu les fabriciens au Beuzit depuis la mort du père (Dieu lui pardonne !) qui était trop faible avec eux. N'ont-ils pas honte ! A quoi sert-il de payer sa chaise à l'église tous les dimanches s'il faut encore donner l'aumône aux fabriciens ! Fantig, allez fermer la porte ! Il n'y a personne dans la maison.

— Trop tard. Ils sont trop près. Ils ont vu qu'elle était ouverte. Et nous avons fait murer la porte de derrière à cause des voleurs.

— Cachons-nous, vite ! Vous êtes assez mince pour trouver place dans le bas de l'armoire. Moi, je me glisserai dans le banc et je rabattrai le couvercle sur moi. Hâtez-vous !

— Très bien. Mais la baratte, qu'est-ce que j'en fais ?

— Laissez-la sur l'aire. Et tant que ces deux voyous seront là, gardez-vous de faire du bruit avec votre nez, comme c'est votre habitude.

A peine les deux femmes sont-elles ensevelies dans les deux caisses, voilà Job des Ames et Joz-Isidore qui entrent dans le couloir du milieu après s'être bruyamment raclé la gorge sur le seuil comme il convient de le faire quand on va visiter les gens chez eux.

« Dieu bénisse cette maison et tous animaux qui vivent dedans », dit Job d'une voix forte et sur le grand ton. Joz-Isidore ajoute : « Et les gens de même. »

Il n'y a pas de réponse, sauf de l'horloge qui se met à débagouler dix heures juste à ce moment. Les deux hommes la laissent faire. Ils savent qu'il n'est pas bon de sortir des paroles sur une horloge qui sonne. Quand elle a fini, ils toussent encore deux ou trois fois pour s'excuser d'être entrés sans invitation. Pour s'excuser auprès de la baratte, restée toute seule sur l'aire et pleine de crème. Les deux maîtresses ne sont pas loin. Des gens polis se doivent d'attendre. De plus polis que Job et Joz, il n'y en a guère. Le fabricien des Ames conduit ses deux cents livres et plus vers le banc pour y déposer le fondement de sa personne. Et le banc craque une fois à droite, puis une autre fois à gauche. Et avant de craquer au milieu pour la troisième fois, il lâche un éternuement sourd. Job cligne de l'œil à Joz-Isidore :

— Vous avez pris froid, compère. Peut-être vaudrait-il mieux rentrer chez nous !

— Sûrement, répond l'autre. Nous n'aurons pas grand-chose de ces deux filles, même si elles revenaient avant la nuit.

— Aussi peu que rien, sans doute. Et encore, Delig est meilleure que sa sœur. En se forçant un peu, elle nous donnera bien un verre d'eau de puits si elle est dans ses bons jours. Mais Fantig est capable de nous voler notre souffle si elle ne trouve rien de mieux à prendre.

Croyez-le si vous avez le temps, voilà l'armoire qui se met à bêler comme un agneau pascal. Joz-Isidore cligne de l'œil à Job :

— Le vieux bois, dit-il, ça grince comme les

vieilles filles. C'est pour nous mettre dehors. Tirons-nous d'ici !

— Cela vaut mieux. Pourtant, il faut être bienveillant envers le prochain selon la loi chrétienne. Tenez, voici une baratte abandonnée. Quelque pourceau entrant ici la renverserait bien en s'y frottant les crins et adieu le beurre ! Cela n'arrivera pas, Joz-Isidore. Je vais la mettre, voyons... où ? Sur le banc, oui, sur le banc. Elle y sera très bien. Voilà une bonne action à valoir sur mon lot de purgatoire. Et tenez, compère, pendant que j'y suis, je vais donner un tour de clé à cette armoire qui bâille. Au cas où quelque voleur viendrait fureter par ici. C'est fait. Deux tours valent mieux qu'un seul et voilà le cher argent bien à l'abri, s'il y en a. Maintenant, il faut que je cache la clé quelque part où les filles pourront la trouver sans peine. Où donc ! Sous la baratte, mon ami. Elles ne manqueront pas de la découvrir. Delig la première et Fantig en même temps. Si j'avais la moitié de l'étoffe d'un saint, je leur battrais le beurre et je l'arrangerais sur une assiette. Elles croiraient à quelque lutin. Mais je ne suis qu'un indigne pécheur. En vérité, j'ai grand regret de laisser toute cette crème. Quelque chose me dit qu'elle va être perdue dans une maison trop pauvre pour nourrir un chat.

Et les deux bougres décampèrent sans prendre le temps de fermer la porte, tant ils avaient peur d'éclater de joie. Job des Ames était si pressé de s'éloigner pour rire à son aise qu'il faillit casser le char à bancs en y jetant sans précaution ses deux cents livres et plus. Quant au cheval Poilu, il reçut tant de coups de fouet sur son cuir qu'il détacha du sol ses quatre fers à la fois.

Mais il manquait quelque chose au bonheur de Joz-Isidore. Il aurait voulu voir la grimace que feraient les deux femmes en sortant de l'armoire et du banc. Et lorsque Job des Ames eut fini de rire, il lui vint le même regret. Alors, sans argumenter plus longtemps, ils firent demi-tour et repartirent à toutes brides vers le Beuzit. Poilu, cette fois, n'attendit pas la morsure du fouet pour apprendre à galoper : « Cet animal, hurlait Job des Ames sur le bruit du galop, je me demande si Carne-Sèche est bien son père. Après tout, il descend peut-être de Maugis, le cheval miraculeux des Quatre Fils Aymon. »

Au Beuzit, cependant, la catastrophe était arrivée. Après le départ des deux hommes, Delig voulut sortir du banc où elle étouffait à mourir. C'était un banc sans pareil, si bien fait qu'il n'y entrait pas la moindre goulée d'air. Elle dut pousser les deux bras et de la tête pour soulever le couvercle sur lequel pesait la baratte pleine. Celle-ci, à la fin, perdit l'équilibre et s'écrasa au sol en répandant une marée de crème, que c'en était une pitié. Delig échevelée, la coiffe de travers, jaillit du banc pour fondre en larmes à la vue de sa baratte en morceaux et de cette pâte qui ne cuirait jamais au feu. Puis la colère l'emporta sur la douleur et la femme se mit à traiter les deux fabriciens de noms si laids que je ne saurais vous les redire sans aller me confesser sur-le-champ à un évêque mitré pour le moins. C'est alors qu'entre deux jurons elle entendit sa sœur miauler dans l'armoire comme un chat qui s'est pris la queue dans un piège à taupes, ce qui n'arrive pas tous les jours. Et le bois résonnait si fort sous ses coups de poing qu'un maître tambour de guerre n'aurait pas mieux sonné la charge. Mais où était la clé ?

Elle était dans la crème. Delig, la tête perdue, n'y pensait pas. Elle cherchait rageusement dans tous les tiroirs. Ce fut l'autre, du fond de l'armoire, qui lui ordonna aigrement de patouiller à pleines mains dans la mare grasse pour retrouver l'objet. Fantig sortit de sa prison, plus affreuse à elle seule qu'un sabbat tout entier, juste au moment où le char à bancs des fabriciens entrait dans la cour à grand fracas. Si le mensonge qu'on m'a dit est vrai, Poilu hennissait sur un air de gavotte.

— Les voilà encore, dit Fantig. Je sais pourquoi ils reviennent. Pour se moquer. Mais ils en auront pour le prix de leur peine. Arrangeons-nous un peu et recevons-les comme s'ils venaient nous demander en mariage. Pour le reste, laissez-moi faire !

Les deux hommes sont entrés avec les civilités d'usage. Plantées derrière les débris de la baratte et la mare de crème, les deux sœurs ont tiré leur meilleur sourire on ne sait d'où. Job des Ames et Joz-Isidore sont si surpris qu'ils ne songent pas à se méfier un instant, les pauvres diables.

— Entrez donc tout à fait, dit Fantig de sa voix la plus gracieuse ? Et asseyez-vous sur le banc ! Vous devez être fatigués de courir la campagne sous cette chaleur. Vous boirez bien un verre de notre eau de puits, le meilleur puits du pays, chacun le sait.

Avec son meilleur torchon, Delig essuie le banc. Les fabriciens se trouvent assis avant d'avoir pu protester. Et Fantig n'arrête pas de les soûler de paroles en s'affairant autour d'eux avec sa cruche et ses verres. Elle les tire par la manche, elle les pousse par l'épaule pour les mettre à leur aise, au haut-bout du banc, la place d'honneur qui ne sert plus depuis la mort du père. A la fin, pourtant, Job des Ames arrive à se faire entendre.

— Qu'est-ce qui s'est passé dans votre maison, les femmes ? La baratte renversée, la crème sur l'aire... Les cochons, peut-être ?

— Des cochons oui, dit Fantig en crevant de rire, mais sur deux pattes. Les voleurs sont entrés pendant que nous étions aux champs. Ils ont fouillé l'armoire pour dénicher notre argent. Mais d'argent, nous n'en avons pas, n'est-ce pas, Delig ! Alors, furieux qu'ils étaient, ils ont cassé la baratte à coups de sabots. Notre crème est perdue et c'est tant pis pour vous deux, car nous voulions justement en faire du beurre pour vous le donner. Vous n'aurez rien, mes pauvres gens, rien du tout.

— Il n'y a pas de voleurs dans ce pays, dit Job. Nous sommes tous de bons chrétiens.

— Tous sauf deux. Ils étaient deux comme vous êtes. On voit leurs traces partout. Si j'appelais les gendarmes, ils auraient tôt fait de leur mettre la main dessus. L'un d'eux a laissé son couteau derrière lui. Tenez ! Un beau couteau comme il n'y en a pas deux dans le canton. Avec trois lames, un tire-bouchon et d'autres outils. Il vaut bien le prix de ma baratte. Je préfère le garder qu'appeler les gendarmes qui me le prendraient. Voulez-vous un autre verre d'eau ? Votre salive n'a pas l'air de descendre bien droit.

Les deux fabriciens reprirent la route avec un plein sac de honte au lieu d'estomac.

— Un si beau couteau, soupirait Job des Ames, un couteau suisse. Je venais tout juste de l'acheter à la dernière foire de mai. Elle me l'a pris avec ses doigts d'anguille pendant qu'elle tournait autour de nous en faisant ses grâces. Je n'aurais pas dû le laisser dans la poche de mon veston.

— La poche du pantalon n'aurait pas mieux valu. Moi, j'y avais ma bourse. Elle me l'a gentiment soutirée avec les trois écus qui étaient dedans. Je vous avais bien dit qu'il ne fallait pas aller là-bas.

Alors, le cheval Poilu se mit à rire. Il descendait sûrement de Maugis, celui des Quatre Fils Aymon.

CELUI QUI ALLA CHERCHER LE PRINTEMPS

Autrefois était autrefois, et aujourd'hui, c'est un autre temps.

Dans mon verger, j'ai un arbre de pommes qui nourrit des fruits plus tendres que le pain. Mais, pour goûter le pain de ces pommes, il faut dormir au pied de l'arbre avec deux sous de sagesse dans le poing fermé, un grand sac vide sous la tête pour amasser tout ce qui tombe. Moi, mes amis, ma récolte est faite et mon sac tout plein de merveilles que je partage à qui les veut. Ecoutez bien !

Le dos de l'âne est pour le bât
Qui sur le chien ne tiendrait pas.
C'est un conte extraordinaire,
Cent fois plus vieux que père et mère,
Mais il faut seller votre chien
Si vous voulez comprendre bien.

Ecoutez et vous entendrez la légende merveilleuse de CELUI QUI ALLA CHERCHER LE PRINTEMPS. Les sourds des deux tympans porteront la nouvelle aux absents et les aveugles des deux yeux feront voir aux doubles boiteux l'endroit où s'est passé le jeu.

En ce temps-là, qui a été avalé depuis presque toujours par le soleil des loups, il advint une année où la terre n'en finissait pas de dormir à l'approche du dimanche de Pâques. L'Hiver ne voulait pas s'en aller, ne voulait pas lâcher la corde avant l'arrivée du Printemps. Et le Printemps n'arrivait pas. Si bien que les braves gens étaient tout près de croire qu'il était mort, à moins qu'il ne se fût égaré quelque part dans les champs immenses du froid. Le Printemps peut-il mourir ? Passerait le temps de Pâques et les cloches ne sonneraient la joie de personne. Le glas de tous, je ne dis pas.

C'était la plus terrible merveille survenue en terre de Bretagne depuis que la boule du monde s'était mise à tourner sous l'œil du soleil béni. La neige était là depuis décembre et ne faisait pas le moindre semblant de fondre. Beau écouter, on n'entendait pas le galop du cavalier qui vient faire le ménage de la terre avant que le Printemps lui-même ne se montre. Les pauvres paysans avaient labouré, avaient semé comme tous les ans et voilà ! Rien ne gonflait sous leurs pieds, les champs ne travaillaient pas la semence. Il n'y aurait pas de moisson.

Il n'y aurait pas de mariages non plus. Beaucoup d'entre eux se faisaient alors après la moisson du seigle. Pas de bouquet pour les époux. Pas de ripailles à pleines entrailles. Pas de paille blanche pour chauffer les toits. Les aires neuves ne trembleraient pas sous les talons des danseurs bondissants. Il n'y aurait plus personne pour mener la gavotte. Seigneur Dieu ! Il aurait pourtant suffi d'une branche verte, une toute petite branche verte sur la face horrible de l'hiver et il aurait montré son dos, et la neige aurait tourné soudain en eau qui court. Quand verrait-on la branche verte ? Le Printemps peut-il mourir ?

L'Hiver avait bâti maison sur la terre de Bretagne. Il avait bâti maison pour y prendre son repos éternel. Peut-être s'était-il fatigué de passer toujours et de repasser sans demeurer jamais. Dans son clos, il avait semé sa neige. Dans sa cheminée soufflait son vent. Et les loups maigres hurlaient devant sa porte. Il s'était étendu tout du long de son corps, écrasant durement les racines des arbres, étouffant la vie des herbes. Pas de nourriture à espérer pour les bêtes, encore moins pour les hommes, hélas ! Et la terre était si dure qu'elle refuserait même de s'ouvrir pour leur donner une tombe. Si dur était le temps que la charrette de l'Ankou ne grinçait même plus par les chemins. Y avait-il encore un Ankou pour s'occuper des Trépassés ?

C'était peut-être la fin du monde.

Or, il y avait un jeune garçon qui se montrait plus impatient que les autres. On avait pris date pour le marier le mardi de Pâques, au lieu d'attendre la moisson du seigle, parce que la jeune fille qui lui était promise désirait avoir le Printemps pour garçon d'honneur. Et quand une héritière de Bretagne a quelque chose en tête, il ne reste plus qu'à dire *amen* en priant le Seigneur qu'il ne s'agisse pas de la couronne d'Angleterre. Un jour donc, le jeune homme (il avait nom Jean, mais non pas Dix-Sept) (1) s'en alla trouver son père et lui fit part de son intention de partir à la recherche du Printemps qui était resté quelque part en chemin. Il le ramènerait coûte que coûte, dit-il, même s'il devait l'empoigner par la peau du dos, ce qui n'est pas une chose à faire avec des personnages qui sont au-delà de la vie. Le père eut beau lui répondre que leur destin de laboureurs était d'attendre en supportant le temps qu'il fait, notre Yann ne voulut pas en écouter plus.

— Mon fils, dit le père, vous perdrez la vie sur les routes. Personne ne vous donnera rien au nom de Dieu parce que personne n'a rien à vous donner.

— Mais si je reste ici, je mourrai quand même avant peu et j'aurais enduré la peine de vous voir mourir sans rien faire pour vous ni pour moi. La mère vient de cuire le dernier pain. Au fond du charnier, il ne reste plus que les débris du dernier cochon. Il faut maintenant chercher une à une, au grenier, les dernières pommes de terre plus maigres que des noix. Donnez-moi un quignon de pain et une tranche de salé pour ma part et laissez-moi partir. M'est avis que je n'irai pas loin. Il y a, vers l'est, une trace de bleu dans le ciel. Le Printemps s'est arrêté par là-bas. Il ne peut plus avancer vers nous, apparemment. Peut-être ne veut-il pas.

— Allez ! Votre jeunesse est à vous. Et qu'est-ce que la jeunesse qui ne nourrit pas de songes ! Et à force de nourrir des songes, on pétrit parfois la vérité. Venez chercher le bâton et la besace.

(1) Jean Dix-Sept est un personnage de conte particulièrement dénué d'esprit.

Ensuite, Yann se présenta devant sa fiancée, l'héritière du Suldi.

— Je viens prendre congé de vous. Il faut que j'aille courir le monde pendant quelques jours.

— Avec un temps si rude, pauvre ami ! Vous voulez mourir dans la neige pour ne pas avoir à payer de linceul ? Je ne vous aurais pas cru si avare.

— Je ne mourrai pas si vite. Vous seriez trop contente de sourire à un autre amoureux. Mais la peau d'un Breton est plus dure que le gel. Je vais chercher le Printemps qui tarde et l'amener de force pour qu'il vous serve de garçon d'honneur.

— A la bonne heure. Si vous êtes décidé, je n'ai rien à dire et je ne dirai rien. Attendez que je prenne mon grand manteau de drap.

— Vous voulez me mettre dans le bon chemin ?

— Je veux vous suivre autant que je pourrai marcher. Il y a promesse de mariage entre nous. Si vous ne revenez pas, il me faudra mourir. Les mauvaises langues diront que c'est du dépit de rester fille. Autant vaut que j'aille avec vous, quand ce ne serait que pour chercher la mort. D'ailleurs, je ne suis pas trop bête et je peux rendre service à l'occasion.

— Mieux vaut rester m'attendre chez votre père, si vous me permettez ce conseil.

— Si vous me permettez ce conseil, laissez-moi vous suivre. Vous n'en aurez pas de regret. Aussi bien, je ne suis pas encore mariée avec vous. Si vous ne me trouvez pas assez bonne pour partager vos épreuves aujourd'hui, je ne me trouverai pas assez bonne pour être votre femme plus tard. Et voilà !

— Et voilà la tête des femmes ! Mais tant pis, s'il vous arrive du mal. En tout cas, je vois bien que vous serez maîtresse à la maison.

— Les sages prétendent que la femme doit être maîtresse à la maison et le mari partout ailleurs. En route ! Marchez, maître !

Et le maître se mit à marcher devant. Au fur et à mesure qu'il avançait dans la neige, l'héritière du Suldi mettait ses pieds dans ses traces. Ce n'était point par peur d'abîmer ses chaussures, mais pour signifier qu'elle était déjà sa « moitié de ménage ».

A force d'aller, d'aller, d'aller, un pied devant l'autre, un pas de plus, les voilà loin de chez eux. Un jour, deux jours, trois jours entiers, ils vont autant qu'il faut aller sans regarder leurs pas derrière, car le Printemps est loin devant. Le froid les pousse, le vent les tire, la neige leur aveugle les yeux et le dernier croûton n'est plus qu'un souvenir.

— Avez-vous faim, mon amie ?

— J'ai faim de mon mariage. Et vous ?

— La même faim, si vous permettez.

— Nous mangerons donc ensemble, quand le temps sera venu.

Le premier jour, ils ont tant marché qu'ils ont racheté leur Purgatoire et rencontré leur Paradis dans une étable. Le second jour, ils ont tant marché que l'Enfer leur faisait envie et l'Enfer fut le creux d'un arbre. Le troisième jour, ils ont tant marché que leurs pieds s'en allaient tout seuls et qu'ils cessèrent de souffrir pour de bon. Et la trace de bleu du premier jour, dans le fond de la gorge du ciel, le second jour, devint un bonnet bleu tout neuf et le troisième jour un champ de lin en fleur. Le Printemps était quelque part dedans.

La merveille de la fin du troisième jour fut qu'ils sortirent de la nuit d'un seul coup. Devant eux s'étendait un pays resplendissant, tout mangé d'un soleil plus frais que le meilleur lait baratté. Les arbres étaient chargés de bourgeons, les talus de fleurs. Les oiseaux sifflaient dans le ciel, dans les chemins sifflaient les charretiers. La première maison qu'ils virent venait d'être blanchie au lait de chaux. Elle se dressait dans un verger de pommes entouré d'une haie d'aubépines. Une jeune fille étendait du linge à sécher sur la haie. Elle chantait d'une voix si claire qu'on s'attendait à l'entendre se casser en éclats de rire. L'héritière en fut mordue de jalousie.

— Ne regardez pas cette fille, ne l'écoutez pas. Vous seriez capable de m'oublier dans les ténèbres. Je vous promets, quand nous aurons ramené le Printemps chez nous, d'apprendre à rire aussi bien qu'elle et de laver mon linge encore mieux que le sien.

— Ce n'est pas elle que je regarde, mais lui.

— Qui donc ? Où ?

— Le Printemps en personne vivante, notre futur garçon d'honneur. Là, devant vous, ce grand jeune homme assis sur le talus du pré qui descend vers la maison. Il mâche une herbe verte entre ses dents sans détacher ses yeux de la jeune fille qui chante.

— C'est sûrement lui. Les nuages, même avec le vent d'ouest, n'osent pas aller plus loin que sa tête. Le soleil s'arrête à ses pieds. Et maintenant, qu'allons-nous lui dire ?

— Restez à m'attendre ici.

— Et pourquoi n'irais-je pas avec vous ?

— Les sages prétendent que la femme doit être maîtresse à la maison et le mari partout ailleurs. Il me semble vous l'avoir entendu dire. Ou peut-être ai-je mal entendu ?

— En vérité, je l'ai dit. Je vous obéirai donc, bien que je ne sois pas encore votre femme et bien que la fiancée soit la maîtresse partout. Mais ne pourrais-je savoir ce que vous allez faire ?

— Je ne le sais pas bien moi-même. Mais je crois qu'il s'agit d'une affaire à régler entre hommes. Ecoutez-moi ! Cachez-vous derrière cette touffe de genêts pendant que je vais lui parler.

— Je me cache, mais ne m'oubliez pas.

Le jeune homme descendit lentement vers le talus, car il avait besoin de réfléchir encore un peu. Il sifflait comme quelqu'un qui n'est pas bien à son aise.

L'autre mâchait toujours son herbe verte et ne bougeait pas pour le reste. Lorsque Yann fut près de lui, il vit que le Printemps ressemblait à tous les gars de sa connaissance à la fois. Il avait quelque chose de chacun d'eux et ce quelque chose était ce qu'ils avaient de mieux. De Yann lui-même il avait pris les dents, qui étaient belles et fortes si l'héritière du Suldi ne mentait pas.

— Il fait beau par ici, dit Yann après avoir toussé trois fois.

— Il pourrait faire plus beau, répondit l'autre avec une voix de ruisseau dégoulinant sur des cailloux.

— Il fait assez beau pour moi. J'arrive de l'Ouest. Là-bas, je vous assure, nous avons notre part de vent, de grêle, de neige et de froid.

— Je ne m'intéresse pas à l'Ouest. Je suis bien où je suis.

— Bien sûr. Pourtant, je vous trouve un visage triste.

— Triste ? Qu'est-ce que c'est, triste ? Mon visage a peut-être changé, après tout. C'est un mal qui m'est tombé dessus et qui ne veut pas me lâcher.

— Cela arrive à tout le monde ou presque.

— A tout le monde peut-être, pas à moi. Je ne suis jamais dérangé dans ma vie.

— Il faut bien l'être une fois, ne serait-ce qu'avant de mourir.

— Je ne meurs pas.

— Non ? Pourtant vous avez l'apparence de quelqu'un qui est malade.

— Je suis malade, comme vous dites, je le sais trop bien. Et cela m'étonne beaucoup. Je ne devrais pas pouvoir être malade.

— Quel mal vous tient ? La fièvre ? La tête ? Le ventre ? La...

— Regardez la jeune fille, là-bas, qui étend du linge sur la haie. Vous la voyez ?

— Je la vois. Et quoi donc ?

— Je ne sais pas ce qui m'est arrivé. Jamais je n'avais porté aucune attention aux créatures qui vivent sur la terre, hommes ou femmes. Et soudain, il y a quatre semaines, je suis resté ici à regarder cette fille. Je ne peux pas aller plus loin. Pourquoi ? Comment ? Je ne sais pas. J'ai envie de l'emmener par le monde, mon bras autour de sa taille.

— C'est l'amour.

— C'est quoi ?

— Vous ressentez de l'amour pour elle.

— Qu'est-ce que c'est ?

— L'avez-vous demandée en mariage ?

— En mariage ? Je vous comprends de moins en moins.

— Vous lui avez pourtant parlé, à cette fille ?

— Non. Quand je l'ai aperçue, le mal est tombé sur moi aussitôt. Je me suis approché d'elle. Alors, la créature a appelé un vieil homme qui travaillait dans le verger. Il est venu jusqu'à la barrière : « Cette fille est à vous ? dis-je. — C'est ma propre fille sans aucun doute, répondit-il. — Je voudrais l'emmener avec moi par le monde », dis-je encore. Et le vieux : « Quel métier avez-vous donc, qui vous oblige à marcher toujours ? — Je suis le Printemps. Peut-être connaissez-vous mes trois frères, l'Eté, l'Automne et l'Hiver ? Nous sommes quatre. » A peine avais-je fini que le vieux m'a lâché son chien dessus avec de fortes injures, croyez-moi. Je ne savais pas quoi faire. Dans mon travail, je n'ai pas à parler. Ce sont les autres qui parlent pour moi. Mes frères, dit-on, sont plus hardis. Je me suis un peu éloigné et, depuis, je ne bouge plus car le mal est toujours en moi.

— Ce vieux-là ne veut pas vous donner sa fille. Mais peut-être pourriez-vous en trouver une autre qui vous guérirait de votre mal.

— Vous croyez ! Il y en a d'autres comme celle-ci ?

— Beaucoup d'autres.

— Je ne savais pas. Avant, je ne regardais jamais

autour de moi. Je suis chargé de la terre, vous savez. Ni les animaux ni les hommes ne sont à mon compte. Et, tout d'un coup, mes yeux se sont ouverts.

— Si vous voulez, je vous montrerai une autre fille aussi plaisante que celle-ci.

— Je veux bien. Où est-elle ?

— Suivez-moi jusqu'à cette touffe de genêts. La fille est derrière.

Yann s'en revint vers la touffe de genêts et dit à l'héritière de se lever. Elle n'aurait pas été une vraie femme si elle n'avait pas mis à profit le temps de son absence pour s'arranger du mieux qu'elle avait pu.

— Hé bien ! dit Yann au Printemps, comment la trouvez-vous ? Est-ce qu'elle ne vaut pas l'autre ?

— Sans doute, car j'ai la même envie de l'emmener. Voudrait-elle venir avec nous ?

— De bonne volonté. Mais elle est encore mineure.

— Ah ! Elle est... mineure ?

— Oui. Cela veut dire qu'il faut la demander à son père.

— Comme l'autre. Est-ce que son père a des chiens ?

— Non, il n'a pas le moindre chien. Mais il habite assez loin dans l'Ouest. En marchant bien, nous y serons dans trois jours.

— Alors, prenons la route.

— Allez un peu devant. Il faut que je lui dise quelques petites choses pour qu'elle vous prenne en amitié. Ces créatures-là ne sont pas tout à fait comme nous.

Le Printemps se mit en marche vers l'ouest et le soleil le suivit comme son ombre. Les arbres noirs se mirent à reverdir, la terre devint douce. Derrière, Yann expliquait à l'héritière du Suldi comment il fallait faire. Le temps de se mettre un doigt dans la bouche et elle avait compris. Peu après, la voilà posant la menotte sur le bras du Printemps. Ils allaient tous les trois comme une cousine entre deux frères. Et le premier jour passa ainsi. Mais, au milieu du second jour, la fille éleva sa voix la plus aigre :

— Je suis fatiguée. Je veux m'asseoir.

— Nous sommes arrivés à mi-chemin, dit Yann. Prenez courage.

— Non, non ! Je n'irai pas plus loin. Je me coucherai plutôt par terre. La honte sera pour vous.

— Jeune fille, dit le Printemps, il faudra apprendre à marcher mieux pour me suivre par le monde.

— Et pourquoi n'aurais-je pas une litière ? Ou un carrosse comme les fées ? Oh ! En venant, j'ai vu un marchand de mercerie dans le village, là-bas. Printemps, venez donc ! Vous m'achèterez un mouchoir rouge. Et un jaune. Et un bleu. Et une épingle de pardon avec des lunes qui pendent. Et une cocarde à m'attacher derrière l'oreille. Je promets d'être sage pendant une heure et peut-être plus.

— Voyons, dit Yann. Le Printemps ne sait pas ce que c'est que l'argent.

Alors, la fille se mit à pleurer, à trépigner, à les couvrir de malédictions en leur conseillant d'aller siffler aux merles dans l'eau courante. Si sa mère l'avait entendue ! Et le Printemps de glisser à l'oreille de Yann :

— Est-ce qu'elles font toujours ces manières ?

— Pas toujours, mais assez souvent. Une ou deux fois par semaine.

Là-dessus, l'héritière se frappa le front à cause d'une idée qui serait montée là-haut sans crier gare. Mais elle y était depuis longtemps.

— Tenez ! Je veux bien vous suivre de bonne volonté si vous me faites une chaise avec vos mains croisées tout du long de la route. Tout du long.

Il fallut obéir. Les deux autres la portèrent comme la pie au nid. Et elle n'arrêtait pas de se moquer d'eux. Ah ! Les nigauds. Mais ce jeu-là ne dura pas longtemps.

— Maintenant, c'est assez. Laissez-moi descendre. Je suis fatiguée. J'ai envie de dormir.

Et elle se coucha par terre, dans le soleil clair et timide qui est l'ombre même du Printemps, comme on sait. Celui-ci n'osait plus bouger pour ne pas la réveiller. Il dit à l'oreille de Yann :

— Est-ce qu'elles sont toutes aussi difficiles à vivre que celle que nous avons avec nous ?

— Oh ! Vous savez, celle-ci n'est pas si mauvaise. J'en connais d'autres qui sont bien pires. Celle-ci ne change pas d'avis plus de trois fois par jour. Et il lui arrive de parler pendant une minute entière sans dire de sottises. Vous n'avez pas à vous plaindre. Vous êtes bien tombé.

Le Printemps ne répondit pas. Il se mit à sourire, mais ses yeux ne regardaient plus rien, ou plutôt son regard commençait à s'étendre sur toute la terre autour de lui comme fait le soleil lui-même qui n'a plus d'yeux à force d'en avoir partout. Et il devenait de plus en plus transparent. Bientôt, il n'y en aurait plus. Le pauvre Yann ne savait quoi faire pour le convaincre de rester dans son corps.

— Je ne sens plus mon mal, dit le Printemps. Je crois qu'il a fini par s'en aller.

— Ah ! votre mal est parti ! Ma foi, c'est tant mieux pour vous.

— Et s'il est parti, je n'ai plus besoin de traîner une fille avec moi, n'est-ce pas ?

— Bien sûr. Mais c'est tant pis pour moi.

— Pourquoi tant pis pour vous ?

— Parce qu'il faudra que je la prenne pour épouse. Elle a été trop longtemps toute seule avec nous, il n'est plus possible de la laisser. Elle perdrait sa réputation et nous aussi. Enfin, moi. Si vous ne la prenez pas, c'est donc à moi de la prendre. C'est pourquoi je dis tant pis pour moi.

— Est-ce qu'il n'y a pas moyen de faire autrement ?

— Pas dans ce pays. D'ailleurs, je n'aurai pas trop de mal à me résigner. Tout compte fait, je n'ai pas beaucoup de chances de trouver mieux. Et vous savez que nous autres, hommes, nous finissons toujours par nous marier tôt ou tard. D'autre part, je suis laboureur de terre, je n'ai pas à courir comme vous, je m'arrangerai mieux d'être tenu de court. Mais prenez garde de buter encore devant une autre fille, car je ne serai plus là pour vous en débarrasser.

— N'ayez pas peur. Je ne regarderai plus personne. Je ferai ma route comme avant.

— Alors, c'est bien. Demain, nous arriverons chez moi. Vous y serez accueilli comme un hôte attendu. Mais, comme vous êtes en retard, pour me payer du service que je vous rends, je vous demande de rester jusqu'au jour de mes noces.

— Je resterai autant qu'il vous plaira.

Il avait à peine dit ces mots que l'héritière du Suldi était debout. Elle avait tout entendu car elle ne dormait que de la moitié des paupières pour rester attentive de toutes ses oreilles.

— Allons, dit la finaude avec sa voix de future maîtresse de ménage, avez-vous bientôt fini de bavarder, les hommes ? Il est grand temps de se remettre en chemin.

Le Printemps était stupéfait.

— Mais elle n'a presque pas dormi. Vous croyez qu'elle pourra marcher ?

— Si elle pourra marcher ? C'est plutôt à nous de savoir si nous aurons les jambes assez lestes pour la suivre.

La fille était déjà partie, dansant d'un pied et courant de l'autre. Et elle chantait avec le reste de son corps, comprenez bien ce que je dis, je me comprends.

— Est-ce qu'elles sont toujours aussi difficiles à comprendre ? dit le Printemps.

— Difficiles ? C'est que vous n'avez pas l'habitude. Moi, qui ne suis pas des plus futés, j'arrive à peu près à savoir ce qu'elles veulent. Celle-ci, par exemple, voudrait que vous soyez garçon d'honneur à son mariage. Et elle croit fermement que vous le serez.

— Elle a raison. Je ne sais pas ce que c'est que d'être garçon d'honneur, mais vous me direz comment faire. Et si je ne fais pas bien...

— Vous n'aurez rien d'autre à faire que d'être là.

Et le Printemps de cette année-là fut le plus beau Printemps du monde en ce pays. Il était là pour les noces de Yann avec l'héritière du Suldi et il était encore là pour la moisson du seigle. Ce fut la seule année où l'on vit ensemble le Printemps et son frère l'Eté. Mais depuis, chaque fois que le printemps se fait attendre, nous ne sommes pas tranquilles, pauvres bougres, à l'idée qu'il aurait pu s'arrêter encore devant une jeune fille en train d'étendre du linge au soleil sur une haie d'aubépine.

UN MORT QUI NE PERD PAS LA TÊTE

Petit bonhomme, petit vieux, viens-t'en vite, viens-t'en voir marron qui devient myrtille. — Je sais le breton. — Quel breton ? — Breton de pierre. — Quelle pierre ? — Pierre à tiques. — Quelles tiques ? — Tiques de pain. — Quel pain ? — Pain de fuseau. — Quel fuseau ? — Fuseau de charbon. — Quel charbon ? — Charbon d'écuelle. — Quelle écuelle ? — Ecuelle de terre. — Quelle terre ? — Terre jaune. — De quel jaune ? — Jaune d'œuf. — De quel œuf ? — Œuf de poule. — Quelle poule ? — Poulette blanche avec sa crête comme une toque sur la tête et plus brillante que l'argent, le conte part en même temps.

Si je mets dehors cette râtelée de mots, ce n'est pas pour vous apprendre des choses que vous savez depuis le matin du jour où vous avez hissé vos premières braies. C'est pour me délier la langue. Aujourd'hui, mes enfants, elle aura un diable de travail à faire. J'entreprends de vous conter une histoire sept fois plus difficile à mettre debout que si je l'avais trouvée dans un coin de ma tête. Les histoires que vous inventez, vous en êtes le seul maître tant que personne d'autre ne les connaît. Du moins si vous tenez les rênes assez courtes à vos personnages pour leur éviter de dire ou de faire n'importe quoi. Les enfants de votre tête sont encore plus indisciplinés que ceux de votre femme et vous ne pouvez même pas, à leur propos, rejeter la faute sur celle-ci.

Quel bavard je fais ! Prenez patience, je continue. L'histoire que je vais conter aujourd'hui est arrivée à des gens qui sont vivants parmi nous et bien droits sur leur avant-train. Peut-être même sont-ils quelque part à m'écouter. Comprenez donc qu'il ne m'est pas possible de les faire parler comme ils ne parlent pas ni de leur prêter des aventures qui n'ont jamais eu lieu. Eux-mêmes m'ont demandé de raconter l'affaire toute fraîche parce que c'est un peu mon métier. Je vais donc le faire de mon mieux et à moi tout seul, je n'ai pas d'apprenti ni de domestiques. Ces braves gens m'ont demandé aussi d'enlever les gros jurons qu'ils ont souvent à la bouche et qu'ils ne peuvent pas empêcher de sortir quand ils sont transportés de joie ou de colère. Je le ferai donc, avec votre permission, parce que des jurons, dans un conte même vrai, c'est comme des poussières dans les yeux. Il faut voir clair pour bien entendre.

Donc, c'est quelqu'un qui s'appelle Bastien Toullec. Il est à réparer des harnais dans sa charretterie quand il voit arriver Visant Coïc, le boucher de Lanbrug. Et Visant, aussitôt, le salue au nom du ciel et de la terre, s'enquérant de l'état où il se trouve à l'intérieur de son gilet. L'autre répond : pas mal depuis qu'il a perdu ses boutons (il s'agit du gilet) et ajoute qu'il va y avoir du sang puisque le boucher est là. Visant approuve. Il est venu chercher de la viande sur pied, de la chair de bête, bien sûr, car la chair humaine, dans ce pays, ne se mange pas encore, bien qu'il connaisse quelques gaillards, qui mériteraient d'être avalés tout crus. C'est bien vrai, dit Bastien, mais les bouchers ne sont pas dans le lot, ils sont trop durs, ils étoufferaient le chrétien. Attrapez votre paquet, mon gars !

Alors, le boucher trouve qu'il est grand temps de changer de pâture aux bêtes (1). Il fait beau aujourd'hui, fait-il. Pour Bastien, le beau temps de Visant n'est pas le sien. Il fait trop sec depuis trois semaines. Les petits pois ne donneront rien de bon. Le laboureur n'est pas payé de sa peine. Voilà, ricane l'autre, voilà les litanies du pauvre homme qui commencent. N'essayez pas de me faire pleurer sur vous, moi aussi je suis trop sec par cette chaleur. Qu'à cela ne tienne, dit Bastien, cette sécheresse-là est facile à guérir. Et il s'en va tirer un pot de cidre à la barrique. Les deux hommes trinquent à la santé des animaux et des hommes, y compris les paysans et les bouchers. Il faut bien se supporter en ce monde, n'est-ce pas !

Je vous ai dit au grand galop un petit quart de ce qui fut entendu ce jour-là. Le temps me manque de tout rapporter. J'irai encore plus vite pour la conversation autour du cidre. Le boucher fait compliment du breuvage, assurant de bon cœur qu'il contient de la pomme et pas seulement de la betterave gelée. L'autre insiste pour que le pot soit vidé parce que le cidre tiré ne tarde pas à noircir et que c'est péché de le laisser perdre, même s'il n'y a qu'un coquin de boucher pour le boire, tant pis ! Bref, à force de se

(1) Changer de sujet de conversation.

taquiner mutuellement, les deux hommes passent en paroles du cidre au lait, des pommes aux vaches, et de là aux petits veaux par des détours que je ne vous dirai point parce qu'il est temps de mettre en route. Visant Coïc veut absolument un veau, Bastien Toullec en a un. Mais, s'il faut se fier au boucher, le cours des veaux est en baisse. Quatre francs soixante-quinze la livre. Bastien s'en moque, il veut cent sous. Foi d'honnête homme, Visant ne peut faire mieux que d'ajouter un sou, et encore parce qu'il sait bien que les veaux de Bastien sont avantageux. Bastien l'envoie siffler aux merles, il veut cent sous. Vous n'avez pas plus de bon sens que mon sabot, dit l'autre. Si je vous donne cent sous par livre, je ne gagnerai pas un liard troué sur ce veau après l'avoir accommodé en détail. « Laissez-le donc sous sa mère, elle a de quoi le nourrir. — Quatre francs quatre-vingt-cinq, dit Visant, mais j'y perds, c'est mon dernier mot. — Vous auriez mieux fait de vous taire, je veux cent sous. — Mais de vieux amis comme nous deux... — Cent sous. — Faites attention, Bastien, si je m'en vais, vous ne verrez plus ma couleur par ici. — Cent sous. — Quatre francs quatre-vingt-dix, mauvaise tête, mais vous me grugez. — Cent sous. »

Et voilà Bastien qui jette ses harnais et rentre chez lui pour ne pas faiblir.

Par le diable, se dit le boucher, je ne m'en irai pas sans ce veau. Je l'ai promis ferme à l'aubergiste Pierre Nicolas qui doit nourrir demain une noce de deux cents personnes. Or, je ne connais pas d'autre veau à point dans tout le canton. D'autre part, si je commence à donner aux gens le prix qu'ils demandent sans leur faire rabattre quelque chose dessus, je ne serai plus considéré par personne. Il me faudra changer de métier. Imaginons un moyen de faire lâcher sa bête à Bastien au prix que j'ai dit et adieu les cent sous.

Le moyen fut imaginé sur le chaud. Visant Coïc entre dans la maison où Bastien attend le dernier assaut en répétant entre ses dents : cent sous, cent sous, cent sous. Il ne démordra pas.

— Eh bien, mon ami, ce n'est pas la peine de perdre davantage notre temps tous les deux. Au revoir ! Nous aurons plus de chance une autre fois.

— Bien sûr. A cent sous. Mais vous avez la tête sombre et cela ne me plaît pas. J'ai dit cent sous. Il n'y a pas de quoi nourrir de fâcherie pour si peu. Cent sous ne font que cinq francs, après tout. Mettez-vous dorc sur ce banc ! Je vais chercher un autre cidre encore meilleur que le premier.

— Ne vous dérangez pas. J'ai affaire autre part, à plus raisonnable que vous. Et cet après-midi, à trois heures, il faut que je sois à Lanbrug, sans faute, pour un enterrement.

Hopala ! Voilà le poisson ferré. Quand on parle d'enterrement, chez nous, tout le reste passe après. On peut rater un mariage à la rigueur, on aura toujours l'occasion de se rattraper par la suite auprès des vivants. On ne s'excuse pas auprès d'un mort de l'avoir laissé aller en terre sans lui tenir compagnie.

— Un enterrement à Lanbrug ? s'étonne Bastien. Et qui donc est mort ?

— Comment, vous ne savez pas ? C'est Jean Loussouarn, Dieu lui pardonne !

— Jean Loussouarn ! Mais ce n'est pas vrai, voyons ! Nous avons encore parlé ensemble pas plus tard que dimanche dernier.

— Et après ! Il a eu cent fois le temps de mourir depuis dimanche.

— C'est vrai, mais tout de même ! Mourir sans rester quelque temps sur son lit ! Il était en bon état d'un bout à l'autre, sauf quelques dents qui lui manquaient.

— Il est parti d'un seul coup, le pauvre diable.

— Et sa femme est demeurée sans nous prévenir.

Celle-là et nous autres, nous n'avons jamais été en amitié, elle aime trop les manières et le grand ton, mais ce n'est pas bien de sa part. Toute la famille de Jean se trouve dans notre hameau. Lui et moi, nous sommes cousins très proches, cousins germains ou presque. C'est un crève-cœur. Tenez ! Je sens déjà le cidre qui s'aigrit dans mon estomac, si dur est mon déplaisir. Il est mort, le pauvre Jean. Ce qui me console un peu, c'est qu'il n'y a jamais eu un mot de travers entre nous. Hélas ! Qu'un homme est peu de chose sur cette terre à patates ! Vous me voyez tout paralysé de peine sur mon banc. Et il faudrait pourtant que je me lève, que je porte la nouvelle aux autres, que je trouve un autocar pour nous amener à Lanbrug tous ensemble. Quoi encore ! Que je sorte mon gilet de velours et mes souliers de cuir pour faire honneur à Jean Loussouarn, Dieu le reçoive en son Paradis !

— Eh bien ! je vous laisse à vos affaires, puisque nous ne pouvons pas nous arranger.

— Nous arranger ? dit l'autre. A propos de quoi ? Ah oui ! Le petit veau. Je me moque bien des petits veaux et des vieilles vaches et des cochons gras et de toute la boutique de crèche et d'écurie ! Mon camarade et cousin Jean Loussouarn est mort, mon frère autant dire. Emportez-moi ce veau si vous tenez à l'avoir et videz la place ! Ce ne sont pas les veaux qui manquent ni les bouchers, mais il n'y avait qu'un Jean Loussouarn, si bon, si plaisant, si porté par sa nature à contenter tout le monde autour de lui. Dieu lui pardonne, au cher Petit-Jean, le pauvre bougre.

— Nous avons dit quatre francs quatre-vingt-dix, fait le boucher avec précaution. Mettez votre main dans la mienne et voilà le marché conclu. Juste et honnête.

L'autre s'arrête un moment de s'éponger l'humidité des yeux avec le dos de la main pour taper dans celle du boucher. Celui-ci s'inquiète un peu de le voir si transporté de douleur. Il pense un instant qu'il est allé trop fort et que l'histoire ne s'arrêtera pas là. Mais bah ! Il a son veau. On verra plus tard. Bref, l'animal (je parle du veau) est pris, pesé, payé, poussé dans la remorque et Visant Coïc s'empresse de disparaître par le plus court pendant que Bastien Toullec le poursuit des malédictions les plus inattendues.

— Que le diable cornu vous emporte, boucher pourri ! Si vous n'étiez pas passé par ici aujourd'hui, Jean Loussouarn ne serait peut-être pas mort.

Et le plus étonnant de l'affaire, c'est qu'il dit vrai.

Deux heures viennent de sonner aux pendules de Lanbrug, les plus en avance du canton, quand Bastien Toullec, en grand deuil de la tête aux pieds, y compris la figure et les mains, ouvre délicatement la porte du défunt Jean Loussouarn en prenant bien garde de ne pas faire grincer le cliquet. C'est un homme qui sait vivre avec les morts. La porte entrebâillée, il y passe la tête après avoir ôté son chapeau. La maison est vide, sauf les mouches.

— Ho ho ! Quel drôle d'enterrement que celui-ci ! Personne devant la maison et personne dedans ! Pas de drap blanc avec la croix noire au-dessus de la porte ! J'ai bien fait de venir avant les autres pour savoir ce qui est arrivé au juste. Est-ce que le gars Jean se serait détruit lui-même, pendu à quelque clou qu'il aurait rencontré dans un moment où il avait le cœur faible ? Et voilà pourquoi il ne peut pas entrer à l'église. Un enterrement civil, quelle humiliation pour la famille ! Il aurait dû y penser, lui qui a toujours été un homme de bonne compagnie. Maintenant, je comprends pourquoi je n'ai pas été prévenu et pourquoi le boucher, ce matin, n'avait pas l'air à l'aise dans sa peau. Et personne dans la maison. On a monté le corps dans la chambre du haut, sans doute. Je vais aller jusqu'à la cuisine pour voir si...

Il n'a pas fait deux pas dans la salle que la porte de la cuisine s'ouvre. Paraît Jean Loussouarn dans toute la gloire de ses cent kilos, le gilet tendu à craquer sur la poitrine comme le pantalon sur les fesses, prêt à vendre de la santé à trois douzaines d'impotents. Il rit de toutes ses dents et par les trous de celles qui manquent.

— Voyez donc ! Mon ami Bastien Toullec. Quelle aubaine, cousin ?...

Mais le cousin perd sa couleur, le cousin s'épouvante à mort, le cousin se signe trois fois de la mauvaise main tant il est égaré par ce qu'il voit.

— Sainte Marie, Mère de Dieu, secourez-moi ! Voilà le mort qui s'est mis debout. N'approchez pas, semblance de Jean Loussouarn ! Aïe ! Aïe ! mon pauvre corps béni, *pater noster !* Mon cher Petit-Jean, restez sur votre lit ! Je vous ferai dire trois messes et autant de services pour que vous alliez au Paradis aussi droit qu'un manche de fouet. Oh, mon Dieu !

Jean Loussouarn est stupéfait. On le serait à moins. Il s'avance vers son cousin, les bras ouverts comme pour attaquer le *dominus vobiscum.*

— Qu'est-ce qui vous prend, Bastien ? C'est peut-être la chaleur qui vous a tourné la tête ? C'est vrai, on doit cuire dehors aujourd'hui. Asseyez-vous joliment contre la table, nous allons trinquer un petit coup. Cela vous fera du bien.

— Non, non ! N'approchez pas ! Allez vous étendre sur votre lit, mon cher Petit-Jean ! Ce n'est pas bien de me faire peur ainsi. Nous avons été des amis de toujours, hein ! Mais les... morts doivent rester dans... le royaume des morts.

— De quels morts parlez-vous ? Ce n'est pas encore le temps de Toussaint.

— N'avez-vous pas honte, Petit-Jean ? Mais c'est vous qui êtes mort et que l'on doit porter en terre dans une heure à peine.

— Moi, je suis mort ? Première nouvelle. Alors,

c'est que je suis décédé sans le savoir. Mais pourtant, tonnerre, je crois que je suis encore assez vivant.

— Non, non, vous êtes mort puisque je suis venu à votre enterrement avec mon gilet de deuil et mes chaussures de cuir. Vous voyez bien.

— Allons, Bastien, vous n'êtes pourtant pas un homme à forcer sur la boisson. Mais aujourd'hui, j'en ai peur, vous en avez plein le jupon puisque vous voyez des morts autour de vous.

Bastien commence à digérer sa peur. La tête cesse de lui tourner. Il remet son chapeau. La salive lui revient dans la bouche. Il sent de nouveau ses pieds sous lui.

— Attendez que je vous tâte, Petit-Jean ! Soyez sage, hein ! Là, là ! Laissez-moi passer la main sur votre joue et savoir si vous avez encore de la chaleur. Là, là ! Hé oui, vous n'êtes pas froid du tout. Vos yeux sont vifs et le sang coule sous votre peau. Alors, c'est que vous êtes revenu à la vie. Cela n'a été qu'une petite mort. Tant mieux ! Aïe ! Aïe ! Quelle affaire ! quand les autres le sauront...

— Les autres ? Quels autres ?

— Quels autres ? La famille tout entière est venue avec moi à Lanbrug pour vous enterrer avec honneur. Ils sont là dehors. Il y a l'oncle Joseph, la tante Corentine, les neveux et nièces, le grand-père Yves Le Roux et les cousins. Ils sont tous venus jusqu'au dernier, ayant laissé leurs travaux pour vous conduire au champ des morts, pauvre Petit-Jean. Car vous avez toujours été un homme de bien, plein d'affection pour votre famille. Alors, personne ne vous aurait fait l'affront de rester chez lui quand on a su que vous étiez mort.

— Mille mercis à vous, Bastien, petit frère. Pour moi, c'est un plaisir énorme d'entendre dire combien je suis estimé de ma famille, un plaisir sans égal. Mais vous vous être dérangés pour rien, car je ne suis pas encore en état d'être mis en terre.

— Petit-Jean, vous êtes sûr que vous êtes vivant ?

— Vivant, je ne sais pas trop. Mais ce que je sais bien, c'est que je ne suis pas mort.

— Bon. Alors, ce boucher pourri s'est moqué de moi.

— Visant Coïc ?

— Lui-même. Il est venu chez nous de bon matin pour acheter un veau et il m'a dit que vous étiez mort.

— Vous savez pourtant que c'est un maître en tromperies. Il trouve son plaisir à jouer des tours. Regardez-le bien et vous verrez ce qu'il est. Il a toujours un œil mi-ouvert et l'autre mi-fermé.

— Et ce farceur a emporté mon veau pour quatre francs quatre-vingt-dix la livre.

— Quatre francs quatre-vingt-dix ? Mais le cours est à cent sous.

— Je le savais bien. J'avais refusé le veau. C'est alors qu'il m'a dit que vous étiez mort. La douleur m'a saisi tellement dur que je ne savais plus où j'étais. S'il m'avait proposé deux sous de la livre, il emportait l'animal aussi bien. Une pareille nouvelle, pensez donc !

— Il vous a bien attrapé. Cet homme a plus de tours dans le corps qu'une vieille souche de talus. Mais il en aura pour son compte avant longtemps, parole ! Me faire mourir en pleine force !

— Il ne passera plus mon seuil ni ma barrière, ce boucher. Je lui détacherai mes chiens dessus. Je veux qu'il ne lui reste pas une poignée de peau sur les fesses. Au revoir, Petit-Jean ! Puisque vous êtes vivant grâce à Dieu, je vais porter la nouvelle aux autres et retourner au travail qui presse.

— Hé là, cousin ! On ne retourne pas chez soi, après un enterrement, sans manger un morceau chez le mort selon la coutume des vieux. Ce serait une honte pour moi si je vous laissais partir sans vous remplir l'estomac de mon mieux.

— Bien sûr, si vous étiez mort...

— Ta ta ta ! Je vous ai dérangés dans vos travaux en pleine moisson pour venir me porter en terre. Cela vaut bien un dîner de première classe. D'ailleurs songez au plaisir que j'aurai à me trouver parmi vous pour mon repas d'enterrement. Ce n'est pas souvent que l'on peut voir le mort en train de manger avec ceux qui ont porté son corps au champ.

— C'est vrai. Ce n'est pas une chose ordinaire.

— Allez vite chercher les autres. Dites-leur de venir tous. Et hardi !

Bastien est déjà dehors. Jean Loussouarn appelle sa servante à grands cris. Fine ! Holà, Fine ! Joséphine ! Où diable est-elle ? Joséphine dévale l'escalier, les yeux à demi fondus d'émotion, croyant courir au feu.

— Ah ! vous voilà, fillette ! Il était temps. Vous n'avez pas honte d'abandonner ainsi les morts ! C'est une pitié. Ecoutez-moi ! Allez au galop chez Visant Coïc, le boucher, et demandez-lui une pièce de veau pour... quinze personnes au moins. Mettons plutôt vingt. Prenez aussi du pâté de cochon, du pâté roux bien épais, de quoi étouffer un régiment. Vite ! Je sais qu'il a de la viande fraîche. Et dites-lui que je m'arrangerai avec lui plus tard pour le paiement. Ah ! vieux renard, nous allons voir combien il en coûte de faire mourir un homme avant l'heure.

Fine enlève son tablier, attrape deux sacoches. La voilà prête.

— Joséphine, attendez encore ! Après la boucherie, vous ferez un saut chez Yann Dall, le joueur de biniou, et vous lui direz de venir chez moi avec son sac à vent. Ce n'est pas pour une noce, non, mais pour un enterrement. L'enterrement de quelqu'un qui est encore debout, ferme sur ses jambes et de taille à danser le jabadao.

Du coup, la Joséphine ouvre la bouche sur neuf heures. Elle n'y comprend rien, mais elle se dépêche de filer vers la porte en espérant qu'elle trouvera deux ou trois commères disponibles pour s'ébahir avec elle.

— Hé là, Joséphine, ma fille ! Vous demanderez tout de même à Yann Dall de mettre une housse noire sur son biniou. Il faut porter un peu le deuil du mort.

Et Joséphine finit par sortir, mais si déconcertée par ce qu'elle vient d'entendre que sa coiffe se met de travers et que sa jupe tourne autour de sa taille malgré le bourrelet qu'elle a dans le dos.

Le lendemain, pas plus tard, le boucher Visant Coïc est à compter ses sous dans son arrière-boutique. Le veau de Bastien Toullec lui a bien fait gagner sa vie. Bien sûr, il a fallu qu'il invente un conte borgne pour l'avoir, ce veau. La prochaine fois qu'il rencontrera Bastien, il doit s'attendre à se faire traiter de tas de noms déplaisants. Mais il sait que les rieurs seront pour lui. Il connaît bien les gens. Là-dessus, il voit entrer Jean Loussouarn, la crête plus rouge que jamais, les deux yeux riant comme quatre.

— Alors boucher, vous comptez le butin ?

— Le butin ? Vous avez des mots à la bouche qui ne font pas plaisir, Jean Loussouarn. C'est le juste bénéfice que je tire de mon métier et de ma peine.

— Arrêtez, Visant. Vous savez que j'ai le cœur faible. Je serais capable de vous donner ma dernière pièce de cent sous à mettre sur le tas.

— Ce serait au moins un acompte sur l'argent que vous me devez.

— Comment ? Moi ? Je vous dois quelque chose ? Première nouvelle.

— Rentrez chez vous, mon ami, et faites une bonne sieste. Vous avez encore l'estomac lourd, la cervelle engourdie à force de mangeaille et de boisson. La mémoire vous reviendra en même temps que l'appétit.

— Du diable si je comprends quelque chose à

votre jargon. Décidément, depuis deux jours, tout va de travers dans le monde. Ainsi, vous avez le toupet de prétendre que je me suis bourré la panse hier et saoulé de la tête aux pieds ?

— Vous avez fait la fête avec vos parents et vos amis. Et au son du biniou encore. Vous avez dévoré une cuisse de veau et dix-sept livres de pâté roux. Pour la boisson, je ne sais pas, mais il en a fallu pour faire descendre tant de solide. Et le solide, c'est moi qui l'ai fourni, vous le savez trop bien. Votre servante est venue en courant. Le maître vous paiera plus tard, a-t-elle dit à ma femme. Vous me devez cent cinquante francs.

— Et cela se serait passé hier ! Vous êtes tombé sur la tête, mon ami. Ce n'est pas possible et vous savez trop bien pourquoi. Hier, j'étais mort, si complètement mort que vous avez porté la nouvelle vous-même à mon cousin Bastien Toullec. Il va vous le rappeler tout de suite. Bastien ! Arrivez donc !

Bastien était derrière la porte. Il entre. Le pauvre boucher avale sa langue et ne peut plus la faire remonter. Les deux cousins se mettent à rire doucement, du fond des entrailles. Ils attendent. Visant les regarde à tour de rôle. Il soupire.

— C'est bien, dit-il. Il faudra donc que le renard dévore sa propre queue. Je vous ai joué un tour tordu, mais c'était seulement pour rire un peu.

Les deux autres affirment qu'ils ont ri beaucoup. Trop peut-être au goût du boucher. Mais voilà ! Toute la famille est venue à l'enterrement, un enterrement de première classe, dans un autocar qui marche à l'essence et l'essence coûte plus cher que l'eau de pluie. Il a fallu donner à ces gens un grand repas comme c'est l'usage pour les gens civilisés. Avec de la viande de veau, à quatre francs quatre-vingt-dix la livre sur pied, mais beaucoup plus chère sur l'assiette. Il y a eu de grosses dépenses quand on compte le pain, le vin, le beurre, le bois à feu et le reste. Et le couvert, comme on dit dans les hôtels. Et le biniou pour chanter l'enterrement ! Une grande messe avec harmonium aurait coûté encore plus cher.

— Je veux bien mourir de temps en temps si cela vous fait rire, dit Jean Loussouarn. Mais ce n'est pas dans mes moyens. Un repas d'enterrement, c'est trop de frais par le temps qui court. Une pièce de viande et dix-sept livres de pâté ne suffisent pas à la dépense.

Le boucher a compris. C'est à son tour de payer la farce. Il a de la peine à sourire, mais il y arrive courageusement. Le voilà même qui se prend à rire du fond des entrailles commes les deux autres tout à l'heure. Il lui est poussé dans la tête une de ces idées plaisantes à laquelle un Cornouaillais ne résiste jamais quoi qu'il puisse lui en coûter.

— Puisque Jean Loussouarn est revenu à la vie, dit-il, nous devons le rebaptiser comme un bon chrétien. Que diriez-vous d'un fameux repas de baptême pour le nouveau-né, dimanche prochain par exemple ? Sans prêtre ni marraine, bien entendu. Tous les frais seront pour moi si vous voulez bien que je sois le parrain.

— J'ai un autre veau, dit Bastien Toullec. A cent sous la livre.

On entendit les trois hommes rire et se donner des claques sur les épaules jusqu'à l'angélus du soir. Et tout le canton se réjouit de l'aventure pendant un mois et plus parce que le repas de baptême en question manqua de peu d'amener la Révolution dans la commune de Lanbrug où toutes les horloges s'arrêtèrent d'un seul coup. Mais j'attendrai une autre fois pour vous dire par le menu ce qu'il advint. J'ai eu assez de peine, aujourd'hui, à venir à bout de ce conte plus vrai que la vérité. Laissez-moi reprendre mon souffle tout doucement avec le fatras du petit bonhomme, petit vieux, viens-t'en vite, viens-t'en voir marron qui devient myrtille. Aidez-moi donc un peu, paresseux que vous êtes !

— Je sais le breton	— Quel breton ?
— Breton de pierre	— Quelle pierre ?
— Pierre à tiques	— Quelles tiques ?
— Tiques de pain	— Quel pain ?
— Pain de fuseau	— Quel fuseau ?
— Fuseau de charbon	— Quel charbon ?
— Charbon d'écuelle	— Quelle écuelle ?
— Ecuelle de terre	— Quelle terre ?
— Terre jaune	— De quel jaune ?
— Jaune d'œuf	— De quel œuf ?
— Œuf de poule	— Quelle poule ?

Poulette blanche avec sa crête
Comme une toque sur la tête
Et plus brillante que l'argent.
Le conte est fini maintenant.

IL Y AVAIT DEUX SONNEURS

Il y avait une fois, et une fois il n'y avait pas et il y avait tout de même une fois deux sonneurs qui ne trouvaient pas leurs pareils au pays de Cornouaille. Le premier sonnait de la bombarde et s'appelait Yann ar Vilhwid pour les gens qui savaient siffler. Pour les autres, c'est-à-dire la moitié des femmes ou presque, il était simplement *ar Gurun Ruz*, le Tonnerre Rouge, à cause de sa voix et de ses cheveux sans que l'on sût très bien si c'était la voix qui était rouge et les cheveux tonitruants ou le contraire. Il est trop tard maintenant pour distinguer l'envers de l'endroit dans son nom. D'ailleurs, ne dit-on pas que les cheveux ont la couleur de la voix !

Son compère soufflait dans le biniou et c'était merveille de l'entendre, faisant dégouliner ses notes par terre pendant que l'anche du rouquin crevait le ciel pavillon haut. L'homme à l'outre ne quittait guère l'embout de son instrument quand il n'avait pas autre chose à faire avec sa bouche dont il était avare pour parler. Il était donc Suceur de Buis pour tout le monde sauf pour le Tonnerre Rouge, Yann ar Vilhwid qui l'appelait Monsieur, en français s'il vous plaît, ni l'un ni l'autre n'ont jamais dit pourquoi. Ni l'un ni l'autre non plus ne recherchaient la couronne du martyre et pourtant ils furent martyrisés tous les deux au pays de Pont-l'Abbé, en un temps où il y avait encore sur le trône un roi dont ils ignoraient le nom et le numéro, qu'importe ! Ce fut par sa corde qu'ils en firent la connaissance, les pauvres diables. On aura beau dire que ce fut une belle mort, pour des sonneurs, de se faire couper le souffle qui leur servait à chanter le rire et les larmes, gageons que les deux compères eussent préféré mourir beaucoup plus tard dans un lit-clos, la gorge libre pour dicter leurs dernières recommandations comme il se devait en ce temps-là. Les maudits archers ne l'entendirent pas de la bonne oreille.

Mais peut-être vaut-il mieux que je me dépêche de vous conter l'affaire pendant que je la tiens en mémoire tout du long. Des histoires de sonneurs, j'en connais tant qu'elles ont toujours envie d'aller jouer à colin-maillard les unes avec les autres. Et voilà comment on arrive à en faire une seule avec deux ou trois quand la quatrième veut bien se tenir tranquille. Ecoutez donc et vous m'entendrez célébrer la gloire en même temps que le martyre de Yann ar Vilhwid, dit Tonnerre Rouge, et de son second, Monsieur, le Suceur de Buis, si ces quatre noms-là ont été portés un jour par deux bons bougres de sonneurs qui s'arrangeaient entre eux comme un seul avec lui-même. Allons plus loin, bonnes gens, si vos oreilles sont à l'écoute. Laissez-moi dire et je dirai.

Une fois donc, les deux compères avaient sonné pendant trois jours à Plogonnec, un pays riche où les héritières s'habillaient de rouge et d'or pour se marier. Pendant trois jours, ils avaient si vaillamment mené la danse qu'ils n'arrivaient plus à cracher jusqu'à terre, et pourtant le cidre ne leur avait jamais manqué un seul instant. Mais, le soir du troisième jour, quand le soleil descendit dans la baie de Douarnenez, ils laissaient derrière eux une demi-paroissée de gens gorgés de plaisir et recrus de fatigue au point qu'il leur faudrait trois nuits entières de sommeil avant de reconnaître seulement la droite de la gauche. Les cuisinières avaient eu beau s'employer à fond, la bombarde et le biniou faisaient digérer les gens en moins de temps qu'il n'en fallait pour mettre la pâte au four ou la viande au feu. C'est assez vous dire que les deux sonneurs avaient bien gagné leur argent. Ils mirent leurs écus dans leur blague à tabac, ils plantèrent une plume de paon toute fraîche à leur chapeau et ils prirent incontinent la route du retour. C'est qu'ils devaient, le lendemain même, sonner pour une aire neuve du côté de Plomeur.

Les voilà en marche à travers la nuit. Mais la route est longue et les sabots de plus en plus courts. Ils ont avancé trois heures sans sonner mot quand le Tonnerre se fait entendre.

— Je ne vois plus clair, Monsieur, je dors debout comme un vieux cheval.

— Et moi, mes jambes sont deux sacs de chiffons quelque part sous moi, mais où ?

— Compère, nous sommes allés un peu fort sur le cidre, c'est la vérité nue.

— La vérité est qu'un sonneur ne peut pas boire de l'eau sans faire injure à son corps.

— C'est la vérité en robe. Te souviens-tu de

Laouig Fleur, le seul biniou qui se soit jamais mis à boire de l'eau sous prétexte de racheter son purgatoire ?

— Pauvre diable ! Il en a perdu le souffle. Le voilà rendu au rang de sonneur de cloches, misère de lui. Et son biniou est maintenant le mien. *Requiescat in pace !*

— *Amen !* Une autre vérité, c'est que le cidre est léger quand il ne fait que tuer la soif avant de partir en sueur, de gavotte en jabadao. Mais, s'il faut le porter sur la route, qu'il est lourd, Monsieur, qu'il est lourd !

— Et si on lui mettait un peu de sommeil dessus, Tonnerre ? Cela le ferait tenir tranquille. Ensuite, on pisserait un bon coup avant de repartir d'attaque.

— Une heure ou deux dans ce fossé peut-être. La nuit est bien tiède.

— Je me mets le biniou sous la tête et je vais dormir comme un ange du Paradis. Prends garde à tes anches, bombardier.

— Elles sont dans le ruban de mon chapeau, fils de l'outre, et je ne dors jamais dehors sans mon chapeau. Bonne nuit et gloire au Seigneur !

Et nos deux compères s'étendent bellement dans le fossé, cette providence des buveurs de cidre sur les chemins de lune. Ils sont à peine étendus qu'ils sonnent déjà du nez et de la bouche, sans autre instrument qu'eux-mêmes. Et ce ronflement, avant de causer leur perte, fait se taire autour d'eux tous les crapauds en expédition de nuit.

Or, cette même nuit, deux archers menaient charrette sur la route de Pont-l'Abbé. Ou plutôt la charrette les menait, car ils dormaient en tas sans même se fatiguer à ronfler. Dans la charrette, enchaînés des pieds et des mains, il y avait deux jurés bandits que l'on menait pendre. Trop longtemps, ils avaient joué du couteau dans les carrefours déserts et les auberges mal famées, au détriment des marchands de bestiaux qui revenaient des foires avec la bourse pleine. Mais le dernier marchand était un homme du roi suivi de beaucoup d'autres, beaucoup trop. Et de cachot en tribunal, de chat-fourré en argousin, voilà nos truands promis à la corde et cherchant, dans leur dernière charrette, un moyen d'y échapper. Car de dormir il n'était pas question, quelques heures avant de jouer la cloche muette pour la potence.

— La corde n'est rien, dit Lom le Rouge (c'était le chef de la troupe). Mais après, il y a les corbeaux noirs. Je n'ai jamais pu les souffrir, ces bêtes. La colère me crève quand je pense qu'ils se percheront sur ma tête comme sur un tas de crottin.

— Trouve un moyen de garder la tête fraîche et la mienne aussi, dit Brèchedents (c'était la troupe de l'autre à lui tout seul). Tu m'as dit et répété qu'un voleur est plus fin que dix-sept archers, même quand ils seraient dix-neuf.

— Nous allons donc jouer un tour à dix-sept et à dix-neuf. Mets-toi sur le dos, compère !

— C'est difficile quand on a les mains attachées derrière. Je suis mieux sur le côté. Je tiens à me présenter dispos devant la potence. Comme disait ma mère, mourir n'est rien si l'on y va en bonne santé.

— Vas-tu cesser de conter tes bourdes ! Mets-toi sur le dos ! Ce carrosse a dû servir à charrier du fumier depuis Mathusalem. Les planches du fond sont pourries. Je les sens plus molles sous moi que la moelle de sureau. Lève les genoux et attaque-les avec les talons. Les gars de Marie-Robin écoutent le concert des anges. Et puis, il y a le bruit de la charrette et le choc des ridelles branlantes. Une fois le trou fait, on se laisse tomber entre les roues et adieu ! Pour les chaînes, je connais, pas loin d'ici, un forgeron qui n'est pas curieux. Es-tu prêt, compère ?

Le compère était prêt. Les deux malandrins se mettent à ruer sous eux. Il ne leur faut pas lurette pour défoncer le char pourri. Ils tombent sur le grand chemin et vite au fossé. On n'a plus revu leur couleur en Cornouaille. Le forgeron avait de bons outils et savait avaler sa langue de gré avant qu'on ne la lui fît avaler de force. Dieu lui pardonne !

L'horizon blanchit déjà quand les deux archers ouvrent un œil. Excusez-moi si je ne vous dis pas leurs noms. Ce sont des archers, rien de plus, des chapeaux à cornes, rien de moins, des brandebourgs blancs, vas-y-voir, des grippe-judas, as-tu vu ? des enfants de la Robin qui ont perdu leur baptême à force d'aller deux par deux sans être jumeaux, tiens ta langue, et paix à la portion de ma personne où le dos change de nom, les archers n'en ont pas.

— Voilà le jour qui se lève, dit l'un. J'avalerais bien un dé de goutte pour tuer le ver. Au petit matin comme ça, je suis un peu bletti tant que je n'ai pas mouillé l'intérieur de ma peau.

— Réveille plutôt les deux chenapans, là derrière, dit l'autre. Nous avons ordre de les mettre debout dans la charrette pour que chacun les voit et sache comment on punit les voleurs dans ce pays.

Et l'autre fit arrêter le cheval. L'un descendit de mauvaise humeur, le sabre à la main pour en caresser les côtes des forbans. Mais il eut beau écarquiller les yeux, se les frotter avec les deux manches, il ne vit rien dans la charrette sauf un trou qu'il crut y voir.

— Viens donc regarder ce que je ne vois pas, dit-il à l'autre. Ou j'ai la berlue ou il n'y a plus personne. Il me faudrait un dé de goutte, je l'ai dit, et peut-être verrais-je quelqu'un.

L'autre n'était pas plus malin que l'un, mais il lui arrivait quelquefois d'être moins bête à cause de ses galons. Et ce fut cette fois-là.

— Cornes du diable ! Ils ont défoncé le char. Nous n'aurions jamais dû fermer plus d'un œil chacun. Sept cents barriques de foudre ! Remettons vite la main sur ces deux-là, sinon la corde sera pour nous.

— Si seulement j'avais un dé de goutte pour avaler ma pomme, dit l'un. Elle m'étrangle déjà.

— Assez ! Ils n'ont pas pu aller bien loin, enchaînés l'un à l'autre par douze livres de ferraille aux mains et aux pieds. Peut-être se sont-ils cachés dans un fossé en attendant mieux. Remontons la route chacun de son côté. Et en silence tout à fait, au cas où leurs chaînes viendraient à les trahir.

Voilà nos deux archers furetant le long du grand chemin. Ils n'ont pas fait cent pas muets qu'ils entendent la musique de nuit des deux sonneurs. Vingt pas de plus et ils tombent sur l'orchestre en chair et en os. Tout le fossé en tremble.

— Les voilà ! Et ils ronflent comme des porcs de moulin. Ah ! mes beaux gaillards, je vous apprendrai à mettre en pièces les chars de la Justice, dit l'autre en débouclant son ceinturon.

— Arrête un moment, dit l'un. Si j'avais avalé un dé de goutte, je serais prêt à jurer que ces deux hommes-là ne sont pas les nôtres. Mais je suis trop à jeun pour bien voir et je n'ai pas le moindre galon pour m'aider.

Quand l'autre eut regardé d'un peu plus près, il fut bien obligé d'avouer qu'il avait devant ses pieds deux sonneurs au retour d'une noce où le cidre n'avait pas manqué. Alors, il se gratta la tête un bon moment avant de prendre sa décision. Il tenait à son cou, cet homme, et encore plus aux galons de ses manches.

— Nos deux voleurs sont loin, maintenant. Prenons ces deux-ci à la place. Il y a justement un rouquin parmi eux. Il passera très bien pour le chef.

— Non, non ! Ce serait un trop grand forfait. Pendre deux hommes de bien pour une ventrée de cidre, c'est faire payer diablement cher le pichet. Et des sonneurs encore ! Et s'ils sont en état de péché mortel ?

— Il y a toujours un prêtre sous la potence pour confesser le gibier. Ils iront droit au Paradis, ce qui ne manquera pas de les étonner. Allons ! Charge le petit gros. Moi, je prends l'autre. On mettra une ridelle au fond du char et fouette cocher ! Tant pis pour les malchanceux.

— Jamais plus je ne trouverai assez de cœur pour danser la gavotte, gémit l'un. Même avec une écuellée entière de goutte pour m'abasourdir avant.

Et de se frapper trois fois la poitrine en guise de remords. Après quoi il se donna l'absolution.

En un tournemain, nos deux sonneurs sont étendus comme crapauds gris dans le char de justice qui s'ébranle aussitôt en criant de l'essieu tant qu'il sait. Les deux compères se réveillent un tantinet, assez pour s'apercevoir que le fossé est devenu carrosse.

— Si nous sommes dans le char de l'Ankou, dit le Suceur de Buis entre ses dents, rien ne sert de chercher quoi ni comment, notre compte est bon. Mais je croirais plutôt être dans la carriole de Philibert Le Moigne car je sens comme un grand trou sous mes fesses et je sais que Philibert, ce fainéant, parle toujours de ce trou sans jamais se décider à le boucher.

— Il n'est pas si fainéant que tu dis puisqu'il nous a chargés dans sa carriole pour boucher le trou en question. C'est un homme avisé, ce Philibert. Dormons. Tout est bien.

Et ils recommencent à sonner du nez et de la gorge, mais moins juste que dans leur fossé à cause du maudit essieu qui ne veut pas jouer le même air.

Tout à coup, une immense clameur les réveille pour de bon. Le char s'est arrêté sur le Champ-de-Justice, près de la ville de Pont-l'Abbé. Yann ar Vilhwid se met debout le premier, si déconcerté qu'il en fait tomber son chapeau. La clameur redouble quand apparaît sa tête aux cheveux rouges. A mort, les voleurs !

— Nous ne sommes pas les bienvenus dans ce pays, Monsieur. Mais j'aimerais bien savoir ce que nous avons volé. Des pommes, autrefois. Et rien depuis.

— La carriole de Philibert nous a menés chez les sauvages d'une seule tirée. Je n'ai jamais vu autant de gens à une aire neuve. Je n'ai jamais vu faire une aire neuve en pleins champs. Mais c'est peut-être une noce, après tout.

— Alors, le nouveau marié serait l'autre là-bas, en robe rouge ? Il m'a pourtant l'air bien vieux, mais on fait des bêtises à tout âge. C'est sûrement un mariage de gentilshommes. On a mis des dames en montre dans une tribune et les archers sont là par douzaines. Enfle ton sac, compère, nous allons leur faire entendre qui nous sommes.

— Voilà le prêtre qui s'approche avec la grande croix. Ils ont de drôles de façons, par ici. Chez nous, le prêtre attend à l'église.

— Chaque pays a ses habitudes, Monsieur. C'est comme ces deux cordes qui pendent au-dessus de nos têtes. Je n'ai jamais vu ça.

— Moi non plus. Mais nous sommes là pour faire trépigner tous ces gens. Et ils sont au moins un millier. Mets l'anche de corne à ta bombarde, Tonnerre Rouge. La journée sera dure.

Là-dessus, les deux compères, du haut de leur char, déchaînent une gavotte à faire s'ouvrir net les tombes du cimetière. Il y a un moment de stupeur dans la foule. Le prêtre s'enfuit avec sa croix. Les chevaux des archers se dressent droits comme des candélabres, déversant leurs pandores sur le pré. Et d'un seul coup, les mille têtes baptisées entrent en transe deux par deux, irrésistiblement. Bientôt, tout le revers de la colline n'est plus qu'un immense tambour qui résonne sous le choc des talons. Les lourdes jupes de droguet virent si durement autour du corps des manantes qu'elles en montrent les mollets nus. Mais les dames en drap d'argent ne demeurent pas en reste. Dévalées de leur tribune, tant elles peinent à gambader qu'elles font voir leurs hautes jarretières sans la moindre vergogne. Jamais on n'a donné pareil spectacle en Bretagne, on ne le donnera plus jamais, tant pis pour nous. Quant aux hommes, c'est à peine s'ils retrouvent la terre de temps en temps. Si la lune était au ciel, elle se ferait mordre par ces enragés-là.

Cependant, de toutes parts, on amène à manger et à boire. La kermesse emporte tout. De pendaison, plus de nouvelle. Les gens du canton sont venus pour une partie de plaisir, ils en trouvent une autre qui vaut mieux et qui dure plus longtemps. Car le diable de la danse leur travaille le corps pendant tout le jour et ne consent à les lâcher qu'au soir tombant, quand ils ne sont plus bons qu'à dormir sur place de la tête aux talons, gentilshommes et vilains mêlés. Il ne reste plus un seul brin d'herbe dans le champ. Entre-temps, le chapeau de Yann ar Vilhwid s'est rempli de liards et de pièces d'argent. Les deux sonneurs resteraient bien à dormir dans leur charrette à trous pendant la moitié d'une semaine. Mais les deux cordes qui pendent toujours au-dessus de leurs têtes ne sont pas sans les inquiéter. Demain peut-être, les danseurs d'aujourd'hui réclameront leurs pendus. Suivi de Monsieur, le Tonnerre Rouge tire ses chausses en grande hâte vers sa paroisse, je ne sais pas laquelle c'était, sans quoi je vous l'aurais dit.

Voilà un conte qui a très bien fini, n'est-ce pas ! Mais cette fin, hélas, je l'ai volée à un autre conte qui n'a rien à voir avec celui-ci. Je vous ai prévenus en commençant à conter, souvenez-vous ! Tant pis pour vous si vous êtes montés trop tard dans ma charrette à trous. Deux fois hélas, les deux sonneurs ont été vraiment pendus car cette histoire n'est pas un conte. Mais je vous ai fait savoir aussi qu'il m'arrivait de mêler à la vérité, quand elle est laide ou déplorable, des arrangements qui sont les miens. C'est là le droit de tout conteur depuis le premier conte que notre père Adam écouta sérieusement de la bouche d'Eve, notre mère. Ce n'est même pas la peine d'imaginer. Il suffit de greffer la tête d'un premier conte sur le corps d'un second, d'y attacher la queue d'un autre encore et le serpent est né. D'un beau conte-serpent, il est difficile de savoir où finit la tête-vérité, où commence la queue-mensonge. Quant au corps, il ne se voit pas.

Ainsi faisait Alain Le Goff quand il empruntait à droite et à gauche, devant et derrière, pour composer des contes profitables à mon éducation. Et le conte changeait à mesure que poussaient mes dents, il se faisait avec moi. Dans le trésor des contes, il y a tout ce qu'il faut, du berceau à la tombe, il y a la vie tout entière qui trouve sa place. Mais certains d'entre eux ne peuvent pas se mettre en morceaux parce qu'ils sont déjà des serpents parfaits. Il ne faut pas y toucher, sinon ils meurent de la mort des contes qui est l'oubli. On doit les débiter mot à mot, sans y changer une haleine, ils sont si fragiles. La plupart des autres servent à toutes mains, par quart ou par moitié, ils ne s'en portent pas plus mal. C'est pourquoi j'ai pu couper la queue d'un *vrai* conte pour terminer une histoire *vraie*. Car les deux sonneurs ont vécu autrefois dans ce pays et sont morts par pendaison. Moi, que voulez-vous ? je n'ai jamais pu supporter l'injustice ni le malheur. J'ai fait rentrer chez eux les deux compères dans une auréole de gloire, avec un chapeau rempli de liards et de pièces d'argent.

La vérité, la voici. Les deux sonneurs furent pendus à la place des deux brigands. Ils furent pendus dans le Champ-de-Justice, près de la ville de Pont-l'Abbé. A peine étaient-ils enterrés qu'on s'aperçut de la méprise. Comment ? Je n'en sais rien. Si je l'apprends un jour, je ne manquerai pas d'ajouter quelque chose à la queue du serpent. Quoi qu'il en soit, ils passèrent pour des martyrs, ce qu'ils étaient en vérité. Et certains de ceux qui les virent marcher au supplice furent les premiers à les élever au rang des saints. Cela vous étonne ? C'est que vous n'avez pas bien lu le Nouveau Testament.

Près de la ville de Pont-l'Abbé, il y a un champ que l'on nomme le *Champ des Sonneurs.* Leurs reliques, dit-on, sont enterrés à cet endroit. Contre un talus, on peut voir un amas de débris de toutes sortes, apportés là par des inconnus pour honorer les deux martyrs. Ce sont des débris de bénitiers, de croix, d'images pieuses, de chapelets. Les gens de foi savent bien qu'on ne détruit jamais ces symboles. On les dépose dans une fontaine sacrée, dans un cimetière, sur une croix de chemin. La tombe des deux sonneurs en a sa part. Si ce que j'ai entendu est vrai, il y a encore de vieilles gens de la côte qui viennent leur apporter de telles offrandes en disant une prière à leur intention. Ils laissent même des pièces de monnaie pour la messe des Trépassés.

Il y a beau temps que les deux gars n'ont plus besoin de prières. Les deux brigands cuisent au feu d'Enfer, les deux archers se lamentent au Purgatoire, il n'en reste ni couleur ni fumée en ce monde. Quant à Yann ar Vilhwid et au Suceur de Buis, Monsieur, je parie qu'ils ont été chargés de sonner l'Elévation au Paradis avec l'anche de corne et le sac en peau de chien.

UN AMOUR TERRIBLE

Janig disait tous les jours à son mari : « Yann, je vous aime terriblement. Si vous veniez à mourir, je ne durerais pas un cheveu de temps après vous. J'étoufferais de douleur sur-le-champ, avant de voir tomber la première pelletée de terre sur votre cercueil. » Pendant des années, Yann lui répondit cordialement : « Moi aussi, Janig, je vous aime terriblement. » Et rien de plus, car c'était un homme prudent et, par ailleurs, il n'aimait pas entendre parler de sa mort, il avait bien le temps.

Or, un jour, Janig eut des paroles quelque peu différentes : « Mon pauvre Yann, si je pouvais m'en aller dans l'autre monde à votre place, je donnerais ma vie pour vous, tant je vous aime terriblement. — J'éprouve pour vous un amour terrible, Janig », répliqua Yann comme d'habitude, avec le ton qu'il aurait eu pour dire : « Oui, il fait beau temps. » Et aussitôt, le bourgeon d'une invention curieuse éclata dans sa tête.

A la nuit tombante, Yann revint à la maison, le front rembruni, et le voilà assis à table, devant son assiettée de soupe, sans mot dire ni rien avaler. « Qu'y a-t-il, mon cher Yann ? — Oh ! rien. — Mais pourquoi êtes-vous si estomaqué ? — Rien du tout, je suis très bien. — Mangez votre souper, alors ! — Je n'ai pas faim. — C'est quelque mal qui cherche à prendre sur vous. — Je suis sain comme un poisson, Janig. » A la fin, Yann soupira : « C'est l'Autre que j'ai vu. Oui, j'ai rencontré l'Autre. — L'Autre ? Oh, mon Dieu, l'Ankou ? — Oui. Il m'a dit qu'il viendrait me prendre à minuit. — Non ! non ! hurla Janig, je ne veux pas, moi ! Je vous cacherai. Allez dans l'étable, sous la paille fraîche. L'Ankou ne trouvera ici que moi. »

Et Yann s'en fut à la crèche. Là, il bondit sur un énorme coq qui était perché tout au fond et pluma le corps du pauvre animal, à l'exception de la queue et des grandes plumes des ailes. A minuit, il gagna la porte de la maison sans aucun bruit, l'ouvrit et jeta à l'intérieur le coq à demi dénudé, un vilain animal, je vous le dis, épouvantable à voir. Janig somnolait dans son lit, ayant allumé une chandelle de résine dans un sabot sur le banc. Quand elle entendit les criaillements du coq affolé, la pauvre femme se mit sur son séant, vit le « jabadao » que menait l'animal déchaîné à travers la salle et crut que l'Ankou était arrivé au logis. Juste à ce moment, Yann fila sa voix la plus profonde à travers le trou de la serrure : « Janig, où est votre mari ? » Et elle de beugler : « Yann n'est pas ici. Allez plus loin, au nom de Dieu ! » Mais le coq, entendant sa voix stridente, partit en panique de plus belle, vola et sauta en l'air et en bas autour de la chandelle, tant et si bien que l'ombre géante de ses ailes se projetait sur les murs. A la fin, l'animal tomba sur le lumignon, se rôtit la queue, se démena comme le diable boiteux et renversa le sabot sur l'aire, baladaon ! Lumière éteinte, nuit noire, silence d'un seul coup ! Et de nouveau la voix de Yann, encore plus grave : « Dites-moi où est votre mari, Janig, autrement je vous emporte sur mon dos ! » Alors, on entendit la voix tremblante de l'épouse : « Peut-être bien qu'il est caché dans l'étable, sous la paille ! »

Yann riait jaune derrière la porte. Il s'en alla dormir dans sa cachette. Le lendemain, il ne fut question entre eux ni de l'Ankou ni du coq. Après ce coup-là, les deux époux continuèrent à s'aimer terriblement. Janig avait honte et Yann réfléchit, à part lui, que s'il avait été dans le lit à la place de sa femme, il aurait sans doute dénoncé Janig à l'Ankou, lui aussi. Mais jamais, par la suite, on n'entendit l'un ou l'autre soupirer : « Je vous aime terriblement. »

Cette fable m'a été contée à Poullaouen par un « merveilleux » de pied en cap et c'était un charme de l'écouter. Un conteur breton de bonne race dispose d'un orgue dans sa gorge et il sait varier sa voix aussi souvent qu'il le désire. Son corps tout entier obéit à ses paroles, si joliment, qu'à l'entendre, on croirait voir une demi-douzaine de bons apôtres en train de jouer devant vous la désopilante comédie de ce monde. Et quand il s'agit de conter le chahut du coq-Ankou, il n'y a pas assez du nez, des yeux, des oreilles du conteur, de ses épaules, de ses bras, de ses mains, pas assez de ses genoux, de ses jambes, de ses pieds, pas assez même de son arrière-train pour mener le travail à bonne fin.

UN FAMEUX BAPTÊME

Laou-les-Clous, le maréchal de Korn ar Maout, devait être le parrain, ce jour-là, d'un petit angelot né dans la maison de son frère Jean-Baptiste, laboureur de terre à Stang ar Pri. La femme de ce Jean-Baptiste avait choisi Joséphine Brun pour être marraine de son fils puisque, tout le monde le sait, les deux femmes sont enfants de cousins germains. Si bien que Laou et Joséphine, flattés de l'honneur, avaient acheté, à eux deux, une bouteille de cognac à trois étoiles pour arroser le petit, pour en faire un costaud plus tard pendant sa vie, et allez donc ! Les voilà qui marchent vers Stang ar Pri tous les deux, Joséphine portant le sac avec autant de pompe que le Sacrement.

— Vous avez la bouteille de remède avec vous, Joséphine ?

— Oui. Elle est au fond de mon sac, enveloppée dans un vieux tablier. C'est assez pour guérir plus d'un malade qui souffre de faiblesse. Ne vous mangez pas le foie de souci, Laou !

— Faites bien attention ! Celle-là n'est pas une bouteille d'eau de Javel. Tenez bien dedans, chère Joséphine !

— Laissez-moi en paix à la fin, Laou ! Casser une bouteille de Javel, c'est peu de chose, mais gâcher du raide à mille francs le litre, hélas ! J'aimerais mieux perdre la moitié de ma main gauche. L'autre moitié, au moins, me servirait à me gratter. Tandis que cette bouteille-ci, il n'en resterait que l'odeur et le regret pour sept ans, sans compter le petit qui n'oserait plus regarder du sel sans vomir.

Si Joséphine Brun savourait bien son premier verre (il ne faut pas lui en vouloir pour si peu), Laou le maréchal dégustait encore mieux le second. C'est pourquoi, pendant tout le temps qu'ils mirent à se rendre chez Jean-Baptiste, il ne cessa de surveiller la Joséphine porte-bouteille. Sans vouloir dire le moindre mal des femmes, il faut avouer que la façon dont elles portent autre chose que des enfants au ventre fait craindre pour le destin de la marchandise. Vous n'avez rien entendu, n'est-ce pas ! Bref, le compère et la commère atteignirent Stang ar Pri sans malencontre, à part que Laou-les-Clous s'était mis à loucher durement à force de tenir un œil sur le sac de Joséphine et l'autre sur le reste du monde. On aurait bien dit qu'il n'avait pas acheté ses deux yeux dans la même boutique.

A Stang ar Pri, on les gava de mangeaille et de café noir en prévision d'une expédition au cours de laquelle ils devaient se montrer valides et prospères pour faire honneur au petit mignon et à sa parenté. Avec un soupir d'aise, Laou-les-Clous prit en charge la bouteille emmaillotée au plus juste, tandis que sa commère s'emparait du poupon saucissonné de près. Lequel avait la meilleure part ? Et l'on partit pour le bourg.

Ah ! mes enfants ! J'aurais voulu vous voir sur la route quand les gens de Stang ar Pri s'en vinrent présenter le petit enfant à l'eau consacrée. Devant marchait le père avec une ventrée d'orgueil, aussi droit qu'un manche de bêche. Près de lui, Joséphine Brun portant le bébé et louchant à son tour d'un œil sur ses rubans de coiffe en dentelle tout du long. Elle allait doucement son chemin comme si elle avait dû marcher sur des œufs de poule. Et derrière Joséphine venait Laou avec le sac où tiédissait la bouteille dans le vieux tablier. Laou ne marchait pas sur des œufs, non, mais plutôt sur des épingles. Suivaient les gens du baptême, leurs yeux braqués sur Laou plus souvent que sur le nouveau-né. Trois étoiles ne se mettent pas sur du pissat de brebis.

La cérémonie s'achevait à l'église et le bedeau crachait déjà dans ses mains pour mettre les cloches en branle quand Laou-les-Clous poussa une clameur terrible. Aussitôt, clic ! un bruit de mauvais augure et voilà les éclats de verre qui jaillissent sur les dalles. Qu'était-il arrivé ? Hélas ! Le pauvre Laou avait voulu caresser la précieuse bouteille de ses mains nues. Il l'avait doucement sorti du sac et débarrassée du tablier. Or, en tournant sa chaise au cours des manœuvres de la cérémonie, il avait accroché le fond de ses braies à un clou mal enfoncé dans le bois, au risque de tomber à terre. Pour rester debout, il donna un violent coup de reins, lâchant la chère bouteille qu'il avait bercée sur ses genoux au rythme des paroles du prêtre. Cassée, la bouteille, ouverte de toutes parts et sans tire-bouchon. Et voilà le cognac qui court sur la pierre, jaune d'or, doux à l'œil, clair, brillant comme un rayon de soleil.

Joséphine jeta l'enfant baptisé dans les bras du père stupéfait. Laou était écroulé sur sa chaise, blême, noyé de rancœur. La femme lui sauta dessus, les ongles hauts, prête à lui arracher les yeux de la tête. Cependant, les hommes se mirent à genoux et, avec leurs mouchoirs, ils épongèrent le sol. Ensuite, si je dois en croire les langues venimeuses, les lurons firent semblant de se moucher le nez avec le linge mouillé pour en avoir au moins le goût et l'odeur. Je ne sais pas si c'est vrai.

Monsieur le Curé se changeait dans la sacristie quand il entendit le tumulte dans l'église. Le voilà qui se hâte de revenir pour s'informer de ce qui se passe. Quand elle voit arriver le prêtre, Joséphine lâche le misérable Laou dans un état pitoyable et s'active pour ramasser les éclats de verre demeurés sur le sol. Mais le fond de la bouteille, plus épais que le corps, a gardé une demi-bolée de remède à vers. Dans sa hâte, la commère ne trouve pas assez vite ce qu'il faut faire de ce restant. Le prêtre approche. Alors, la pauvre femme, affolée de honte, avant de sauter dehors, vide le fond de la bouteille... dans le bénitier. Et de s'enfuir au galop comme si elle avait le feu au jupon.

La nouvelle ne mit pas longtemps à faire le tour de la paroisse. L'après-midi, quand s'ouvrirent les vêpres, monsieur le Curé fut abasourdi de voir le nombre de gens qui se pressaient dans son église. Particulièrement des hommes. Les hommes ne sont pas trop tentés par les vêpres, d'habitude. Et voyez donc ! Qu'est-ce qui leur arrive ? Ils sont occupés à tourner autour du bénitier comme des chevaux de manège et chacun fait le signe de croix aussi souvent qu'il peut. Quel curieux signe de croix ! Ils font le « nom du père » sur le front comme on doit le faire, mais au lieu de tracer le « nom du fils » sur la poitrine, ils le font sur les lèvres. Et il n'est pas question du « nom du Saint-Esprit », le pauvre. Monsieur le Curé dépêcha le bedeau pour demander la raison de cette nouvelle mode : « Oh ! répondirent-ils, c'est au nom du fils de Jean-Baptiste. C'est par la grâce de cet enfant que la trinité des étoiles est descendue aujourd'hui dans le bénitier. » Et aussitôt de se mouiller les doigts pour faire leurs dévotions. Pis encore, s'il est vrai le mensonge que j'ai entendu, l'odeur dans l'église était telle que la tête des femmes tournait à mal et qu'il fallut abréger les vêpres parce que le chant allait de travers.

Et voilà pourquoi le fils de Jean-Baptiste, Yfig de son vrai nom, reçut le sobriquet de *Fils du Remède à Vers*. Ainsi soit-il !

LES AVENTURIERS

En ce temps-là, j'entendis conter l'affaire d'Alain et de Guillaume, le second étant l'ombre du premier, qui se perdirent jusqu'à Paris à cause de l'ambition qu'ils avaient de découvrir le monde. A mesure que le temps fait son chemin, leur aventure tourne en légende parce que les deux hommes ne partirent point à la recherche du pain, mais sous l'effet d'une inquiétude qui leur sifflait dans l'os du crâne. S'ils avaient été marins, ils n'auraient étonné personne puisque les Bretons, comme chacun sait, peuvent faire le tour de la boule sur l'eau salée sans sortir de Bretagne. Mais ils étaient paysans, et paysans pauvres, autant dire réduits à manœuvrer sur leurs sabots entre le fumier de leur cour et leur pré le plus éloigné, ce qui est un destin suffisant pour des sages. Il est bien dommage que la sagesse finisse par s'user aussi vite que des sabots de hêtre. La sagesse est le fruit précaire de l'âge mûr. Les jeunes et les vieux ne savent pas ce que c'est. Heureusement.

Tous les soirs, Alain et Guillaume voyaient s'allumer le phare d'Eckmühl. Comme un éclair paresseux et obstiné, la lanterne de mer balayait leurs labours sans déranger leur âme. Ils se savaient au bout du monde et n'avaient de curiosité que pour les hommes. La mer est déserte. On n'y trouve jamais que des gens qui passent et se ressemblent tous. Mieux vaut les rencontrer quand ils sont à l'ancre en terre ferme et maîtres d'eux-mêmes, du moins si l'on veut en apprendre quelque chose. C'était la profondeur des campagnes, vers l'est, qui sollicitait les deux compères. Par là se trouvaient les villes avec leurs étonnants bourgeois qui passaient leur temps à inventer des mécaniques, comme ce monsieur Bernard qui avait fabriqué un moteur à battre le blé au lieu du manège à quatre chevaux, ou ce monsieur de Dion dont la voiture roulait avec le seul bruit de ses entrailles, sans homme ni bête pour la tirer. Une automobile, disait-on. Alain Le Reste en avait acheté une qui lui causait bien du souci parce qu'elle boudait plus souvent que le plus mauvais des chevaux rétifs. Et maintenant, on voyait des chars volants passer dans le ciel plus de trois fois par an. Il était grand temps d'aller voir comment se trouvaient les choses à Quimper, la grand-ville, et peut-être même à Paris, la capitale de la France, qui est un peu plus loin.

Certes, les deux compères étaient sevrés depuis longtemps. Ils avaient pèleriné à pied jusqu'à Sainte-Anne-la-Palud et Guillaume avait même traîné ses chausses jusqu'à Rumengol, ce qu'il ne manquait jamais de rappeler quand il voulait mortifier Alain sans y toucher. Celui-ci avait beau dire et redire qu'il avait entr'aperçu Quimper assise au milieu des collines lors d'une folle randonnée à Pluguffan à la suite d'un joueur de biniou, cela ne faisait pas le compte. En vérité, à l'âge de soixante ans, ni l'un ni l'autre n'avaient jamais vu de ville. Si quelqu'un de vous s'en étonne, c'est qu'il prend l'heure à sa montre au lieu de se régler sur le soleil. Bref, Alain et Guillaume décidèrent d'aller à Quimper, un jour, après la moisson, simplement pour voir comment vivaient les gens qui cherchaient à remplacer le soleil par la montre.

Nos deux chrétiens partirent à trois heures après minuit. Dans une obscurité profonde, Guillaume marchait au bruit des talons d'Alain. Ils allaient la tête en avant, les genoux souples, poussant le chemin derrière eux à la pointe du bâton. Dès qu'ils furent sortis du bourg, Alain conseilla de prendre une traverse pour atteindre Landudec. Pourtant, la grand-route s'offrait à eux, large et pâle dans l'ombre. Mais elle ne traversait aucune ferme, elle vous détournait du monde nocturne où les domaines paysans sont balisés par les abois des chiens. Alain et Guillaume s'engagèrent dans les sentes humides, escaladant les talus sur des marches de pierre, refermant avec précaution les clôtures des champs. Pas un mot. Guillaume suivait un Alain tiré par une étoile invisible.

A mesure que s'éclairait la terre sous l'aube envahissante, les bouquets d'arbres se dessinaient dans les lointains, décors de théâtre nets et plats. Les genêts ondulaient en vagues lourdes et les mottes résillées d'argent se poursuivaient à l'infini dans les sillons. Les champs se peuplaient, à mesure aussi, d'hommes, de femmes et de chevaux. Les paysans aux yeux pers arrêtaient leurs attelages pour regarder les deux voyageurs, étonnés de voir des gilets brodés en rouge et des chapeaux à six rubans dans les campagnes du Pays Bleu (1). Alain et Guillaume s'arrêtaient avec chacun. « Salut ! Temps magnifique pour charruer ! — Temps magnifique, répondaient les autres. Vous voilà en route ! — Nous y sommes. » Alain et Guillaume se baissaient pour ramasser une poignée de terre : « Noire et légère. Très bonne pour le seigle. » Et de repartir. A chaque tête qui apparaissait dans les hameaux, Alain faisait de grands signes du bâton. Un bras se levait pour lui répondre. Plus tard, sur chaque barrière de cour, il y eut de petits enfants en robe violette et aux yeux grands ouverts sur leur étonnement. « Bonjour, oncle » chantonnait le plus hardi. « Bonjour, fils », rétorquait Alain tout réjoui. Et Guillaume, derrière lui, souriait à pleines gencives car il manquait de dents.

Ils marchaient depuis des heures. Les traînées de brouillard qui rasaient les chaumes s'épaissirent et enveloppèrent la campagne. Alors, comme dans une féerie, Alain et Guillaume entendirent des volées de

(1) Le pays de Quimper.

cloches qui semblaient leur arriver de toutes parts, des tintements clairs, menus nombreux, et la vibration grave, presque palpable, d'un gros bourdon. Les deux paysans se figèrent sur place, le chef baissé, le chapeau à la main, firent le signe de croix et murmurèrent ensemble, à voix basse : « Au nom du Père, du Fils et de l'Esprit Saint. Ainsi soit-il ! »

En voyant qu'Alain ne reprenait pas la route, Guillaume lui toucha légèrement le bras de son bâton. L'autre tourna la tête vers son vieux compagnon. Il y avait dans son œil tant de désarroi que Guillaume en fut transformé du coup. Toute une vie, il avait marché derrière son maître, sachant trop bien qu'il était homme de peu. Il avait écouté, admiré, obéi, sans penser qu'il aurait pu en être autrement. Mais, maintenant, il voyait venu le jour de l'égalité, ce jour qu'il n'espérait pas avant de paraître devant le Père qui est aux Cieux. Dans ce monde nouveau qu'ils allaient découvrir, il entrait de pair avec Alain. Résolument, l'éternel second fit un pas en avant pour se mettre à la hauteur du commandant qui ne commandait plus. Il avait oublié que l'autre savait lire la *Vie des Saints* tandis que lui ne savait pas. Mais il lui venait précisément à l'esprit qu'il était allé jadis jusqu'à Rumengol tandis que l'autre n'avait jamais risqué son corps plus loin que Sainte-Anne. Il cracha par terre avec détermination et libéra son courage. Et ce fut lui qui leva le pied, le premier, pour descendre la dernière colline. Alain marchait sans un mot, sa pomme d'Adam travaillant avec précipitation. Quant à Guillaume, surpris de découvrir si large le monde que le dos et les épaules d'Alain lui avaient caché si longtemps, il jetait devant lui ses nouveaux pas d'homme fort comme un enfantelet échappé au maillot.

Brusquement, la route prit un tournant et devint une rue. Les deux hommes sentirent sous leurs clous le pavé du roi. Le respect les fit s'arrêter une fois encore. Ils furent s'asseoir tous les deux côte à côte sur le talus. Ils grattèrent avec soin la boue qui maculait leurs socques toutes neuves. Ils arrangèrent de leur mieux les semelles de foin qui leur tenaient les pieds à l'aise et qui eussent été une bénédiction de Dieu sans une tendance fâcheuse à s'évader dehors par-dessus le talon. Ainsi endimanchés, Alain et Guillaume s'engagèrent entre les maisons qui devenaient de plus en plus hautes à mesure qu'ils avançaient. Certaines s'élevaient même sur trois étages. Mais toutes les portes étaient fermées. Pareille indifférence les choqua. Personne à saluer de la voix et du bâton, personne pour leur demander qui ils étaient, de quelle paroisse ils arrivaient, s'ils avaient des parents ou des amis à Quimper, toutes questions qui vous réchauffent le cœur et vous font savoir que vous n'êtes pas des étrangers en pays sauvage. N'y avait-il donc, par ici, aucune femme curieuse pour soulever un rideau de fenêtre ? C'était invraisemblable. Et pourtant l'aube était levée depuis longtemps.

Des maisons et encore des maisons. Ils descendaient toujours, marchant de façon cocasse sur les pavés inégaux. Ils se trouvaient dans un carrefour quand le brouillard se dissipa. Sortant à pas pressés des rues profondes, des hommes en chapeaux à boucles et des femmes en toutes petites coiffes (si petites que c'en était une pitié) se hâtaient vers un porche d'église. Les deux Bigoudens les suivirent timidement. Ici, la porte était grande ouverte. Plantés au bas des marches, ils virent scintiller les lumières de l'autel. Au-dessus de leurs têtes, dans la tour encore noyée de brouillard, les cloches se mirent en branle. Alain et Guillaume entrèrent, s'agenouillèrent sur les dalles près du bénitier, en pauvres gens qu'ils étaient. Puis ils se mirent en oraison et leurs corps se balançaient d'avant en arrière au rythme de leur bredouillis sacré.

Vint un moment où les deux pénitents trouvèrent la hardiesse de se lever pour regarder le prêtre à l'autel. A leurs yeux, ce ne pouvait être nul autre que le seigneur évêque, le recteur de Quimper. Il avait le visage rouge, le menton un peu gras. Il bénissait l'assistance de ses doigts boudinés. Alain et Guillaume furent satisfaits de son embonpoint. La maigreur est l'apanage éternel des hommes sans importance. Ils auraient aimé, bien sûr, lui voir sur la tête une mitre comme en portait la statue de Saint Faron dans leur église paroissiale. Mais c'était seulement une messe basse et le seigneur évêque ne pouvait pas savoir, malgré sa sainteté, qu'il seraient venus de si loin pour lui rendre visite.

Sortis de l'église après tous les autres, Alain et Guillaume s'accotèrent contre la grande muraille qui se dressait devant le porche, de l'autre côté de la rue. Posément, ils mâchèrent le pain de seigle et le lard salé qu'ils avaient apportés dans leur sac. Seulement, de temps à autre, les deux paysans s'arrêtaient de manger quand passait devant eux quelque spectacle surprenant, comme un collège de jeunes garçons en habits d'uniforme, cols durs et képis dorés, ou la calèche du marquis de P... avec le marquis lui-même, assis tout raide sur le coussin arrière et louchant sur sa moustache cirée de frais.

Soudain, des cloches graves se mirent en branle. Encore des cloches ! Ce n'était pas celles de l'église qui leur faisait face, le son venait d'assez près derrière. Les deux vieux sursautèrent. Pouvait-il y avoir une autre église dans cette ville ? Ils l'avaient bien entendu dire, et plus d'une fois, mais ils ne croyaient pas que ce fût vrai. Pourquoi deux églises ? Il n'y a qu'une poule pour une couvée de poussins et une ville, si grande qu'elle soit, n'est pas autre chose qu'une même couvée, non ! Enfin !

Une rue longue et étroite menait vers les cloches sonnantes. Ils entrèrent dedans après avoir avalé les miettes de leur pain qu'ils avaient recueillies dans la main gauche. Le pain est aussi sacré que les cloches, n'est-ce pas ! De hautes maisons en encorbellement avançaient des étages au-dessus de leurs têtes, si bien qu'ils étaient réduits, parfois, à chercher le ciel gris à travers les empoutrements. Ils n'étaient pas tranquilles, je vous le dis. A un moment, Guillaume aperçut une grande plaque de fer scellée contre une boutique, découpée en forme de chapeau et peinte en rouge. On parlait beaucoup, dans son bourg, de ce chapeau rouge et l'on disait qu'il se trouvait entre Saint-Mathieu et Saint-Corentin pour saluer l'un et l'autre. Tous les contes étaient donc vérité. Et en effet, après un pont et un autre tunnel de maisons, un grand porche devint visible derrière un parvis où le soleil avait réussi à descendre. C'était une église immense, si large et si haute qu'il avait fallu la sommer de deux tours parce qu'une seule n'eût pas été convenable à sa majesté. Alain et Guillaume auraient bien attrapé une autre messe et récité une autre série de prières pour leurs péchés, mais ils n'osèrent pas s'approcher de ce palais quand ils virent, en levant les yeux, la statue de pierre d'un roi à cheval entre les tours. « Le roi Gradlon, sans doute ! » confia Alain à Guillaume. Il connaissait la complainte de la ville d'Is et il possédait même le papier imprimé, attaché par quatre clous à l'intérieur d'une porte de son armoire, l'autre étant réservée à une image du Sacré-Cœur entourée d'un chapelet de buis. Tous les deux savaient maintenant qu'ils se trouvaient devant la cathédrale du seigneur saint Corentin où habite aussi le Petit Saint Noir, comme ils l'avaient appris du recteur de leur paroisse. Certes, ils n'auraient pas osé déranger le grand saint Corentin. Peut-être une petite visite, en douce, au Petit Saint Noir ! Mais comment le trouver dans cette maison sans fin où résidaient, sans doute, tant de personnages célestes ? Ils s'éloignèrent en soupirant.

Ensuite, les deux pauvres diables se perdirent par les rues sans se risquer à demander leur chemin aux bourgeois. Il leur arriva de grimper sur la colline du Pichéry. Là, ils virent onduler devant eux, jusqu'à l'horizon de l'est, les croupes des collines. Des vaches meuglaient, des chiens aboyaient plus loin encore. Dieu, que la terre est grande, pensèrent-ils.

C'est alors qu'Alain et Guillaume se détachèrent de leur village comme de l'arbre les feuilles mortes.

Une quinzaine d'années plus tard, j'ai découvert Alain sous les traits d'un tout vieux tailleur, dans la plus haute mansarde de Paris. Des lunettes de fer miroitaient sur son œil bleu qui me parut cruel et qui n'était que désenchanté. Aucun rêve ne brouillait son regard de ce gris fondu qui règne au ciel du Finistère. Dans un curieux argot montmartrois panaché des plus purs jurons bigoudens, il entreprit de me raconter sa vie actuelle. Il était assis à croupetons sur sa large table, un buisson d'épingles hérissant son gilet breton, pendant que sa grosse main présentait à la lumière, par dix fois, le chas d'une aiguille où le fil refusait d'entrer. Sous la fenêtre, des lieues carrées de toits emprisonnaient l'aventurier. Et Guillaume ? Guillaume rempaillait des chaises du côté de la République. Ils ne se fréquentaient plus, l'autre étant devenu « radical » tandis que lui demeurait « cul-blanc ». Chacun dans son trou, attendant de dire adieu. Or, quand je me mis, à mon tour, à dévider les banalités quotidiennes dont se tisse la trame tiède de la vie d'un bourg breton, je vis dans les yeux d'Alain, tournés vers la fenêtre, s'estomper peu à peu la lumière fade et les toits lépreux de Paris sous la montée d'un brouillard gris fondu. Ce n'étaient pas des larmes, je le jure, mais le vieil homme qui remontait vers sa source.

VIE
DES HOMMES OBSCURS

LE CHEVAL D'ORGUEIL

NOUS autres, Bretons, nous avons toujours été à la fois humbles et orgueilleux. Orgueilleux à l'égard de notre propre état quand les autres ont envie de prendre le meilleur sur nous, humbles quand il nous plaît de plier, quand quelqu'un ou quelque chose mérite révérence. A nous de savoir, à personne d'autre. Montons d'abord sur le cheval d'orgueil, ensuite nous descendrons jusqu'à terre sur le cuir de nos pieds, s'il nous plaît d'entendre la leçon.

C'était un homme déjà sur l'âge, de très petite condition, nanti d'une maisonnée d'enfants et de peu de bien, de peu de terre maigre pour en tirer nourriture. En vérité, comme il le disait lui-même, le gras était méprisable dans sa maison, il y avait plus de fumée que de beurre sur la poêle à crêpes. Il possédait un chat pour chasser la souris, une vachette grise dans l'étable, pas d'autre animal, certes, sauf le cheval d'orgueil qu'il tenait harnaché nuit et jour sous la calotte de son crâne.

— Mon fils, écoutez-moi ! Quand on est né le plus pauvre parmi les pauvres, il est bon d'avoir quelque hautesse dans le cœur. On doit gagner son pain en obéissant aux plus riches que soi, aux " grosses têtes ". J'ai été valet de pied sous le marquis Conan de S... C'était un homme de haut rang, celui-là. Cependant, quand il m'appelait par mon nom de baptême : « Alain, venez ici ! » je lui répondais, sans plus de cérémonie : « Oui, Michel, j'y vais tout de suite. » C'était notre habitude à nous deux. Or, un jour, voyant que j'avais épargné une boursette d'argent, je crus bon d'aller chez Yves Le Corre, au bourg de Lanvignon pour lui demander de me fabriquer une armoire-horloge sur pied, avec un balancier étincelant comme un soleil de cuivre jaune, une horloge pour sonner les heures aussi bellement qu'un angélus.

Or, la nouvelle arriva sur la langue des gens jusqu'à l'oreille du marquis, comme fait toute chose dans une petite paroisse, vous le savez. Et le marquis me tourna en dérision : « Alain, qu'est-ce qui vous arrive ? Vous avez envie d'être propriétaire d'une horloge de châtaignier sur pied ? Seriez-vous devenu bourgeois depuis peu ? Vous n'avez nul besoin d'une horloge, le soleil vous suffit pour connaître le moment du jour. Pourquoi dépenser vos petites ressources pour mettre des objets coûteux dans votre maison puisque votre maison est à moi et votre temps aussi ? Vous êtes un glorieux !

— Monsieur le marquis, ai-je répondu, vous êtes allé trop loin. Jean Paysan est le maître de ses poux. Ni marquis ni roi n'ont de pouvoir à cet égard. Si vous aviez été quelqu'un d'autre, depuis longtemps je vous aurais craché entre les deux yeux pour avoir mis ces paroles hors de vos gencives.

Le visage du marquis est devenu rouge feu sous la force du sang qui lui monta dans la tête : « Je suis aussi sot qu'un veau sous la vache, dit-il. Balayez mes bêtises de votre esprit. Puisque je vous ai fait offense, crachez-moi entre les deux yeux et appelez-moi Michel comme à votre habitude. Je ne suis pas marquis sur votre armoire-horloge. »

Et qu'est-ce que j'ai fait, moi, mon fils? Je lui ai craché entre les deux yeux, tout droit. Ce fut un crève-cœur pour moi car je voyais bien que l'homme avait parlé sans réfléchir plus avant, mais je lui ai craché entre les deux yeux. Sans un mot, le marquis essuya son front avec sa manche et nous voilà partis tous les deux pour visiter des arbres à abattre. Ni après ni plus tard, il ne fut plus question entre nous d'horloge ni de crachat.

Et cet homme-là, mon fils, s'il me l'avait demandé avec le respect qui m'était dû, j'aurais mis ma tête sous son sabot. Mais j'ai appris de mon père (Dieu lui pardonne!) à me courber devant les pauvres et les humbles, j'ai appris à obéir aux grosses têtes pour avoir ma part de pain. Jamais je n'ai appris à digérer des offenses venues de qui que ce soit. Trop pauvre que je suis pour acheter un autre cheval, du moins le cheval d'orgueil aura-t-il toujours une stalle dans mon écurie.

UN HOMME HUMBLE DE CŒUR

La côte est pénible à monter quand vous êtes durement tenu sous le faix d'herbe que vous avez soulevé sur votre échine. Pierre Les-Vieux-Clous cherche du mieux qu'il peut son haleine. Ses yeux rougis regardent la route sous ses pieds, non pas la nuée d'un ciel où trille, loin de lui, le chant des oiseaux. Depuis cinquante ans, Pierre mène sa vie courbé sur le sol, coupant l'herbe ou l'ajonc, semant le grain, fouissant la terre à patates, traînant des fardeaux sur les épaules, des choux, du trèfle, de la luzerne pour sa vache. Le pauvre Pierre connaît tous les cailloux de la grand-route entre la Prairie du Bas et la montée de Meot. Dans la montée de Meot s'abrite la maison de Pierre sous un cerisier, au milieu d'un étroit verger envahi par les roses trémières. Autrefois, Pierre aimait regarder les roses et fumer sa pipe sous le cerisier. Maintenant, il est trop vieux, le tabac trop cher et le dos de Pierre trop bossu pour qu'il puisse lever les yeux. Son plus grand plaisir est de regarder soigneusement devant ses pas et de découvrir toutes sortes de menus objets tombés sur la grand-route, des clous à sabots, pour la plupart, ou des clous à ferrer les chevaux. Il ramasse chaque clou et le garde au creux de sa paume pendant qu'il chemine sous son fardeau. D'après le clou, Pierre reconnaît de quelle corne d'animal il est tombé, comment marche le sabot ou le pied d'homme ou de femme : « Cagneux, pied-bot, butteur, mal tourné, panard », se dit Pierre à lui-même. Et Pierre sourit, tout heureux. Cette manie lui a valu son nom de Pierre Les-Vieux-Clous.

Sur la route, entre la Prairie et Meot, Pierre rencontre les chosettes perdues : une ligne de galets de mer, une dégoulinade de sable mouillé, une touffe de goémon, tous déchets d'un tombereau qui fut chargé sur la grève ; la poudre du son ou de la farine quand le porteur du moulin vient de passer par là ; une tresse de fumier, une pomme de terre, des bagatelles ; quelquefois aussi un écrou, une cheville de métal qui se sont dévissés d'une mécanique nouvelle, mais Pierre ne sait pas ce que sont les mécaniques et il reste immobile d'étonnement. Ce qu'il connaît le mieux, depuis longtemps, ce sont les cailloux de la grand-route. Quand il est arrivé à la hauteur du galet bigarré, il sait qu'il vient d'atteindre la mi-côte ; quand il voit sous lui l'empierrement défoncé, il sait qu'il est arrivé tout près du sommet : là, juste à cet endroit, chaque fois, les chevaux s'arrêtent pour se reposer avant le dernier effort. Lui, Pierre, se repose plus bas, là où il y a une énorme roche fichée dans le talus, exprès pour que les gens trop chargés y posent un moment leur fardeau. Cette roche s'appelle Petit-Paradis. Pierre Les-Vieux-Clous y appuie son faix d'herbe, lève le dos un instant, prend sa respiration et sourit. Il n'est pas difficile d'être heureux en ce monde. Alors, si quelqu'un se trouve à passer sur la route, il peut voir le visage entier de Pierre. Mais il y a beaucoup de gens qui n'ont jamais vu la face du pauvre homme parce qu'elle est toujours cachée sous un tas de fourrage vert pour sa vache.

Une fois, Pierre entendit le bruit d'un énorme char à feu (1) derrière son dos pendant qu'il montait vers sa maison : « Hé bien ! pensa-t-il, tout à l'heure je vais être enveloppé de poussière et de fumée. Je ne verrai même plus mes pauvres pieds. » Aussitôt après, le char s'arrêta net près de lui, le moteur bruissant comme une batteuse qui attend la javelle. Et la voix d'Yves Boédec : « Oncle Pierre, mettez votre chargement derrière et montez dans le carrosse, s'il vous plaît, jusqu'à chez vous ! Ce sera plus facile pour vous, non ! » Pierre en fut estomaqué si fort qu'il resta sans bouger pied ni patte. Ce que voyant, Yves descendit, empoigna la charge de choux pour la jeter dans le char et voilà le gars aux vieux clous installé devant, sur un siège rembourré. Le carrosse attaqua la montée de la côte en rafale de vent. Pierre Les-Vieux-Clous pleurait en disant : « Petit Yves, pourquoi avez-vous fait arrêter tant de roues, d'acier, de cuivre, de verre et de bruit pour ramasser le pauvre fumier d'homme que je suis ? Je ne vaux pas mieux qu'un clou de sabot, vous le savez bien ! Et je suis honoré par vous comme un roi sous la couronne. J'ai honte. »

Celui-là n'avait pas d'écurie pour le cheval d'orgueil.

(1) Une automobile.

CINQ SOUS DE RHUM

Tous les samedis soirs voyaient *Cinq Sous de Rhum* arriver au bourg sans faute. Il faisait souvent le trajet par ses propres moyens, malgré le bon kilomètre qui séparait son *penn-ti* du clocher de l'église. Quelquefois, le livreur du moulin faisait un détour par chez lui et l'embarquait dans sa charrette quand il avait fini sa journée assez tôt. Ensuite, le jeune gaillard avait beau jeu de faire rire les gens aux larmes en racontant comment il devait se cramponner aux rênes à pleins bras pour tenir son cheval dans le chemin, tellement le gars se démenait derrière son dos comme un diable en eau bénite. On ne le croyait pas tout à fait, bien sûr, mais on l'écoutait avec complaisance. Il contait si bien et sans méchanceté aucune, on le savait. Comment aurait-il pu être méchant avec *Cinq Sous de Rhum* qui était le premier à rire en le voyant se travailler le corps pour faire mieux que lui. Du moins si l'on pouvait appeler rire la série de grimaces que le pauvre diable arrivait à faire naître sur son visage martyrisé. Mais il n'en voulait sûrement pas au livreur du moulin. Pour le faire monter dans son véhicule enfariné, celui-ci devait déployer autant de force que pour endosser trente culasses de blé. Il avait bien le droit de s'amuser pour le prix de sa sueur, n'est-ce pas ?

Cinq Sous de Rhum ne pouvait pas se rendre maître de son corps. Chacun de ses membres travaillait pour lui-même, chacun de ses muscles aussi. Jamais il n'avait réussi à les faire s'arranger entre eux, ne fût-ce que pour un seul mouvement. De loin en loin, le hasard les faisait aller dans le même sens et le brave homme s'étonnait de traverser une porte ou d'allumer sa pipe du premier coup. Mais vous auriez tort de croire qu'il était maladroit. Il était arrivé à connaître si bien les dérèglements de sa carcasse qu'il finissait toujours par accomplir le geste qu'il avait décidé dans sa tête. Seulement, il lui fallait prendre le temps de jouer au chat et à la souris avec lui-même.

Il aimait donc venir au bourg, le samedi, pour boire un verre de rhum. Il n'y aurait failli pour rien au monde. Cela durait depuis des années. Au début, le verre coûtait cinq sous. Il avait bien enchéri depuis longtemps, mais le surnom de l'homme était resté au même tarif. Et la cérémonie se passait toujours de la même façon. Il parvenait à entrer dans le débit après quelques négociations difficiles avec le seuil. Il gouvernait sa transe vers le comptoir du mieux qu'il pouvait, serrant le prix de sa consommation entre deux doigts de sa main gauche. Les pièces de monnaie battaient une mesure effrénée sur le bois avant de s'échapper. Alors, la patronne attrapait une écuelle d'un demi-litre. Elle y versait la ration de rhum, préalablement mesurée dans un verre. L'homme se concentrait tout entier sur l'écuelle, puis il aventurait vers elle sa main droite. Soudain, il en accrochait le bord entre la paume et le pouce. Le récipient entreprenait une danse cahotante pour se rapprocher des lèvres du buveur. Le rhum remuait au fond, s'élevait le long des parois comme un petit maelström. Toute l'assistance retenait son souffle. La patronne, femme impressionnable, enfonçait les ongles dans son torchon. Quand l'écuelle, après bien des orbites hasardeuses, était arrivée à portée de la bouche, le rhum tournoyait au ras du bord. Un coup de langue bien calculé le lampait net et sans en perdre une goutte. On respirait bruyamment. On débarrassait l'homme de son écuelle. « Il a encore réussi ! » criait-on. La patronne astiquait le comptoir qui n'en avait nul besoin. La victoire hebdomadaire de *Cinq Sous de Rhum* avait mis les gens de bonne humeur pour toute la soirée. Lui, il se mettait déjà en devoir de gagner la porte, l'œil gauche rigolard, une lueur de défi dans le droit. Au revoir, les amis!

LE JOUEUR DE BOMBARDE

Le temps passe encore plus vite sur les morts que sur les vivants. Si l'on me demandait depuis combien de temps il est descendu en terre, je dirais qu'il y a quinze ans alors que cela n'en fait peut-être que dix. Et pourtant, j'ai toujours dans l'oreille le son de sa bombarde, je le vois encore mouiller son anche et entrer en transe de tout son corps crispé. C'était un fier bonhomme, encore qu'il fût de taille médiocre et de poids léger. Mais, depuis son âge tendre, tout ce qui aurait pu lui faire des os ou de la chair était passé dans sa bombarde sous forme de vent. De la grasse nourriture des noces paysannes dont il prenait plus que sa part, il ne digérait pour lui-même que le strict nécessaire. Le reste, disait-il, c'était pour nourrir son instrument. Il faut avouer que l'instrument en question témoignait d'une force extraordinaire. Il mériterait d'être choisi pour sonner le grand réveil des Morts dans la Vallée de Josaphat.

On raconte qu'un jour il menait la gavotte, établi avec son compère sur une charrette équilibrée par des béquilles de bois. Les danseurs étaient fameux, l'inspiration des sonneurs particulièrement ardente. L'homme à la bombarde se démena si fort, il marqua si fermement le rythme du pied que les béquilles vinrent à manquer, les brancards fusèrent au ciel et la charrette déversa proprement les deux artistes dans une mare de purin qui n'attendait que cette aubaine pour prendre sa revanche sur le lavoir. A peine furent-ils sortis, et dans quel état pitoyable, qu'ils remirent leurs instruments en ordre et attaquèrent la suite de l'aubade, chemise au vent, sans même demander un coup à boire. Conscience professionnelle ou démon de la musique ? Jamais on ne vit plus beau bal de noces.

Devenu trop vieux pour se suffire à lui-même, notre bonhomme trouva refuge dans un hospice tenu par les sœurs. Quelque temps après, il fit prévenir un de ses jeunes disciples qu'il était plus à plaindre que les cailloux du grand chemin. On accourut le voir et on connut bien vite la raison de son malheur. Les sœurs avaient dû lui confisquer sa bombarde parce que son inspiration ne connaissait ni tôt ni tard. Il lui arrivait de révolutionner l'hospice et le quartier avoisinant, entre minuit et la prime aube, aux sons stridents d'un passe-pied à étourdir le diable lui-même, y compris les cornes. Désespéré, le vieillard jurait de mourir dans la semaine si on ne lui rendait pas sa raison de vivre. On négocia sur le chaud. Le martyr fut autorisé à conserver sa bombarde sous son oreiller. Seulement, tous les soirs, il devait remettre aux sœurs son anche de roseau. Qu'importe ! Dans la nuit, il caressait l'instrument muet, il promenait ses doigts sur les trous aussi vivement que naguère et il entendait clairement, dans sa tête, retentir la grande gavotte qu'on appelle toujours de son nom.

À LA FÊTE DE NUIT

C'était la première fois que j'allais à une fête de nuit pour le compte de la radio. Il y a vingt-cinq ans. Cela se passait dans la campagne, au pays de Carhaix. Nous étions arrivés un peu en retard à cause de certains ennuis de voiture. La fête avait déjà commencé. Une masse de danseurs du cru se livrait à la gavotte avec un enthousiasme intérieur qui ressemblait fort à un sentiment religieux ou peut-être, plus simplement, à cette concentration des gens qui s'adonnent tout entiers à un travail d'importance. Ils talonnaient en plein air, au coude à coude, soutenus et relancés par deux voix de tête, un chanteur et un déchanteur qui demeuraient invisibles. Sans doute étaient-ils eux-mêmes dans la chaîne. Mais j'avais l'impression curieuse que le chant était produit par les pieds des danseurs. Une ampoule électrique, sur une façade de maison, éclairait pauvrement la scène. On distinguait vaguement les coiffes rondes, les plastrons blancs des hommes et leurs visages luisants de sueur. Avant d'arriver, nous avions mis nos phares en veilleuse pour ne pas troubler la cérémonie.

Nous avons sorti les appareils d'enregistrement sans que personne se fût occupé de nous. Tout était prêt quand l'aubade prit fin. Alors, je vis s'approcher vivement une vieille femme toute ronde et hors d'haleine. Elle était en chaussons et tenait à la main une paire de souliers cirés. Elle me les mit d'autorité dans les bras et me dit, en français : « Tu vas me garder mes souliers ici, dans ta voiture. » Et moi de lui répondre, en breton : « On vous les gardera. N'ayez pas peur. » La vieille femme jeta un coup d'œil plus attentif sur les appareils, le technicien casqué, puis elle m'empoigna par le veston pour s'écarquiller les yeux sur moi, au comble de l'étonnement. « C'est toi qui parles breton dans le poste ? C'est toi Jakez ? — C'est moi. — Mais tu es tout jeune ! Je croyais que tu avais presque mon âge, d'après ta voix. Ça ne fait rien. Il faut que tu viennes danser avec moi. » Il a fallu y aller. J'ai fait tout mon possible pour ne pas déshonorer la compagnie.

Que dirai-je de plus ! Elle n'a pas raté une danse, de toute cette nuit glorieuse. De temps en temps, elle revenait vers la voiture : « Et mes souliers ? — Ils sont toujours là. » Elle repartait dans la foule. Vers le matin, le temps fraîchit. J'avais revêtu mon manteau quand elle vint me chercher pour une dernière danse. Comme elle s'inquiétait beaucoup de ses souliers, j'en mis un dans chaque poche et c'est ainsi que nous terminâmes la fête. Elle était contente. « Rends-moi mes souliers, maintenant ! C'est dimanche. Il faut que j'aille à la messe de six heures et ma paroisse est à plus d'une lieue d'ici. Au revoir ! Chance et bonheur pour toi ! »

Elle disparut dans la nuit, ses souliers à la main.

LA MARRAINE

Cette année-là, Hervé Boédec et son ami Louis Le Braz avaient passé devant le conseil de révision. Le gars Louis avait eu un moment d'inquiétude. On l'avait fait revenir une seconde fois, alors qu'il achevait de se rhabiller. Mais c'était seulement parce que l'un des messieurs, ayant oublié ses lunettes, avait confondu Le Braz avec Le Barz. Bref, ils avaient été déclarés tous les deux bons pour le service et pour les filles. Depuis, ils n'avaient pas cessé de marcher la poitrine haute au risque de faire sauter le deuxième bouton du gilet de velours. Et voilà maintenant qu'ils avaient reçu leur feuille pour aller servir au 35e d'artillerie à Vannes. La première aventure, quoi ! Ils iraient prendre le grand train à Quimper et déjà ils se faisaient un peu de souci à l'idée qu'il faudrait bien regarder les gares pour ne pas dépasser la bonne. Mais bah ! On verrait bien.

Pour le moment, il leur faut faire le tour de la famille pour dire au revoir. Les oncles, les tantes et même les cousins doivent être avertis par vous-même, et en personne, des événements majeurs de votre existence. Le parrain et la marraine d'abord.

C'est la moindre des choses à faire quand on a été bien élevé comme les deux jeunes gens. Et puis, pour être franc tout à fait, le devoir de votre parentage est de vous pourvoir de quelques pièces d'argent (ou même d'un gros billet selon les moyens de chacun) en vue des jours arides de l'état militaire, n'est-ce pas ? On veut bien avoir faim chez soi de temps à autre, mais non pas soif à la caserne. Sans compter qu'il faut tenir son rang, payer à boire à votre tour, si vous ne voulez pas déshonorer le parentage en question. A lui donc de vous donner de quoi le représenter dignement. Rien de plus juste.

Voilà Hervé et Louis en route, sur leurs souliers de cuir, s'il vous plaît. La première étape est à deux lieues seulement, chez la marraine d'Hervé, Philomène Le Bec, une veuve à pension et une bonne personne s'il en est. Philomène les reçoit avec mille compliments, les présente avec orgueil à ses voisins qui renchérissent de leur mieux. Tout le quartier retentit d'exclamations. Quels beaux gaillards ! Les deux jeunes gens n'ont pas assez de sang pour se rougir la face, tant ils éprouvent de honte et de plaisir à la fois. Puis la marraine les fait entrer chez elle et se met en devoir de les régaler comme il faut.

Il est seulement trois heures de l'après-midi, mais Philomène a sauté à la boucherie pour acheter de la viande douce. La faire cuire demande un peu de temps. Alors, pour faire patienter ses convives, la brave femme débouche une bouteille, apporte un pain de trois livres sur la table avec le plat de beurre qui pèse presque autant. « Coupez du pain, dit-elle, mettez du beurre dessus. A votre âge, on a toujours un boyau vide. N'ayez pas peur ! » Et la voilà qui s'affaire à son feu, qui sort ses assiettes au coq rouge et ses bols à liséré d'or. Tout en courant et en bavardant à travers la pièce, elle réfléchit à la somme qu'elle donnera tout à l'heure à son filleul pour qu'il fasse bonne figure à la caserne. Si elle donne trop, on la croira plus riche qu'elle n'est, on l'accusera peut-être de faire honte aux autres membres de la famille qui n'ont pas de pension du gouvernement. Si elle donne trop peu... non, elle ne donnera pas trop peu, sûrement pas. Mais quelle somme donner pour se trouver entre le trop et le trop peu ? « Coupez du pain, dit-elle encore. Mettez du beurre dessus ! » Et elle met la viande sur le feu. Elle va vers l'armoire du fond pour voir si elle a de quoi. Il faudra aussi donner quelque chose à Louis Le Braz. Il n'est pas de la famille, mais la filleule de son père a épousé le beau-frère de Philomène. Quel casse-tête ! Il aura sa part, Louis Le Braz. « Coupez du beurre, dit-elle. Mettez du pain dessous ! » Et elle rit de toute sa gorge sans regarder autour d'elle, tant elle est préoccupée par sa cuisine et ses comptes.

Enfin, la viande est cuite. La voilà sur la table. Mais les deux jeunes gens ne peuvent plus avaler un morceau. Aussi timides l'un que l'autre, ils ont obéi à Philomène, trop obéi. Ils ont coupé, beurré, mastiqué de leur mieux. Le pain de trois livres y a passé, la moitié du beurre aussi. Alors, Philomène leur fait la leçon : « Gardez-vous d'obéir ainsi à votre adjudant s'il vous demande d'avaler votre fusil. »

LE BOITEUX

Vous plairait-il que je vous conte aujourd'hui l'histoire de Loupig ar Zamm qui désira se rendre jusqu'à la ville de Rennes pour voir la statue du nommé Leperdit ! Qui a été ce Leperdit, Loupig ne le savait pas et Loupig n'en avait cure. Il était prêt à le respecter de confiance comme tous ceux qui ont mérité de rester debout dans une chemise de bronze après leur mort. Il doit y avoir assez de raisons pour leur faire un tel honneur, et si coûteux. Loupig était un trop pauvre bougre pour discuter ces choses-là. S'il voulait voir la statue de Leperdit, c'est parce qu'un gars de sa paroisse, et du même âge que lui, avait fait son régiment à Rennes. Ce gars-là, depuis qu'il était rentré au pays, n'arrêtait pas de raconter par le menu, d'un comptoir à l'autre, toutes les belles choses qu'il avait trouvées dans la grande ville. Et chaque fois, quand il devait se taire enfin, parce qu'il manquait de salive, il se tournait vers Loupig ar Zamm. Il le regardait avec pitié, tout en clignant de l'œil aux autres. Et il disait : « Le pauvre Loupig ar Zamm qui est ici ne verra jamais le quart de ce que j'ai vu. Il ne verra jamais la ville de Rennes, ni la place Leperdit avec la statue qui est au milieu. »

Loupig ar Zamm était boiteux. Il boitait même si bas de la jambe gauche qu'il semblait endurer mille peines pour se relever à chaque pas. A chaque pas, son épaule s'abaissait en tournant comme on fait quand on va endosser une culasse de grain ou de pommes de terre. Et c'est pourquoi on l'appelait Loupig ar Zamm (1). A cause de cette disgrâce de son corps, on n'avait pas voulu de lui pour le service militaire. En ce temps-là, c'était une humiliation sans pareille. Les jeunes gens qui allaient passer le conseil de révision se mouillaient le cuir d'angoisse, à l'avance, en pensant qu'ils pourraient être refusés, renvoyés honteusement à la maison comme « pitance à poules ». Quand ce malheur arrivait, le jeune homme devait dire adieu aux grands métiers, premier valet de charrue, porteur de moulin, scieur de long, est-ce que je sais ? Adieu aux manches galonnées de sous-officier ou de second-maître. Adieu aux filles bien pourvues comme aux chevrettes sans un liard en plus de leur jupon. Passe encore pour les infirmes. Ceux-là savaient depuis toujours, et Loupig le pre-

(1) Loupig au fardeau.

mier, quelle planète les attendait. Mais ceux qui avaient toutes les apparences de la bonne santé et auxquels le premier médecin de leur vie découvrait un mal caché, ceux-là en avaient pour des années à digérer leur rancœur avant de se résigner. A moins de se libérer par la corde, cela s'est vu.

Or, la mauvaise jambe de Loupig ne l'empêchait nullement d'être un gaillard. L'autre jambe en valait presque deux. A défaut d'équilibre, il avait beaucoup de force. Une fois assis, quand on jouait à mesurer la résistance de l'avant-bras, le coude sur la table, c'était lui, le plus souvent, qui ramenait la main de son adversaire contre le bois. Et joyeux de vivre avec ça. Il se levait le matin en sifflant, il se chantait le soir pour s'endormir et il n'arrêtait pas de rire entre les deux. Un luron, je vous le dis.

Et un jour, le luron en question, fatigué sans doute d'entendre l'autre butor faire semblant de le plaindre devant les autres parce qu'il ne verrait jamais la ville de Rennes et ses trésors, déclara tout de go : « Demain, de bonne heure, je prendrai la route à pied pour aller saluer ce monsieur Leperdit dans sa chemise de bronze. Si vous avez quelque nouvelle à lui porter, mettez-la dans mon sac, je ferai la commission de bonne volonté. Et je vous rapporterai aussi la preuve que je serai allé là-bas. »

Tous les autres éclatèrent de rire à pleines mâchoires. Mais, pour une fois, Loupig ar Zamm ne riait pas. Il ne voulait pas dilapider ses forces le moindrement, même en faisant un vain bruit avec sa bouche.

Le lendemain, notre homme se mit en marche avant le lever du soleil. Il avait plus de cinquante lieues à faire avec sa bonne jambe et la mauvaise avant de rencontrer le corps de bronze du nommé Leperdit. Pour épargner son haleine, il évita de siffler. Tout alla fort bien jusqu'à Coray où il trouva refuge dans une écurie pour la nuit. Mais le jour suivant fut difficile à vivre pour le pauvre Loupig. Le vent soufflait en rafales sur la route et prenait le boiteux du mauvais côté. Il tomba deux ou trois fois avant Gourin, malgré le bâton de houx dont il s'aidait pour mieux endosser son fardeau invisible. En traversant les landes de Plouray, sa jambe gauche, sans aucune raison, refusa de lui obéir. Il dut se ramasser dans un fossé comme une bête à l'agonie. Un jour encore, et le voilà qui se traîne à travers Guéméné, le voilà qui se martyrise le corps pour atteindre Pontivy à cloche-pied ou presque. Tout au long du chemin, les gens le prennent en pitié ou le tournent en dérision, ce qui revient au même. Le quatrième jour, enfin, Loupig ar Zamm décida de ne plus s'occuper de sa misérable carcasse et de se faire tirer jusqu'à Rennes par sa tête.

Et voici comment il fit. Il commença par se raconter l'histoire d'un grand-oncle qui avait fait deux fois le voyage de la Nouvelle-Calédonie pour convoyer des forçats enfermés dans des cages de fer sur le pont du navire. Chaque voyage avait duré seize mois. C'est long, seize mois. Mais la Nouvelle-Calédonie est à combien de fois cinquante lieues d'ici ! Ce n'est rien, cinquante lieues. Et Loupig ar Zamm souriait en traversant Loudéac sur un nuage. Ensuite, quand il eut épuisé les souvenirs du grand-oncle, il appela dans sa tête un vieillard qu'il avait connu et qui avait fait la guerre dans les Etats du pape. La guerre finie, il était revenu de Rome jusqu'à Penmarc'h à pied, en usant vingt et une paires de sabots. Voilà quelqu'un à qui cinquante lieues n'auraient pas fait peur. Et Loupig ar Zamm est arrivé à Saint-Méen sans savoir comment. De ses jambes, la bonne et la mauvaise, pas de nouvelles. Elles devaient travailler quelque part sous sa tête sans oser se plaindre par peur de faire sortir de la tombe le soldat et le marin du même coup. Mais elles n'avançaient plus guère. Pour couvrir les dernières lieues, Loupig dut se raconter à haute voix une histoire qu'il avait soigneusement réservée en cas de défaillance. Celle d'un grand-père à lui, un protestant qui s'était battu pour sa foi contre une demi-douzaine de gaillards dont le curé de la paroisse. Il avait si bien abîmé ses adversaires, le bougre, qu'il avait gagné quinze jours de prison ferme. La prison était à Rennes justement. L'honnête homme s'y rendit à pied et revint de même après avoir fait sa pénitence. Loupig finissait tout juste son histoire quand il entendit les pavés de Rennes sonner sous ses pieds. Il eût été bien incapable de dire comment il avait dormi et mangé pendant les derniers jours. Mais il était frais comme un poisson de godaille.

Que dirai-je de plus ? Il alla voir l'homme de bronze et lui tira son chapeau : « Monsieur Leperdit, dit-il, je vous salue pour moi et pour ce chenapan d'Yves Le Skanv (1) qui a la tête aussi légère que son nom. » Ensuite, il se rendit à la mairie de Rennes. N'ayant jamais fréquenté aucune école, il n'avait pas beaucoup plus de mots français dans sa bouche que d'écus dans son gousset. Il faisait de son mieux pour s'expliquer avec les plumitifs quand le maire lui-même vint à passer. Loupig et lui s'entendirent tout de suite et si bien que le monsieur fit attendre un grand mariage pour s'occuper du boiteux.

Le gars prit tout son temps pour revenir à la maison par un autre chemin. Passant par Quimperlé, lui qui avait toujours mangé au bord des routes le contenu de sa musette, il mit les pieds dans une auberge de commis-voyageurs, il s'assit à table avec une serviette autour du cou comme un monsieur. Au diable, l'avarice ! Enfin, un dimanche matin, il se trouva sur la place de son village au moment où finissait la grand-messe. Et là, il fit bannir sur la croix, par le bedeau, le papier qu'il avait transporté dans son chapeau : « Nous, maire de Rennes, cheva-

(1) Skanv = léger.

lier de la Légion d'honneur, certifions avoir rencontré, dans notre hôtel de ville, l'honorable homme Loupig ar Zamm, venu spécialement dans cette ville pour saluer la statue de Leperdit. » Et le reste. Avec tous les cachets qu'il fallait. Et la signature.

Désormais, ce fut au tour de Loupig ar Zamm de parader devant le comptoir. Il en avait vu davantage, en trois semaines, que n'importe quel autre en sept ans.

UNE BÊCHÉE DE TERRE

Il était dans son champ, immobile dans ses vieux habits sans couleur, une épaule plus haute que l'autre, la tête penchée en avant sous le chapeau informe. De la route, on aurait dit un épouvantail dressé là pour écarter des semis les oiseaux pillards. J'ai sauté la barrière, j'ai remonté l'étroite piste marquée dans l'herbe par combien d'allées et venues de sabots de bois pendant combien d'années de fatigue ! Je sifflais un air pour m'annoncer, comme on doit le faire quand on est un homme poli qui marche sur la terre des autres. Il ne bougeait toujours pas. Quand je fus près de lui, je m'aperçus qu'il contemplait rêveusement une bêchée de terre grasse qu'il venait de retourner. Un lombric se tordait, livide et violacé, sur le fer de l'outil.

« Vous voilà en train », dis-je. C'est là un bout de phrase que l'on sort quand on ne sait pas quoi dire, un bout de phrase de précaution pour ne vexer personne. Il est plus difficile de parler à un paysan qu'à n'importe quel grand de la terre. Le paysan ne branla pas d'une ligne. Son regard ne quitta pas la bêchée de terre, mais j'entendis sa voix unie : « Quand je pense que j'ai remué cette terre pendant toute ma vie sans chercher plus loin que ma peine et mon plaisir, j'ai envie de croire que je suis sage parmi les sages. — Pourquoi ? — Il y a là plus de secrets qu'il n'y en aura jamais sous l'enveloppe du radome, à Pleumeur-Bodou. Et moi, je n'en connais pas un seul, pas même le plus petit. Je les porte tous sur ma bêche, regardez ! Mais je ne suis pas tenté de fourrer mon nez dans les affaires du Seigneur. — Et pourtant vous dites votre prière devant ce tas de secrets. — Non. Je me réjouis d'avoir vécu dans l'ignorance. Je n'en sais pas plus que ce ver qui est là, tenez, nu sur ma bêche. — Vous n'avez rien appris de la terre, depuis cinquante ans que vous la retournez ? — Rien qui compte. Elle m'étonne toujours autant, avec cette vie qui lui grouille au ventre. Il paraît que c'est expliqué dans les livres. Moi, je n'ai aucune envie de savoir. Cela ne changerait rien à ma peine et mon plaisir en serait gâché. — Et quel est votre plaisir ? — C'est de m'étonner de tout ce qui sort d'une bêchée de terre, au printemps. Pour le reste, je fais ce qu'il faut faire. » Le ver était tombé dans le sillon. Du tranchant de la bêche, il le coupa net : « C'est cela qu'il faut faire ? — Oui. Ce ver est mon domestique. Il remue la terre pour moi, il la fait respirer. Maintenant qu'il est coupé en deux, chaque morceau fera un ver tout neuf. J'aurai deux domestiques. — Vous en savez, des choses », dis-je. Alors, l'homme éclata de rire, appuyé sur sa bêche : « Quelques-unes, monsieur. »

LA GLOIRE DE L'AUBE

Il se trouve des gens pour croire et publier que les paysans ne sont pas frappés par la magnificence du monde et particulièrement par la nature. Pour eux, sans doute, un laboureur n'élève jamais son regard au-dessus de la crinière de son cheval. Quelle erreur ! Une fois, un Cornouaillais m'a chanté la gloire de l'aube sur un air qu'on ne trouve jamais dans les livres, à ma connaissance. Et lui, il était dans son champ, à cinq heures du matin. Il ne rencontrait pas l'aube au hasard. Depuis quarante ans et plus, ils avaient rendez-vous ensemble tous les jours.

Une nuit que nous avions été au bal à Peumerit (c'était autour de mes vingt ans), je revenais à la maison de mon père à travers champs avec un de mes amis, assez pressés l'un et l'autre : c'eût été une honte pour nous si le coq de Penkleuziou avait chanté avant que nous ne fussions allongés dans nos lits, aussi tranquilles que les anges du Paradis. En ce temps-là, un jeune homme aventurait sa réputation quand il restait à danser « par-dessus le coq », c'est-à-dire jusqu'à l'aube. Nos pauvres mères auraient rouillé leurs joues et navré leur cœur à force d'entendre les commères épiloguer venimeusement à propos des enfants perdus qui courent les chemins de nuit et restent à pourrir les draps quand le soleil s'est levé sur les remparts du ciel.

C'est pourquoi les deux chats-de-lune allongeaient le pas, aussi vite qu'ils pouvaient, à travers les sentiers blêmes, à la lisière des terrains labourés. Mais ils eurent beau faire patte de velours, quelque chien ravagé d'insomnie leur vomit dessus sa réprobation rauque. Un autre s'éveilla plus loin et se mit à faire son vacarme, et puis un autre encore. Quand je tournai mon regard vers l'est, je vis comme une paille de seigle à l'horizon, une paille de seigle livide et mal nourrie. C'était la prime aube. Le taillis et les talus demeuraient encore dans l'ombre, mais la blancheur blafarde gagnait les champs découverts. Là-bas, à Penkleuziou, le damné coq allait secouer ses plumes. Les chiens, ses complices, nous conduisaient vers lui par un chemin sonore. Ecœurant ! Nous étions destinés à entrer dans le bourg juste à l'heure où les bonnes gens s'attaqueraient aux travaux du lundi matin. Une honte pour nos ancêtres. Pour nos descendants, nous verrions plus tard.

Mon camarade décida de traverser les pièces de terre pour abréger la route et faire cesser les aboiements. Nous abandonnâmes l'ombre des arbres. Alors, nous aperçûmes, au milieu des terres, le fantôme d'un paysan à côté du fantôme d'un cheval, parfaitement immobiles l'un et l'autre, tournés vers l'est. Le versoir d'une charrue luisait faiblement entre eux. Arrivé assez près : « Salut à vous, dis-je, vous êtes de bien bonne heure avec votre travail ! » D'abord, le paysan ne répondit rien et ne réagit pas le moindrement. Un temps après : « Salut à vous, dit-il, vous êtes bien tard avec votre dimanche ! » Mais il ne bougea pas la tête, il tint son regard fixé vers l'est. Le cheval souffla des naseaux un bon moment et fit frissonner sa peau sous le harnais. Etait-ce de mépris pour nous ? La buée de son haleine répandit une odeur de corne.

La jeunesse est irascible, comme on sait. Nous allions river son clou au laboureur, sec et net, quand nous vînmes à penser que nous marchions sur ses terres. Et d'ailleurs, l'homme souriait. Je regardai vers l'est. Entre-temps, la paille de seigle avait changé de couleur, elle ressemblait maintenant au chaume rouge du sarrazin. Et le ciel, autour d'elle, était une peau claire sous laquelle courait le sang. Sur la gauche, une pièce fraîchement labourée sortit de l'ombre, des sillons brillants de rosée nocturne. Traversé d'un air vivace, le bloc massif du taillis libéra ses arbres, se mit à vivre par toutes ses branches. Un vent faible passa ses coups de démêloir, nonchalamment, pour faire la toilette matinale de chaque chose. Le paysan leva la main : « Ecoutez, dit-il, ils vont se mettre à chanter ! » Il connaissait l'instant juste car, aussitôt après, le taillis résonna du babillage des menus oiseaux. « L'alouette n'y est pas encore, continua le paysan. Mais, pour moi, c'est le moment de relever la charrue. Un temps magnifique, les gars ! Après une aurore pareille, le pauvre coupeur de vers travaillera tout au long du jour avec un colombier dans la tête. » Là-dessus, il attela son cheval sans sonner un mot de plus.

Vers l'est, le chaume de sarrazin avait pris la grosseur d'une gerbe. Une charrette cahotait dans le chemin creux derrière notre dos. Nous entendîmes claquer un coup de fouet. Une alouette jaillit d'un sillon et s'éleva tout droit, sifflant ses roulades, pour se perdre dans le ciel. Encore un instant et ce fut le chant du coq de Penkleuziou qui se moquait de nous. Le soleil alluma sa lumière de jour et nous voilà tous les deux au milieu des terres avec une ventrée de honte, tout nus dans nos habits du dimanche.

LA FAIM

La vieille Madalen a entrepris de me raconter ses misères par le menu. Et pendant qu'elle s'y emploie, elle se fait tant de plaisir avec ses mémoires qu'elle en perd le souffle à force de rire. « Je vais sûrement me déranger le ventre », dit-elle en essuyant quelques larmes avec son mouchoir. Et elle s'esclaffe de nouveau. Soixante-quinze ans et pas une ride quand elle ne parle pas. Pourtant, depuis le jour où elle vint au monde jusqu'à ses dix-huit ans, il faut reconnaître qu'elle en a vu de dures. « Et après vos dix-huit ans, Madalen ? — J'étais grande servante, c'est-à-dire un peu mieux que la maîtresse en ce temps-là. Ensuite, j'ai toujours réussi à me nourrir le corps. Pas toujours du bon et pas souvent du gras, mais assez ! » Aujourd'hui, elle a quelques économies et la retraite des vieux. Autant dire qu'elle n'arrive pas à manger ses sous. Il va en rester après elle malgré le café de premier choix dont elle est si friande et qu'elle offre à tout venant. Surtout à quatre heures. On raconte que chez elle il est quatre heures plusieurs fois par jour. C'est qu'elle a tant de bols de café à rattraper, la Madalen.

« A douze ans, dit-elle, j'étais petite servante à Lostanloc'h. Je ne mangeais pas souvent à ma faim. Les autres non plus, d'ailleurs. Il y avait là une vieille belle-mère qui tenait à l'œil tout ce qui pouvait s'avaler. Alors moi, quand je m'arrêtais un instant de travailler, j'entendais chanter mes entrailles. A cet âge-là, vous savez, il est plus difficile de durer avec le ventre vide que de marcher comme je faisais avec deux sabots qui n'étaient pas de la même paire. Au moins, je pouvais jouer à leur changer de pied de temps en temps parce qu'ils étaient trop grands pour moi. Mais toujours la faim m'empêchait de rire. Ecoutez ! Un hiver, je n'arrêtais pas de tousser, j'avais la poitrine en feu, j'étais si faible que j'ai osé coller mes lèvres à une cruche qui contenait le lait réservé aux petits cochons. Hélas ! La garce de vieille m'est tombée dessus. Quelle danse ! Elle m'a fouettée d'abord parce que j'étais une voleuse. Et ensuite, quand elle a un peu réfléchi, elle m'a fouettée une seconde fois parce que le reste du lait risquait de contaminer les chers animaux. Je ne sais pas si c'est le lait ou la raclée, mais mon rhume a guéri. Voilà ! »

Madalen renverse la tête en arrière pour mieux rire. Quand elle a fini, elle continue : « Le maître de Lostanloc'h avait un fils de neuf ou dix ans, un garçon de petite santé. Pour lui, la vieille femme mettait du beurre sur toutes les crêpes alors que, pour les autres, elle graissait seulement la dernière de loin en loin, quand elle avait rêvé au Jour du Jugement. Aussitôt que l'enfant était revenu de l'école, elle le tirait par la main jusqu'à une chambrette située entre la cuisine et la laiterie. Et là, elle gavait son petit-fils, souvent malgré lui, de toutes les bonnes choses qu'elle avait pu trouver. Moi, pour mon travail, je devais traverser dix fois cette chambre pendant qu'il mangeait. Et lui, pour ne pas me donner mal au cœur, il cachait de son mieux son assiette pendant que je passais. Si la vieille n'avait pas été là, il aurait partagé avec moi, c'est sûr. Un bon garçon comme on n'en voit pas souvent. C'est pourquoi il est mort avant d'être devenu un homme.

« Un jour, je souffrais tellement de la faim que je regardais mes pieds comme s'ils avaient appartenu à quelqu'un d'autre. Dans le bas de l'armoire à lait, il y avait un croûton de pain qui moisissait depuis quinze jours. Je l'ai raflé en passant, je l'ai caché vivement dans la poche de ma robe avant de partir au champ avec les autres pour arracher des carottes à vaches, vous savez, celles qui ressemblent à des betteraves malades. Lorsque chacun fut occupé à son travail, j'ai sorti le croûton et me voilà en train de le ronger du mieux que je pouvais, moisissure et tout. Mais le maître, en tournant la tête, s'est aperçu de mon manège. Il a cru que je mangeais un morceau de carotte au détriment de ses vaches. Alors, il m'a giflée trois fois à droite et trois fois à gauche pour m'apprendre à être honnête. Il m'a giflée si fort que ma coiffe s'est détachée de mes cheveux. Je suis allée dans un coin du champ pour la remettre et j'en ai profité pour dévorer ce qui restait du croûton. Je l'avais bien gagné à la chaleur de mes joues, n'est-ce pas ?

Mais le maître était le fils de sa mère : il frappait d'abord, il réfléchissait ensuite. Le soir, le voilà qui me dit : « Fillette, ce n'était pas une carotte que vous mangiez dans le champ, tout à l'heure, sinon j'en aurais trouvé les fanes quelque part. C'était peut-être du pain ou de la viande que vous aviez volé ici ? Il vaut mieux avouer tout de suite, sans quoi votre peau changera de couleur. » Là-dessus, il m'empoigne par les deux bras, il me secoue comme du grain dans un tamis. Et qu'est-ce qui est arrivé ? La porte s'est ouverte. On a vu entrer le petit garçon qui était sorti un peu auparavant. « Père dit-il, comme c'est drôle ! J'ai trouvé cette carotte à moitié mangée dans le tas qu'on vient de déverser dans la grange. » C'était lui, bien sûr, qui avait fait le coup. Il savait que j'avais déjà payé pour la carotte, il ne voulait pas que je paye encore pour le croûton qui m'aurait coûté beaucoup plus cher. Un bon garçon, je vous le dis. Il n'était pas fait pour vivre en ce temps-là. »

LES CHEMISES DES MORTS

C'était dans les Montagnes Noires, il y a bien des années. Exactement le 3 décembre. De Glomel, où se tenait une session d'étude des bretonnants, nous étions venus à Leuhan un dimanche. Nous y étions venus, s'il faut avouer l'entière vérité, pour une raison de haute gastronomie. Au lever du jour, quelques-uns, que dévorait l'amour de la science, avaient proposé d'aller faire une enquête, à Roudouallec, au sujet des gens de cette paroisse qui s'exilent volontiers en Amérique et reviennent en Bretagne, après vingt ou trente ans, pour faire bâtir, aux environs du bourg natal, des sortes de petits manoirs dans le style hérité de la guerre de Sécession. Mais deux autres, qui professaient assez d'égards pour leur ventre, avaient entendu, hélas ! chanter les louanges du pain de seigle et du pain doux de Leuhan, peut-être des deux à la fois. Or, on doit beaucoup de respect à l'amateur de pain de seigle et beaucoup d'indulgence à l'amateur de pain doux. Nous avons suivi l'un et l'autre après avoir démontré aux enquêteurs que c'eût été faire fi du dimanche que de poser des questions aux gens entre la grand-messe et les vêpres. Ils ont convenu assez vite que nous avions raison. Trop vite, peut-être. Sans doute ces monstres scientifiques avaient-ils conservé quelque trace d'humanité ?

Quand nous arrivâmes à Leuhan, au début de l'après-midi, une volée de cloches grêles s'éparpillait à travers la campagne. L'air portait bien, encore que le silence fût un peu épais autour de nous. Le bourg parfaitement désert jouait à la capitale du *Bois dormant.* Il m'a fallu un moment pour reconnaître qu'il y avait un écho, quelque part, qui doublait le son d'une cloche unique. Elle rendait un son un peu fêlé, ou peut-être était-ce une frette desserrée qui résonnait par sympathie. Elle n'était pas du tout près, cette cloche, et pourtant on avait l'impression, rien qu'en prêtant l'oreille, de pouvoir entendre ronfler la corde. Je ne sais pas pourquoi j'ai eu envie, aussitôt, d'aller voir cette chapelle secrète qui appelait du fond d'un vallon. Cela m'arrive quelquefois et jamais je n'y résiste.

Quand la cloche se tut, le silence me tomba sur les épaules, insupportable. J'étais sur le point d'aller tout seul à la recherche de la chapelle quand je vis revenir les autres, qui avaient terminé leur tour du bourg. Ils avaient trouvé le pain de seigle et le pain doux, si bien qu'ils étaient d'excellente humeur. Et puis, ils savaient maintenant pourquoi Leuhan était un désert ou presque : c'était le jour du pardon de Saint-Diboan ; c'était la cloche de Saint-Diboan qui appelait les gens aux vêpres. Je me suis rappelé d'un seul coup. A Leuhan, saint Diboan a chipé la place d'un saint Abidon quelconque dont personne ne sait à quoi il sert. Tandis que notre saint Diboan à nous est le meilleur médecin de Bretagne. C'est lui, et nul autre, qui soulage les malades agonisants, soit en les replantant tout frais sur leurs pieds, soit en leur donnant le coup de la mort (1). C'est pourquoi on l'appelle aussi saint Tupetu (2). Il nous fallait bien rendre visite à ce puissant seigneur.

C'était justement la fin des vêpres. J'ai reconnu le son grêle de la cloche, tout en me demandant comment elle pouvait porter si loin avec si peu de langue. Les gens sortaient de la chapelle et allaient se rassembler autour d'une croix de pierre mutilée. Quelqu'un, qui était sans doute le bedeau, monta sur le socle de la croix, un paquet de linge sous l'aisselle.

Alors commença une vente aux enchères assez curieuse parce qu'on ne vendait que des chemises d'hommes et de femmes, devant une assistance silencieuse et recueillie. Le bedeau ne poussait guère à enchérir. Il dépliait une chemise et disait d'une voix égale : « Pour saint Diboan. Celle-ci n'est pas mauvaise. Mettons cinquante francs ! » L'homme présentait la chemise autour de lui pendant qu'il jetait un chiffre après l'autre : « Quatre-vingt-dix frans ! Cent francs ! Six-vingt ! Elle est à vous ! » Tout était bien réglé, n'est-ce pas ?

Vint un moment où il montra une chemise de chanvre à l'ancienne mode avec une collerette tuyautée. Ces choses-là ne se voient plus. L'un de nous voulut l'acheter pour un musée dont il s'occupait. Il crut pouvoir proposer une assez forte enchère et à voix haute. Aussitôt, le bedeau se figea, la bouche ouverte sur neuf heures, pour nous regarder d'un œil de réprobation. Les assistants s'écartèrent de nous et se mirent à chuchoter entre eux par petits groupes. Nous étions assez navrés. Avions-nous péché envers le saint ? Etions-nous réprouvés parce que l'un de nous s'était mêlé au jeu ? Nous ne savions plus quoi faire, ni les autres non plus. Le bedeau avait ramassé la chemise contre sa poitrine pour la protéger de

(1) *Diboan* = soulagement.
(2) *Tupetu* = d'un côté ou de l'autre.

mains sacrilèges. A la fin, un brave homme qui nous connaissait s'approcha de nous : « Vous ne savez peut-être pas, dit-il. Ces chemises ont appartenu aux gens qui sont morts dans cette paroisse pendant l'année. Les parents les apportent pour qu'elles soient vendues sur la croix au profit de saint Diboan. C'est pour que leurs défunts montent plus vite au Paradis, comprenez-vous ! Mais chaque famille rachète les chemises des siens. Vous feriez mieux de vous retirer. »

Nous avons présenté nos excuses. Le pain de seigle était un peu amer et le pain doux n'avait plus aucune saveur.

LA BOÎTE D'ALLUMETTES

Pourquoi j'ai mis le feu à Runelvez ? Pour disposer de ma juste part, même en fumée. Est-ce ma faute si la part du maître a brûlé aussi ! Il n'avait qu'à séparer la sienne de la mienne comme il a voulu me séparer, moi, de Runelvez. Et voilà le résultat ! Comment vous dites ? Je ne possède aucune part de Runelvez ? Ecoutez, monsieur ! Il y a, d'un côté, une poignée de papiers chez le notaire. De l'autre, il y a trente ans de ma vie. On me dit que la vie d'un homme ne vaut plus rien dès qu'elle est derrière lui tandis que les papiers, plus ils sont vieux et plus ils ont de valeur ? Alors, expliquez-moi comment il m'est venu une boîte d'allumettes entre les doigts, pourquoi j'ai pleuré du sang quand la première flamme s'est mise à ronger le foin dans la grange ! Voilà pour ma vie. Mais au moins Runelvez ne sera plus à personne, avec ou sans papiers. Moi, je ne sais pas lire.

J'entends raconter autour de moi que je suis un simple d'esprit et qu'on va me tirer de là pour cette raison. Me tirer d'où ? Je ne suis plus nulle part depuis que Runelvez a brûlé. Je ne suis plus personne. Qu'on m'enterre au plus vite et vivant si l'on veut, puisqu'on me croit encore en vie. Mais ce n'est pas moi le simple d'esprit. J'ai mis le feu tranquillement, comme j'ai toujours fait ce qu'il y avait à faire. Et puis, je suis parti dans les bois d'à côté. Non pas pour me cacher des gens, mais pour les attendre. Tranquillement. Et les simples d'esprit sont venus me débusquer avec des clameurs et des fusils. Ils ne comprennent toujours pas. Vous non plus d'ailleurs, je le vois bien. La preuve, c'est que vous avez pitié de moi.

Pendant trente ans, à Runelvez, j'ai été journalier. On n'avait pas toujours besoin de mes bras, je ne suis ni fort ni habile, mais j'ai toujours besoin de Runelvez, je n'ai jamais duré un jour entier dans un autre endroit, je n'aurais pas pu. Quand on me demandait de travailler, j'étais nourri, sinon j'errai dans Runelvez avec le ventre vide et j'étais content. Quelquefois, on me donnait des sous, je n'ai jamais compté combien ni quand. Je courais à l'auberge de Ma-Louise pour les boire, puisque les sous c'est fait pour ça, vous ne direz pas le contraire. Il paraît qu'on ne me payait pas assez, qu'il y a une loi pour payer les gens tant et tant. De quoi s'occupe la loi ? Est-ce que je lui demande quelque chose, à la loi ? A Runelvez, tout ce qui m'entrait dans les yeux était à moi, tout ce que je touchais m'appartenait d'un bout à l'autre tant que j'avais les mains, les pieds ou le corps dessus, tant que je respirais autour. C'était moi que les bêtes connaissaient le mieux. Oui, même les bêtes sauvages. Et tout ce qui pousse des racines aussi, je pourrais le jurer. La loi peut-elle protéger cela ?

Donc, l'autre soir, le jeune maître me dit que je devais vider la place une fois pour toutes. Trop vieux, trop bête, pas capable de faire avec les nouvelles machines. Et puis, à cause de moi, il avait des ennuis avec la loi que vous savez. Encore des papiers qu'il m'a montrés. Il m'a dit qu'il ne voulait plus me voir à Ruvelnez, dehors ni dedans. Le vieux maître, celui de mon âge, était là. Il n'arrêtait pas de tousser. Il n'osait pas me regarder. Il n'a rien dit, pas ça. Moi non plus, je n'ai rien dit. La rancune, je ne sais pas ce que c'est. Si je l'avais su, j'aurais descendu le jeune au fusil de chasse. Le vieux aussi, peut-être. Et les autres, pendant que j'y étais. Mais je n'ai rien à faire avec ceux-là. C'est même curieux, quand j'y pense maintenant. A Runelvez, pendant trente ans, pas un être humain ne m'a jamais intéressé ? Il n'y a jamais eu que Runelvez et moi. Et voilà qu'il fallait me séparer d'elle, voilà qu'il fallait l'abandonner à des gens qui étaient seulement ses propriétaires sur le papier, rien d'autre. Vous croyez que c'était possible ? Il ne me restait qu'une façon d'en finir avec tout ça. Je suis allé au bourg, je suis entré dans l'auberge de Ma-Louise, tranquillement, et j'ai demandé, devant tout le monde : « Vous n'auriez pas une boîte d'allumettes à me prêter ? C'est pour faire du feu. »

Dites-moi, monsieur ! Est-ce qu'on lui a rendu sa boîte, à Ma-Louise ?

L'ASSASSIN

La cour d'assises.

On juge un malheureux qui a tué son père, son frère ou son fils, qu'importe ! Reconstitution, pièces à conviction, enquête, motifs, mobile, jalousie, colère, ivresse. L'assassin se tait. Il attend les coups de la Justice. Qu'a-t-il fait ? Il a cassé un bol, une terrine, le verre de la lampe à huile. Pourquoi ? Il ne l'a pas fait exprès. Ces objets n'étaient pas à leur bonne place, ou bien c'est qu'il a toujours été maladroit et que cela devait arriver. Il regrette, bien sûr, non pas de l'avoir fait — IL NE L'A PAS FAIT, cela s'est fait en dehors de lui, il a été seulement l'instrument — il regrette que cela soit arrivé. Mais il ne dira pas qu'il regrette, par peur de laisser croire qu'il a des remords. Et d'ailleurs, il vaut mieux parler le moins possible, les mots sont traîtres. Vous en dites un, l'avocat en entend un autre, le procureur un troisième. Et voilà que, dans leurs bouches, ces mots se mettent à faire des petits, à éclore en curieux poussins qui pépient d'étonnante façon. Plus étonnants encore sont les témoins appelés à la barre : après avoir vécu autour de lui, autour de vous pendant des années, ils vous connaissent un peu mieux que leurs vaches, mais plus mal que leurs chiens. L'assassin, au moins, sait maintenant qui ils sont, s'il ne sait pas encore qui il est lui-même. Il écoute de tout son corps. L'audience l'intéresse. Et dire que tout cela c'est à cause de lui, pour lui. Un personnage qu'il est ! Il va pouvoir en conter, à la prochaine foire, à la prochaine partie de cartes ou de boules. Les autres, là-bas, ils en ouvriront des fours jusqu'à la luette. Il faudra qu'il paye à boire pour les remettre.

L'assassin écoute son avocat qui dévoile son caractère, explique l'homme qu'il est à ces messieurs en robe, entourés d'autres messieurs et dames qui ont tout l'air d'être des conseillers généraux ou au moins des maires. On les a fait venir ici pour lui et voilà l'avocat qui fait son éloge. Il est fier. Il ne savait pas qu'il était un homme important ni surtout qu'il se passait autant de choses dans sa tête. Il redresse les épaules, il se croise les bras, il cherche comment faire pour paraître modeste. Il regarderait bien ses souliers, mais il ne peut pas les voir. Il se contente de faire aller un de ses pieds sur le plancher, comme on fait quand on est debout et qu'on réfléchit.

Une main lui frappe sur la manche. Il tourne les

yeux et il voit les galons du gendarme. Le gendarme ! Qu'est-ce qu'il a fait ? Ah ! oui ! Quand son malheur lui revient à l'esprit, un robin a jailli en face de lui et donne de la voix avec violence. Celui-là ne l'aime pas, c'est clair. Mais pourquoi ? Le président frappe sur la table pendant qu'un murmure s'élève au fond de la salle. L'assassin serre les poings d'inquiétude. Il voudrait bien desserrer sa cravate. Il n'est pas bien non plus dans ses habits du dimanche. Dommage qu'on ne puisse pas venir ici avec le gros gilet de laine. Il faut se vêtir aussi bien que pour aller à la messe. On parle toujours très fort, le ton ne descend pas. L'homme est inquiet. Et le murmure reprend. Un coup d'œil du côté où regarde le président : « Je vais faire évacuer la salle ! » Des têtes qui bougent, un remous de corps derrière une balustrade. Qu'est-ce qu'ils ont donc à remuer et à bavarder comme ça, dans ce tribunal qui ressemble si bien à une église ? Ils n'ont pas honte ?

Le président fait bien de les gourmander. En vérité, il n'y a que lui qui soit sage, ici, lui et les gendarmes. Les autres nourrissent du bruit. Et d'abord, pourquoi ouvrir la porte à tant de monde ! Des gens qu'il ne connaît pas, des étrangers aux nez qui flairent. Il a tué son père, son frère ou son fils. C'est un malheur, non ! Les voisins et les parents peuvent venir le plaindre, mais les gens des villes ! Qu'est-ce qu'ils cherchent ? A se moquer de lui, peut-être ! Par moments, on dirait même qu'ils vous insultent. La fourche, oui !

Mais les messieurs-dames, autour du président, se tiennent bien. Ceux-là savent, peut-être, ce que c'est qu'un pauvre homme qui a perdu son père, son frère ou son fils. Et personne pour lui coudre un morceau de tissu noir sur sa veste bien qu'il soit en grand deuil. Des larmes coulent en lui, quelque part. Il pense au jour où il a cassé la cafetière de grès. Il était un enfant trop brusque, trop violent. Depuis, il a eu bien d'autres malheurs. Le dernier, c'est celui-ci. Il lui est arrivé de s'empoigner avec son frère et, quand l'empoignade fut finie, son frère était mort. Ou bien, il a un peu bousculé son père qui ne voulait pas se mettre à la retraite depuis dix ans, et le père est tombé, le père s'est fendu la tête. Il a morigéné son fils, comme doit le faire un père conscient de ses devoirs paternels, et le fils s'est retrouvé par terre, baignant dans son sang. Et lui, maintenant, il est en grand deuil dans cette église, dans ce tribunal où l'on enterre légalement les vivants à cause de vrais morts qui sont déjà enterrés ailleurs. Lui, il n'a pas suivi le corps de son père, de son frère ou de son fils. Il n'a pas eu la permission. On l'a fourré en prison à cause de sa mauvaise planète. Et quoi faire ! Il ne saurait pas s'expliquer. L'avocat lui-même, qui a la langue bien pendue, a beaucoup de mal à s'en tirer. Il est obligé de chercher des mots qui sonnent bizarrement. Les gens ne comprennent pas, n'est-ce pas, les gens ne comprennent jamais. Ni les parents quand on a cassé quelque chose. Maintenant, il attend que les coups tombent. Il lève le bras pour les parer. L'office s'achève.

Vingt ans.

LES TROIS MARIE

Il y a des jours où le ballet des trois Marie se déroule autour de ma maison selon des règles secrètes qui tiennent à l'humeur de chacune d'elles. Mais qui saura me dire comment il peut se faire qu'elles ne se rencontrent jamais, bien que Marie-Louche soit complètement aveugle ou à peu près, Marie Taille-la-Route toujours en voies et en chemins, la Marie de la Marie-Jeanne-du-Pré assise sur quelque talus, contant ses peines aux oiseaux du ciel à défaut de passants miséricordieux. Certains jours, à peine la première a-t-elle disparu que la seconde se montre à moi et je sais que la troisième est déjà en train d'arriver, inéluctable. Pour moi, les trois Marie ne sont pas des femmes, mais des planètes qui connaissent leurs justes heures et ne peuvent point les changer.

C'est toujours la pie du cerisier malade qui entre en transe pour les annoncer. Curieuse bête ! Elle est là-bas, au plus haut de l'arbre, perchée sur une branche morte, tournant autour de sa queue et battant frénétiquement des ailes avec des cris de colère. Elle m'a réveillé, à cinq heures du matin, en frappant des séries de cinq coups brefs avec son bec contre la vitre de la cuisine. Si je dois en croire ma voisine, cette pie-là renferme l'âme de l'ancien propriétaire de ma maison qui voudrait y rentrer. La voisine sourit en disant cela, mais ses épaules frissonnent et elle se croise les bras pour se frotter les coudes. C'est peut-être seulement la fraîcheur du petit matin. Moi, je ne demande pas mieux que d'ouvrir la porte à cette pie, avec ou sans âme. Or, quand elle entend grincer la serrure, la voilà qui s'envole, hargneuse, et va s'en prendre aux pneus de ma voiture qui n'en peuvent mais. Après quoi, cette folle ira faire son cirque au bout de sa branche morte. Voyez plus haut.

C'est alors que, du côté du portail, une voix s'élève pour glapir : « Vous n'avez pas honte de crier comme ça ! Vous feriez bien de vous mettre la tête à tremper dans une terrine de petit lait, espèce de sotte ! Quand vous l'aurez ramollie un tantinet, alors vous pourrez peut-être chanter le coucou. Tchi ! Tchi ! » La pie ne peut pas tenir devant une semonce pareille. Rendue muette sur le coup, elle s'empresse de déguerpir, sous la protection du talus, vers l'intérieur des terres. Au revoir !

C'est Marie-Louche qui vient de réussir ce miracle : couper le sifflet à une pie. Marie-Louche est appuyée contre ma barrière blanche, plus blanche que sa canne d'aveugle. Une vieille femme à la taille épaisse, avec toujours une main ouverte sous le front pour se protéger les yeux. On se demande comment fonctionne le peu de vue misérable qui lui reste. On dirait que la lumière du jour doit faire plusieurs angles droits avant d'entrer en elle. Elle regarde par terre pour épier les nuages et elle lève la tête quand elle veut voir ses sabots. Je m'approche lentement. Quand elle sent que je suis devant elle, aussitôt l'aveugle me tourne le dos : « Si votre cheval a la diarrhée, dit-elle en confidence, menez-le à Clohars. Il laissera tomber sa maladie sur la frontière des deux paroisses. — Marie, je n'ai pas de cheval. — Fumier, répond la vieille. Je vais au cimetière. Là, au moins, il n'y a personne pour me contredire. » Et elle s'ébranle, lourdement, sur ses jambes-échasses, en caressant de sa canne blanche les buissons de noisetiers.

Peu après, j'entends des bottes de caoutchouc qui frappent la route à pas pressés. Un visage maigrichon, empaqueté dans un mouchoir sans couleur, m'observe avec deux yeux d'anthracite à travers ma haie de troènes un peu clairsemée. Une voix rauque interroge : « Aurez-vous des haricots verts ? Les miens sont les plus beaux du pays. » Une main sale aux doigts crochus me fait voir la marchandise : « Je n'en ai pas besoin, Marie. — Ce n'est pas la peine d'avoir besoin. Ceux-là descendent tout seuls à l'intérieur et vous laissent la santé en chemin. Il y en a trois livres tout juste. » La femme ne s'en ira pas. Je paie les trois livres de haricots verts. Alors Marie, sévère : « Je vous ai vu, l'autre jour, appuyé contre mon talus, près du lavoir. Faites attention, une autre fois. — Avez-vous peur que je démolisse votre talus avec mon dos, Marie ? — Mon talus est à moi, pas à vous. » Et elle fonce plus loin, tête en avant, à toute allure, à la poursuite de son temps perdu. Celle-là, c'est Marie Taille-la-Route, l'avare. On dit même qu'elle cueille ses haricots, de nuit, dans des champs qui ne sont pas forcément siens. Je pèse les trois livres, pour voir. Il y en a un kilo quand on sait fermer légèrement les yeux.

La Marie de la Marie-Jeanne-du-Pré se montre plus tard dans la journée. Celle-là ne s'approche pas de ma maison. Je la rencontre assise au bord de la route, rouge braise, noyée dans ses larmes. Elle a un petit coup de vin rouge sous le nez. La pauvre femme se frappe la poitrine avec son poing fermé, s'accusant de tous les péchés du monde. Ensuite, elle s'attaque à chanter de longues plaintes à propos de sa dure vie, de sa pauvreté, de l'indifférence du prochain : « Il ne faut pas vous en faire, Marie, lui dis-je, cela ira mieux demain. » Elle s'arrête de pleurer tout net : « Qu'est-ce que j'ai à voir avec demain, mon homme ? C'est d'aujourd'hui qu'il s'agit. Et quand nous aurons attrapé demain, ce sera encore un autre aujourd'hui. » Là-dessus, la misérable se met debout pour entreprendre une nouvelle étape de son chemin de croix.

CONFIDENCES DU MAIGRIOT

On m'appelle Maigriot. J'ai bien eu un autre nom qui me venait de mon père, mais, à force de ne jamais entendre le bruit qu'il faisait sur les lèvres des gens, j'ai fini par l'oublier moi-même et il est mort, le pauvre. Il est mort et enseveli à la mairie, au milieu des papiers jaunes. Tant mieux pour lui et pour ceux qui l'ont porté avant moi, gens honnêtes et sans orgueil comme on n'en trouve plus. Moi, je suis célèbre dans les deux cantons, mais j'aimerais me passer de cette gloire. On m'appelle Maigriot parce que j'ai à peine pour deux sous de corps. Cela ne serait pas suffisant, peut-être, pour qu'on se moque de moi si je n'étais pas aussi gaucher des quatre membres et des deux yeux. C'est trop de disgrâces à la fois pour un seul petit homme. Les gens sont trop proches parents du diable pour me pardonner ces offenses à la communauté. Ils rient si fort en me voyant que j'ai peur, moi, de les voir avaler leur langue, nouer leurs entrailles ou se casser une jambe à cause des efforts qu'ils font pour mieux se moquer. Il ne me suffit pas d'être gaucher, je suis bon par-dessus le marché. C'est une infirmité de plus. Dieu vous en garde !

Pourquoi leur en voudrais-je, d'ailleurs ! Je suis vraiment un gaucher. Le meunier de Bod-Keo lui-même n'y peut rien. D'un coup de pouce, cet homme-là vous remet en place un membre ou une ligne de dos. Il vient à bout des rhumatismes en crachant dans ses deux mains. Même, il a guéri un bègue après avoir fait le tour de la paroisse, à califourchon sur ses épaules. Mais il ne sait pas comment on répare un gaucher. C'est pourquoi il est resté gaucher lui-même.

Je suis gaucher depuis que je sais me servir d'un couteau. Une fois (j'avais alors autour de cinq ans), j'étais tranquillement debout contre la table, en face de mon père, en train de manger de la viande bouillie. Soudain, mon père dressa la tête, écarquilla les yeux et se mit à crier : « Mille tonnerres ! Cet enfant est gaucher. » Ma mère, qui remuait attentivement des pommes de terre dans la marmite pour les empêcher de coller au fond, laissa tomber ses bras, accablée de stupeur : « Gaucher ! Sainte Vierge ! — Oui, gaucher ! hurlait le père au risque d'étouffer de fureur. Regardez-le ! Il tient son couteau dans la main gauche. Comment pourra-t-il jamais gagner son pain ! Et vous, vous n'avez pas trouvé le moyen de le corriger de ce défaut ! Que faites-vous de votre temps ? N'est-ce pas à vous de vous occuper des enfants ! C'est terrible. Et tout cela doit venir de votre côté. Dans ma famille, grâce à Dieu, jamais on n'a connu de gaucher depuis Mathusalem. » Et tout se mit à trembler dans la maison, au bruit de la dispute. Et le chat, flairant qu'il était de trop dans cette affaire, fit un bond dehors par la fenêtre. Et les pommes de terre commencèrent à brûler pour me faire honte. Et moi, bon garçon, voilà que je change mon couteau de main. Cela n'a pas raté. Je me suis coupé deux doigts et j'ai cassé mon assiette. Alors, mon pauvre père a bien été obligé de me donner deux gifles pour m'inviter à prendre soin de mon capital de travailleur, c'est-à-dire de mes mains. Après quoi, ma chère mère s'indemnisa, sur mon arrière-train, du dommage que j'avais causé à sa vaisselle et à l'honneur de sa famille.

Plus tard, je me rappelle avoir couru les pardons derrière elle, à la recherche d'un saint assez puissant pour guérir la gaucherie. En vain. En vain le maître d'école m'a-t-il attaché la main gauche derrière le dos pour me forcer à écrire de la main droite. Cette main droite ne m'a jamais servi qu'à me gratter la tête et à faire semblant d'aider l'autre. Mais, avec la main gauche, je suis plus habile que n'importe qui avec le corps tout entier, y compris l'intérieur de la tête. Si vous voulez en faire l'expérience, sur le dur ou le mou, je suis votre homme.

Cependant, les mauvaises langues n'ont pas manqué de me mettre sur le dos les vieilles fables qui courent toujours. Ecoutez ! Je suis dans la cour de la caserne, incapable de marcher au pas des autres. L'adjudant me dit : « Maigriot, vous savez distinguer la paille du foin. Bien. Attachez une paille sur cette chaussure-ci, un brin de foin sur l'autre. Quand le sergent commandera " en avant, marche ! ", vous saurez que vous devez partir d'abord de la chaussure à paille. Ensuite, vous n'aurez plus qu'à dire " paille, foin ! paille, foin ! " au lieu de compter " une, deux ! une, deux ! ". » J'ai bien entendu. Mais un certain sacripant a entendu aussi. Il prend rang derrière moi. D'abord, tout va très bien. Hélas ! voilà que l'autre se met à rythmer à voix haute : « paille, foin, fumier ! paille, foin, fumier ! ». Avant cinq minutes, j'ai perdu la tête, je ne sais plus quel pied lever. Et le Maigriot tombe sur le nez, dans le tintamarre du fusil, de la baïonnette et du sac, avant d'aller faire pénitence au trou.

Celui qui vous dira ce conte borgne, celui-là sera un fieffé menteur. La vérité, c'est que, dans ma jeunesse, quand on allait couper un champ de blé à la faucille, je ne pouvais pas me mettre sur le même rang que les autres à cause de ma main gauche. Il me fallait prendre le champ à l'envers et tout seul, sans la moindre compagnie. C'est pourquoi j'ai pris la manie de converser avec moi-même et de m'écouter avec bienveillance. Que la vôtre soit aussi grande à mon égard. Excusez-moi, je vous prie.

LE MEUNIER PRIS DE COURT

En ce temps-là, les meuniers étaient des gens capables. A force d'endosser des sacs de grain ou de farine, de les charger et de les décharger, ils acquéraient une force et une adresse telles que peu d'hommes osaient leur chercher noise, même quand le meunier était une meunière qui n'en valait pas moins. Ils s'exerçaient entre eux à soulever des sacs pleins avec la seule force des bras et sans toucher le corps. Les jours de fête, ils étaient les premiers à concourir pour le lever de perche ou d'essieu, le lancer de pierre lourde et la lutte à la mode de Bretagne. Aussi ne trouvaient-ils pas souvent leurs égaux. Il faut avouer qu'ils avaient toujours de quoi se remplir le ventre alors que, pour les autres, c'était souvent les Quatre-Temps du Carême.

Notre meunier à nous s'appelait Jakez du Moulin. Cela suffisait, sans autre nom, pour le mettre à sa place dans la société. Mais il avait un nom de famille que les petites gens ne prononçaient qu'avec le respect dû aux grands personnages. D'ailleurs, il était né pour commander aux autres. Outre son nom et son moulin, il avait un caractère assez raide, une parole autoritaire et une carcasse si bien trempée qu'il ne craignait ni homme ni animal vivant. Cela lui valut, tout au long de sa vie, bien des triomphes. S'il lui arriva quelquefois d'être pris de court, du moins n'a-t-on jamais pu l'accuser d'avoir descendu sa bannière devant un chrétien baptisé. Mais écoutez plutôt !

Un jour, notre homme se rendit au port de Saint-Guénolé pour chercher des têtes de poissons. Je ne sais plus très bien ce qu'il voulait en faire, mais lui le savait sans aucun doute car il méditait soigneusement tous ses actes. Il y alla à vélo, avec un compère à lui. Au retour, les deux hommes passèrent par le bourg de Penmarc'h. Et là, il y avait la fête après le pardon. Dans un champ, près de l'église, le plus fort lutteur du coin faisait justement le tour de l'aire en brandissant dans sa main un paquet de tabac. C'était là l'enjeu de la lutte. Mais personne ne relevait le défi du champion. Ceux qui s'étaient déjà mesurés à lui avaient laissé la marque de leurs épaules sur le vert du pré. Jakez du Moulin n'y put tenir. Il mit bas la veste, il s'avança, il prit le poignet du lutteur : « Arrêtez là, dit-il, si vous êtes un homme pour moi. » L'autre, qui s'appelait Marc quelque chose, étonné et furieux de se voir provoqué par un étranger qui avait des pinces à bicyclette au bas de son pantalon, crut n'en faire qu'une bouchée. Il en fut pour sa courte honte. Le meunier ne prit même pas la peine d'enlever ses pinces. Il attaqua comme l'éclair et, après quelques prises pour tâter ce que l'autre avait dans le corps, il lui servit un « corne-cul » de première classe avant de le plaquer au sol en faisant toucher à la fois la nuque, les deux épaules et l'endroit où les animaux ont la queue. Une chute sans bavures. Mais c'est que l'assistance ne voulut pas accepter la défaite du champion local. Huées, injures, menaces, coups de poing. Bref, Jakez du Moulin et son compère durent battre en retraite précipitamment, reconduits jusqu'aux limites du bourg par une foule hurlante qui les bombardait de têtes de poissons, celles-là mêmes qu'ils étaient venus chercher de si loin. C'est tout juste s'ils purent sauver leurs vélos. Mais Jakez du Moulin, dans l'affaire, perdit son veston qui contenait sa bourse et sa montre. Le gars prit le deuil pour trois mois pleins et tout son entourage connut le purgatoire pendant le même temps.

Mais il restait au meunier à connaître une épreuve pire encore. Personne n'était venu tout seul à bout de Jakez. Il ne permettait pas qu'on lui marchât sur les pieds, même par mégarde, ni qu'on lui fît du vent en passant trop près de son veston. Or, un jour, une jeune fille de seize à dix-sept ans, en courant sans trop faire attention, comme on court à cet âge, le heurta juste au moment où il avait le pied en l'air. Et voilà le Jakez proprement renversé sur le dos pour la première fois de sa vie. La jeune fille, épouvantée, était restée là, tremblant comme une feuille de bouleau, s'attendant à recevoir une énorme gifle qui l'aurait renvoyée chez elle sans toucher terre, avec, dans la tête, un soleil en menus morceaux. Jakez se releva : « Qui êtes-vous ? dit-il. — La fille de Kernoël », bredouilla la petite. Alors, Jakez éclata de rire : « Eh bien, beaucoup de forts gaillards se sont demandé comment il fallait faire pour me " tomber ". Il fallait simplement une " pissouze " comme toi. »

Mais il ne revint jamais de son étonnement.

PETIT MORCEAU

Une fois, Petit Morceau se trouva pris par la nuit sourde sur la route de Keribilbeuz. La lune était allée se cacher derrière les nuages, pareille à une tendre fillette qui a honte de se montrer aux garçons. Pourtant, à son âge, elle devrait être assez impudente pour regarder n'importe qui sans rougir. Et qu'est-ce que la lune, après tout, sinon une motte de vieux beurre qui ne trouverait à se vendre nulle part ! Petit Morceau était de mauvaise humeur à cause de cette lune. Il comptait sur elle pour l'emmener joliment jusqu'à sa maison, assise quelque part trois lieues plus loin et qui ne pouvait pas venir au-devant de lui. Si encore il avait été seul ! Mais il avait son cheval de fer (1) à traîner, un cheval aveugle puisqu'il lui manquait la moindre lanterne sur le front. Et Petit Morceau jurait les sept cents barriques de tonnerre chaque fois qu'il s'écorchait le tibia contre la pédale qui trouvait toujours le moyen d'être où il ne fallait pas, la vache ! C'est alors qu'il vit venir derrière lui deux cyclistes, deux ombres épaisses derrière deux halos de lumière, de vrais morceaux de soleil tombés au sac de la nuit. *Gloria in excelsis !*

« Hep ! Arrêtez un peu, bonnes gens ! Vous n'avez pas honte de gaspiller tant de charbon pour vous deux ! La moitié suffirait pour une famille de sept créatures. C'est heureux que vous m'ayez trouvé sur

(1) Sa bicyclette.

votre chemin pour vous aider à profiter de votre dépense et gagner des indulgences pour les péchés faits et à faire. Ecoutez ! L'un de vous roulera devant pour me montrer le chemin, pauvre aveugle de moi. L'autre restera derrière pour me surveiller de peur que je ne me perde. Le gars qui est entre vous deux n'est pas n'importe qui. Petit Morceau est mon nom, bien que j'approche des six pieds et des deux cents livres. Mon père, Dieu lui pardonne, quand on lui demandait autrefois : « Vous aurez un morceau de pain, Jean ? répondait à toute heure du jour : oui, un grand morceau. » Et moi, fils de Grand Morceau, je suis Petit Morceau jusqu'au cimetière. J'ai un autre nom, à la mairie, mais je l'ai partagé entre mes trois fils qui sont allés gagner leur pain à Paris. Ils sont obligés de faire avec le même, tous les trois. Il y a tellement de monde, là-bas, qu'on ne peut pas trouver un nom pour chacun. En revanche, ils se disent monsieur et madame les uns aux autres.

« Vous n'êtes pas bien bavards, tous les deux. C'est vrai qu'il n'est pas facile de parler et de pousser sur la pédale en même temps. Il faut aller chercher son haleine jusqu'à la ceinture pour monter cette côte sans mettre pied à terre. Je ne sais pas qui vous êtes, mais vous vous en tirez très bien. Vous devez être bien nourris le dimanche et sur la semaine. Moi, je suis un peu essoufflé parce que je ne peux pas durer sans tenir conversation. C'est pourquoi ma femme Catherine a enlevé la lanterne de ma bicyclette et l'a cachée dans l'armoire, derrière mes chemises. Vous entendez ! Cela fait que je devrais rentrer à la maison avant la nuit au lieu de rester à raconter ma vie à Pierre et à Paul. Mais quoi faire ! Je ne suis pas seul. Pierre et Paul aiment bien m'entendre conter ma vie. Et me voilà sur les routes après minuit au risque de tomber entre les pattes du nouveau brigadier, un pète-sec, dit-on. Quel nom a-t-il, déjà ?

— Le Gall, répondit le cycliste qui était derrière Petit Morceau. Et aussitôt, il poussa son vélo pour venir à la hauteur de celui qui était devant. On était arrivé au bourg de Keribilbeuz. Petit Morceau mit pied à terre. « Merci à vous ! hurla-t-il. — Il n'y a pas de quoi. Tout le plaisir a été pour nous », répondirent les deux autres, en passant justement devant la vitrine éclairée d'une auberge. C'étaient deux gendarmes.

LA LANTERNE MAGIQUE

Les hommes de la lanterne magique arrivèrent à Pouldourig le samedi avant le pardon. Ceci se passait en l'année 1925. Ils avaient avec eux le cinéma, du cinéma muet comme de juste puisque la parole n'a été mise dessus que quelques années plus tard. A peine furent-ils arrivés, le temps de dételer la voiture, et l'on entendit résonner le tambour sur la place. Un grand gaillard aux cheveux noir chaudron braillait son prône si fort qu'il en faisait trembler les coiffes sur les têtes des femmes et les vitres sur les fenêtres.

« Ce soir, après souper, dans la maison du cabaretier Courtaud, on jouera un cinéma d'une sorte que vous n'avez jamais vue dans cette ville et que vous n'êtes pas à la veille de revoir avant longtemps. Une seule représentation avec le plus grand film produit jusqu'ici dans l'univers tout entier et dans les pays qui l'entourent : *Le Fils du Contrebandier.* En fin de séance, pour faire plaisir aux petits enfants aussi bien qu'aux grandes personnes, on vous montrera Charlot, oui, Charlot lui-même pendant son temps de soldat. De quoi rire à plein ventre. Et combien le coup ? Un écu peut-être ? Non ! Ni même quatre réaux. Pour que chacun, riche ou pauvre, puisse venir voir Charlot dans ses grimaces, seulement dix sous pour les grands, cinq pour les enfants et rien du tout pour les poupons nourris au sein. Venez tous à la séance de cinéma nouveau, ce soir, dans la maison du cabaretier Courtaud. Il y aura des bancs ou des chaises pour s'asseoir. Ceux qui aimeront mieux s'étendre par terre, il ne leur en coûtera pas un liard de plus. »

Jean Orge-Avoine traînait la semelle par le bourg juste au moment où le gars de la lanterne magique élevait son appel. Il avait un peu entendu parler du cinéma auparavant, mais il ne lui était jamais arrivé d'aller voir cette boutique à images. « Autant vaut que j'y aille pour une fois », se dit le bon petit homme. Et ouste à la maison pour avaler sa soupe à l'oignon et le revoilà au bourg, ayant ciré ses souliers cuir et bois, son chapeau enrubanné de soie sur le côté de la tête. Un faraud, non !

La salle du cabaretier Courtaud était pleine à éclater de grandes personnes et d'enfants de tous les âges, quelques chiens parmi eux qui aboyaient sur le tapage. Dans le bas était dressée, sur un grand trépied, une mécanique éclairée de l'intérieur et qui répandait une odeur semblable à celle du carbure dont Jean alimentait la lanterne de sa bicyclette. Dans le haut, un drap blanc était attaché au mur. Jean trouva le moyen de poser une demi-fesse sur le premier banc dont personne n'avait l'air de vouloir. Il se trouvait si près du drap qu'il voyait parfaitement les lettres brodées dans le coin et un grand morceau de toile neuve cousu en plein milieu, apparemment pour boucher un trou d'usure. Il n'était pas le seul à l'avoir remarqué car les gens, dans la salle, élevaient la voix pour se moquer : « Allons, Courtaud, il est temps que vous achetiez un drap neuf pour votre lit. Celui-ci est suffisamment pourri. Il n'est plus bon qu'à tamiser de la bouillie en grumeaux. » Et tout le monde de rire, et les chiens d'aboyer, affolés par le tumulte. Là-dessus, d'autres gens se mirent à hurler, rouges de colère : « A qui diable appartiennent ces chiens ? Jetez-les dehors ou demandez à leurs maîtres deux sous de monnaie de chien ! » Aussitôt après, on entendit la porte s'ouvrir et s'enfuir les pauvres bêtes avec des jappements pitoyables, quelque sabot sous la queue.

Soudain, on éteignit la lumière et la compagnie fondit dans l'obscurité. La rumeur et le chahut cessèrent, sauf que l'on entendit un enfantelet gémir, angoissé d'une peur noire : « Paix ! Paix ! cria une grosse voix dans le fond de la salle, donnez-lui le biberon, à celui-là ! » Et l'enfantelet de hurler à pleine gorge, que c'en était stupéfiant. Alors, une autre voix s'éleva près de la porte : « Emmenez votre marmot dehors, Catherine, il a envie de gâter de l'eau, m'est avis. Si vous restez là, vous attraperez de la pluie chaude en plein giron. » Et les rires de redoubler.

Mais le maître du cinéma était prêt derrière sa mécanique. Il demanda aux Pouldourigeois de faire silence. Aussitôt, on entendit comme le bruit d'une chaîne de bicyclette tournant en arrière, la roue libre. Le drap blanc fut éclairé sur toute la surface, y compris le morceau cousu. Il y avait écrit dessus : LE FILS DU CONTREBANDIER. Le gaillard aux cheveux noir chaudron cria : « Le fils du contrebandier ! » Immédiatement, ceux qui n'avaient jamais été à l'école, les anciens du bourg, entamèrent leur plainte : « Qu'est-ce qu'on a écrit là ? Moi, je ne connais pas une bribe de français et pourtant je lis très bien le breton sur le grand livre de la Vie des Saints. Barba, dites-moi donc ? — Je ne sais pas mieux que vous, Stéphanie, pas un poil. — Mais mon petit-fils nous dira. Petit Noël, qu'est-ce qui est écrit ? — Le fils du... con...tre...bandier, déchiffra péniblement le petit gars, l'haleine courte. — Qu'est-ce que c'est, un contrebandier, Petit Noël ? — Je ne sais pas très bien, grand-mère, on verra tout à l'heure. »

Sur le drap brodé de Courtaud le cabaretier, on raconta tout du long l'histoire déplorable d'un garçon de douze ans qui tentait d'arracher son père aux mains des douaniers. Le père faisait la contrebande du tabac entre la France et l'Espagne. Les gars du gouvernement avaient repéré ses traces à travers les grandes montagnes. Ils étaient sur le point de lui tomber sur l'échine quand son fils intervint. Et ce dernier détourna les gabelous sur un autre chemin, petit renardeau qu'il était de race. Hélas ! A force de fuir devant eux, il advint qu'il fut fatigué à mort et au risque de tomber entre leurs griffes. Dans la salle, chacun le prenait en pitié, car les gens ont bon cœur à Pouldourig et ils se tiennent toujours du côté du plus faible. Chaque fois que les maltôtiers allaient mettre la main sur l'enfant, deux ou trois hurlaient : « Garde-toi, garde-toi bien, petit ! Les voilà dans ton dos, ces sacs à mangeaille ! » Celui qui criait le plus fort au garçonnet de faire attention, c'était Fanch Runevez, douanier lui-même et qui connaissait les tours de ses collègues. Là-dessus, la mécanique s'arrêta net. Il n'y avait plus rien dedans. Le maître du cinéma se mit en devoir de l'alimenter à nouveau : « Aplaudissez, mesdames et messieurs, ordonna le gaillard aux cheveux noir chaudron. Cela vaut la peine, non ! » Et l'on fit claquer les mains comme le tonnerre pendant que Stéphanie demandait à Barba : « Qu'est-ce que c'est que ces manières de faire du bruit avec les mains, aujourd'hui ! De mon temps, on poussait des iou ! Le monde tourne trop vite pour moi. Je ne peux pas le suivre. »

Jean Orge-Avoine avait été épouvanté quand il avait vu le cher petit cherchant à fuir devant les gabelous. Quand la mécanique se remit à moudre ses images, le drap lui fit voir le large dos d'un poursuivant qui grimpait sur une roche pour s'emparer du pauvre garçon. Celui-ci ne pouvait pas aller plus loin, à moins de se jeter dans les eaux d'un torrent qui coulait sous la roche. Une affaire à se briser le corps. Le douanier montait toujours, une pièce d'homme épais et lourd. Et Jean pensa en son for intérieur : « Le pauvre petit est brûlé si je ne fais pas quelque chose pour le tirer de là. Mais quoi faire ? »

Croyez que notre homme de bien se trouvait mal à l'aise sur son banc. Vint un moment où il ne put pas y conserver son derrière en paix. On le vit bondir sur le drap en hurlant à tue-tête : « Arrêtez donc, mauvais maltôtier ! Laissez aller ce petit-là où je me charge de vous ! » Et il tenta d'empoigner le ceinturon de cuir du douanier pour l'empêcher de continuer son ascension. Hélas ! Il n'empoigna que le drap dans ses doigts. Le drap se déchira, se détacha du mur et tomba sur le sol, ensevelissant à moitié le pauvre Jean, pendant que la mécanique continuait à tourner et à éclairer la maçonnerie. Car le mur n'était pas crépi et l'image fut brisée en petits morceaux, aussi clairs que le brouet des cochons quand il commence à bouillir. Un terrible chahut s'éleva dans la salle du cabaretier Courtaud : « Qui est-ce qui a fait l'idiot par là ? — Qui ? Mais c'est Jean Orge-Avoine. — Il n'a pas sa raison, celui-là. Qu'est-ce qui l'a mordu ? » Et par-dessus les autres, la voix de la grand-mère : « Petit Noël, est-ce que c'est Jean qui est le contrebandier ? Jamais je ne l'ai encore entendu appeler de ce nom-là. Mais maintenant je vois qu'il est assez contrebandier puisqu'il est capable de faire des sottises pareilles. Déchirer le drap de la lanterne magique ! Si ce n'est pas une honte ! »

En peu de mots, pauvres gens, le Jeannot fut traîné dehors par le gaillard aux cheveux noir chaudron. Celui-ci le poussa de force jusqu'à sa maison où il se fit donner un drap que le petit homme dut prélever sur son propre lit. Si bien que notre gobe-lalune s'en fut se coucher dans un seul drap pendant que toutes sortes de garnements vociféraient devant sa fenêtre :

> « Jeannot n'a plus qu'un drap pourri
> Entre ventre et cul réparti. »

Mais cette moquerie n'importait guère à Jeannot. Dans son lit à demi pourvu, le brave garçon riait de joie silencieuse. Les gabelous n'avaient pas réussi à s'emparer du fils du contrebandier.

VIVRE AU PRÉSENT

LA MÈRE DES POMMES

LE petit Vincent était un garçon sage et obéissant au-delà de la sagesse et de l'obéissance qu'on peut demander à un enfant de Bretagne quand il porte en lui le sang vif de la bonne santé. Jamais il n'aurait cassé ses sabots ni déchiré ses braies, jamais abandonné ses vaches pour aller ramasser du tabac-de-singe dans le bois de châtaigniers, jamais répondu non quand on attendait un oui de sa bouche. Il n'était même pas friand ni glouton. Volontiers, il abandonnait les gâteaux et les douceurs aux autres enfants. S'il avait été complètement irréprochable, ses parents eussent été bien en peine. On raconte que la sagesse trop vite attrapée nous empêche de vivre vieux. Mais le petit Vincent pouvait espérer devenir grand-père parce qu'il était absolument sans force devant un fruit, un seul, mais sans pareil et plus respectable que tous les fruits des vergers : la mère des pommes.

Peut-être ne connaissez-vous pas la mère des pommes ? Peut-être avez-vous un autre nom pour elle ? Au pays du petit Vincent, c'est la dernière pomme restée au bout de la plus haute branche, lorsque toutes les autres sont tombées à terre. Quand on la voit, toute jaune et finement ridée, tenir solidement à l'aplomb du tronc, une fois partie la dernière feuille au vent d'automne, alors on sait qu'il y aura des fruits plein le pommier, l'année d'après. Et pas seulement plein le pommier, disent certains, mais plein le verger, même si les autres arbres sont des poiriers ou des pruniers. Assez étonnant, n'est-ce pas ? Pour le moins, la mère des pommes est le signe de la fertilité, la pomme de la bonne chance. Un vieillard m'a dit, une fois, qu'Adam et Eve ont été bannis du Paradis terrestre parce qu'ils avaient mis la dent sur cette pomme miraculeuse. S'il a dit vrai, c'est le diable lui-même qui aiguillonnait le pauvre cher petit Vincent, car ce dernier n'était tenté par rien d'autre que par la mère des pommes. Mais, tous les ans, il lui fallait lutter longuement et durement contre l'envie de monter dans l'arbre pour détacher la pomme unique et savoir quel goût de Paradis elle avait. Il en perdait l'appétit pendant trois semaines. Et vint un jour où il succomba.

Les parents du garçon étaient assez satisfaits de le voir avaler difficilement sa salive devant la pomme-graine, dernière et première à la fois. Leur fils était un peu pareil aux autres, donc ! Oui, hélas ! mais si les autres pillaient les fruits des vergers d'alentour, jamais le plus irrespectueux de la bande n'aurait osé lever un œil sur la mère des pommes. Il tenait trop à la peau de son derrière. Le petit Vincent, au contraire, ne chapardait jamais une pomme, mais il mourait tous les jours de l'envie du seul fruit défendu. Cependant, son père et sa mère, malgré toute l'affection qu'ils avaient pour lui, devaient lui tenir la bride courte. En laissant leur fils manger la mère des pommes, ils auraient rendu leur clos stérile, dérangé l'ordre de la nature et peut-être offensé le seigneur Dieu, qui sait ! C'est pourquoi ils ordonnaient ferme à l'enfant, aussi souvent que tous les jours : « gardez-vous de détacher la dernière pomme » ! Et la mère ajoutait : « Vous ne la détacherez pas, n'est-ce pas, petit ? » Le petit Vincent avalait sa salive encore une fois avant de répondre, d'une voix faible : « Je ne la détacherai pas. »

Un jour, le pauvre martyr tournait autour du pommier où brillait une mère des pommes comme on en voit une par siècle. Celle-là n'était pas ridée le moindrement, mais de chair grasse, aussi tendre, aussi rouge que les joues d'un bébé nourri au sein. Comment y tenir ? La bouche du petit Vincent fut vite sèche et c'est alors que la lumière jaillit dans sa tête : « Il ne faut pas détacher la mère des pommes. J'ai promis de ne pas la détacher, mais rien de plus. Je tiendrai parole. » Là-dessus, le garçonnet cracha énergiquement dans ses mains et empoigna le tronc de l'arbre pour y monter. En vérité, ses genoux tremblaient sous lui et plus d'une branche lui écorcha la figure parce qu'il était trop ému pour prendre ses précautions. Il tenait ses regards fixés sur la mère des pommes qui se balançait là-haut, au sommet de l'arbre, pareille à une orange roulant sur la nappe du ciel gris. Attention, mon garçon ! Il ne faut pas trop secouer le bois vivant. Si le fruit précieux venait à tomber, vous auriez manqué à votre parole malgré vous. Le petit Vincent se glissa, couleuvre, à travers les branches fragiles, jusqu'à élever sa bouche à la hauteur de la pomme. Aussitôt, l'odeur de fruit mûr lui emplit les narines. Il ouvrit la bouche et mordit, lentement, de peur de casser le pédoncule. La mère des pommes était savoureuse au possible. Tout de suite, l'enfant sut qu'une bouchée ne suffirait pas. Alors, il endormit sa conscience pendant qu'il tournait autour de la pomme d'or, doucement, doucement, y prélevant un morceau après l'autre. Quand il descendit de l'arbre, l'âme sereine et le corps repu, il ne restait plus qu'un trognon sur la plus haute branche. Mais la mère des pommes n'avait pas été détachée.

Pourtant, le père et la mère firent la sourde oreille à ses prétextes. Une heure après leur retour, le petit Vincent n'avait pas fini d'avaler ses larmes. Il était assis sur le seuil de la maison, les braies descendues sur les talons, et il mettait à rafraîchir, sur la pierre froide, la peau enflammée de ses fesses. La dure main paternelle avait meurtri sa tendre chair. A quoi sert-il donc de tenir sa parole ?

CONVERSATION DANS LE TRAIN

Quand je suis entré dans le compartiment, ils étaient déjà là tous les deux. Lui, un vieil homme massif, engoncé dans un gros paletot de laine qui contient difficilement ses fortes épaules et un torse épaissi par l'âge. Elle, une petite bonne femme maigrichonne, en coiffe plate, à dos rond, qui tient contre son cœur un grand sac à provisions. Dignes, propres, presque sévères. Le train part. Un quart d'heure se passe à regarder dehors. Alors, l'homme se monte une énorme main sous la moustache, tousse pour se dégager la gorge : « Donnez-nous donc quelque chose à manger », dit-il. Je reconnais la voix hargneuse du maître de ménage qui obéit à sa patronne à condition d'avoir l'air de lui commander en public. Et c'est à la femme de nourrir son monde, n'est-ce pas ?

Elle s'exécute, descend le sac à terre, en sort une miche, déploie sur ses genoux un mouchoir d'escouade. « Je vais boire un petit coup d'abord, dit-il. — Vous souffrez de la soif ? — Ce n'est pas la soif, mais je n'aime pas manger sur le sec. » Elle a apporté du vin rouge dans une bouteille à limonade. Elle trouve le verre à moutarde, le remplit dans les secousses du train. « Faites attention à votre robe ! »

Il prend le verre où le vin fait de la houle, en entoure le bord de sa large main pour contenir le liquide et sèche le pot du premier coup. « Ce n'est pas bon de boire si vite, dit-elle. — Où voulez-vous que je pose mon verre ? Sur votre coiffe ? » La bonne femme laisse échapper un petit rire sec. L'homme se coupe un bon quignon de pain pendant qu'elle lui ouvre une boîte de pâté. Cela ne va pas tout seul. Il s'impatiente : « Vous allez en venir à bout, à la fin ? — Si vous n'êtes pas content, dit-elle, mangez votre pain sec ! » Il grogne. La boîte ouverte, il mange avec soin, se coupant alternativement de grosses bouchées de pain et des tranches de pâté à même la boîte. Quand il a fini, il me regarde : « Cela fait du bien, dit-il. — Je le crois, dis-je. — Ce n'est pas la faim, soupire le vieux gars, c'est d'être dérangé dans mes habitudes. »

Un « transistor » beugle dans le couloir d'à côté : l'escalade au Viet-nam... « Qu'est-ce que c'est ? dit-elle. — La guerre ! — Jésus ! Il y a encore la guerre quelque part ? — On le dit. — De plus en plus fous, les gens. » Elle a ramassé les provisions, repris le sac contre son cœur. Là-dessus passe dans le couloir un Africain barbu : « Tiens ! dit-elle, je croyais que les hommes noirs n'avaient pas de barbe. — Tout change, pauvre femme. — C'est une usine que je vois là-bas ? — Hum ! Pourquoi les Noirs n'auraient-ils pas de barbe, je vous prie ? Ils ont le droit comme tout le monde. »

Un grand quart d'heure se défait : « Où est-ce qu'il y a la guerre ? dit-elle. — Quelque part de l'autre côté du monde. Chez les hommes jaunes. — Si loin que ça ? » Dix minutes de silence : « Maintenant, on écoute la radio dans les trains, dit-elle. Vous voulez boire encore un peu ? — Est-ce que je vous ai demandé quelque chose ? » Il y avait une grande cheminée qui fumait. « Ils sont de plus en plus fous, les hommes. — Mangez donc un morceau, vous aussi. — Je n'aime pas mastiquer des choses devant les gens. — Parce qu'il vous manque quelques dents, peut-être ? Les gens s'en moquent. »

Un autre quart d'heure encore à regarder par la fenêtre tous les deux : « J'ai vu un tas de planches sous un hangar, dit-il. — Quand même, les hommes noirs, ils ont la barbe assez maigre, vous ne trouvez pas ? — C'est la race. — La guerre ne finira jamais », dit-elle. Le vieux sort son mouchoir de sa poche et se sèche le nez en prenant son temps. Il étale ses larges mains sur ses genoux : « C'était une scierie, Marguerite », dit-il.

MAISONS SANS ÂME

Maïvon est venue me voir. En attendant le bol de café qui baptise tous les jours, pour elle, la quatrième heure après midi, Maïvon a trouvé, sur une table, une revue avec des photos en couleur qui montrent des manoirs, des villas, toutes sortes de maisons belles ou jolies. Les salles et les chambres sont arrangées avec des meubles de style très vieux ou très nouveau, ornées de tapis, de miroirs, de bibelots et de bidules d'autant plus coûteux qu'ils sont plus inutiles, chaque objet à sa place exacte et ciré, peint, astiqué, essuyé, sans marque de choc, sans salissure, sans défaut. Gardez-vous d'aller trop près, de poser votre fond de culotte sur les chaises, d'étendre votre main vers le plat aux oranges (des oranges de plâtre, sans doute), de respirer trop fort pour ne pas faire bouger les rideaux ni déranger l'âme des lignes tirées au fil à plomb. Et restez dehors, plutôt, restez derrière la vitre ! Ce n'est pas pour vous, Maïvon, ni pour moi non plus. Ce n'est pour aucune créature née. Cela existe parce que cela ne vaut que pour la vue. Laissez une poule entrer dedans et sa première fiente fera disparaître cette illusion. Posez votre sabot sur cette moquette bleue et vous n'aurez pas assez du reste de votre vie pour digérer votre turpitude, Maïvon.

« Est-ce qu'on trouve des maisons comme celles-ci, quelque part dans le monde ? — Oui, on en trouve, Maïvon. — Et qui les habite ? Des poupées ? — Des gens pour de vrai, en chair et en os. — Et pourquoi n'en vois-je pas la couleur, sur la photographie ? — On a tiré les portraits des maisons, non pas ceux des propriétaires. — Et comment font-ils pour ne rien salir ni rien déranger ? — Je ne sais pas bien, Maïvon. — Je vais vous le dire. Les propriétaires vivent dans la cuisine, juste comme Françoise Le Roux. Françoise a équipé une salle à manger où l'on ne mange jamais le moindre morceau. Françoise ouvre la porte et vous montre le tabernacle. Vous êtes autorisé à vous émerveiller, non pas à entrer. Ni elle non plus. On mange à la cuisine et c'est très bien. Ma nourriture ne descendrait pas dans un lieu pareil. — Pourtant, Maïvon, il y a des gens qui prennent leur nourriture dans ces endroits-là. — Vous les avez vus, vous ? — Oui, je le jure. — Hé bien ! je ne suis pas étonnée qu'il y ait tant de malades dans les villes. C'est navrant d'aller se nouer les entrailles dans des salles d'église quand on est tellement à l'aise dans la cuisine. »

Maïvon repousse la revue loin d'elle : « Allons ! Est-ce qu'il est chaud, ce café, mon garçon ? » Et elle se mouche le nez avec un bruit de flûte de sureau pour se sarcler l'esprit.

Hélas ! je suis pareil à Maïvon. Quand je vois des revues de luxe qui montrent des maisons-jouets, des pelouses bien tondues, des allées ratissées et surtout, surtout des ameublements parfaits où rien n'est laissé au hasard, où personne n'habite ni ne vit que pour la représentation, le froid me gagne le cœur. Je voudrais au moins, madame Colette, marcher sur un coin du chien qui traîne sur le sol comme un tapis. Et je m'émeus au souvenir des maisons paysannes, des fermes de ma jeunesse avec leurs murs écaillés, délavés, déjetés ; je vois le granit gris, rude à l'œil comme à la main, le désordre apparent des vivoirs paysans, les torchons abandonnés, après un coup à la va vite, pour aller traire les vaches, la toile cirée usée et trouée au bout de la table, là où l'on fait la vaisselle et où l'on élaite le beurre, les sabots sous les meubles, renversés sur le côté comme des navires au sec, leurs semelles de paille et leurs coussinets de foin répandus sur l'aire, le chat qui lappe les flaques échappées des barattes. C'était la pauvreté, soit, mais le quotidien de la vie. On secouait la cendre de sa pipe sur le sol et même (mon Dieu, oui !) le crachat prenait le même chemin. On ne rangeait pas grand-chose parce que tout servait toujours. Le seul ordre était dans les armoires.

Aujourd'hui, on range, on cire, on époussette tous les jours que Dieu fait pour recommencer le lendemain. On crie haro ! sur chaque désordre et chaque microbe. Jusqu'à en oublier de vivre. A force de se laver, on va finir par perdre notre odeur et notre goût d'hommes. C'est navrant. Bientôt, nous irons dans la lune, parfaitement aseptisés.

J'ai tort, n'est-ce pas ? Je l'avoue. Vivent l'hygiène et les arts ménagers ! Mais aux matériaux synthétiques et aux styles industriels, laissez-nous, Maïvon et moi, préférer le grain de la pierre et le bois d'arbre travaillé à la main.

LE PETIT ESCABEAU

J'ai revu, il y a huitaine, le vieil homme que j'appelle ici Jules de la Verveine parce qu'il ne veut pas que l'on mette son nom sur le papier. Il a maintenant quatre-vingts ans révolus. Il était dans son verger, donnant la main à son petit-fils, un garçonnet de cinq ans. Il lui expliquait comment il faut approcher du nid sans effaroucher la mère. C'est une chose à savoir, sur cette terre, quand on vit au voisinage des arbres et des oiseaux. Je l'ai trouvé tranquille et plein de douceur, lui qui était encore si impulsif, il n'y a pas longtemps. Il a ouvert les bras, il m'a montré le garçonnet barbouillé de confiture jusqu'aux oreilles, il m'a dit : « Oui, me voilà mis sur le petit escabeau, cette fois-ci. » J'ai compris tout de suite. Ces paroles étaient pour me faire savoir que l'homme était déchargé de tout, qu'il n'avait plus rien à voir, de près ni de loin, avec les occupations de toute sa vie. Détaché de tout bien, libéré de tout souci, mais promu maître d'école pour ses petits enfants jusqu'à sa mort. La suprême récompense pour un illettré qui ne sait tremper sa plume dans l'encre que pour tracer une croix.

Le petit s'accrochait ferme au pantalon de velours du vieillard. Ses yeux bleus me signifiaient clairement que j'étais un importun. J'ai failli trouver un prétexte pour m'éclipser. J'étais un peu intimidé par ce Télémaque aux moustaches de groseille, aussi provocant que je l'étais moi-même à son âge quand survenait quelqu'un pour détourner de moi mon grand-père Mentor. Pourtant, je suis resté. Moi aussi, je possède quelques droits sur Jules. C'est lui qui m'a fabriqué ma première fronde, un jour de moisson, il y a quarante ans. C'est de lui que j'ai appris, par la suite, les plus étonnants proverbes que je connaisse, car jamais il ne fut un homme du commun troupeau. D'ailleurs, à son attitude, je voyais bien qu'il consentait à se montrer à moi, même sur « son petit escabeau ». Je n'ai pas tenté d'apprivoiser le petit dauphin, mais j'ai fait le tour du verger avec eux. Et le vieux Jules a eu deux élèves au lieu d'un pour sa leçon. Celle-ci n'en a pas été changée le moindrement.

Je ne vous dirai pas quelle a été cette leçon. Nous sommes trop vieux, désormais, vous et moi, et le monde autour de nous a perdu son âge, comme ces vieilles femmes qui reviennent de chez le coiffeur après être passées par les mains du masseur et de l'esthéticien. Or, sachez que Jules nous chanta les vêpres buissonnières avec de tels accents que nous sentîmes tous les trois la fraîcheur du monde au matin de la Création. Bien !

Il n'y a que les très vieux paysans qui soient capables de faire ce miracle, aujourd'hui. Pour cela, il faut vivre dans la simplicité et le désintéressement. Il y a désintéressement quand un homme, qui a travaillé toute sa vie avec une bêche, peut voir cet outil devant lui sans aller y mettre la main. Il y a simplicité quand on se moque parfaitement de la nouveauté, c'est-à-dire quand on ne cherche pas à suivre le train, quand on décide volontairement de rester derrière. C'est alors qu'on est un homme libre. C'est alors qu'un paysan a fini d'être l'esclave de la terre pour devenir son maître. Jules régnait sur son verger et sur toutes les choses vivantes de son verger, y compris le soleil et le vent. Et il avait la bonté d'expliquer pour nous toutes ces choses de la manière dont l'aurait fait, je suppose, le Créateur lui-même : sans aller chercher cinq pattes au bélier, mais avec la voix sûre de l'autorité suprême.

Quant au reste, Jules ne s'en souciait plus du tout. Il ne m'aurait même pas prié d'entrer dans la maison. C'est sa fille qui est venue me chercher pour la goutte de café. Le vieillard s'assit à table devant moi comme un hôte de haut rang, mais étranger. Il était visible qu'il ne voulait rien avoir à lui, sauf son petit-fils entre ses genoux. Là-dessus, la nuit est tombée, la fille a allumé l'électricité et il était facile de la sentir pleine d'orgueil quand elle appuya sur le bouton. L'électricité avait détrôné les lampes à pétrole, dans le hameau, depuis trois mois au plus. J'avais vu, sur le journal, la bénédiction du transformateur. La fille de Jules se trouvait tout de suite derrière le prêtre. Alors, je fis semblant de m'étonner : « Vous avez l'électricité, maintenant ? » L'œil de Jules eut un éclair bref. L'esquisse d'un sourire ironique trembla au coin de sa lèvre. Le vieux Jules de la Verveine flamberait-il encore ?

« Oui, dit-il, ils nous ont mis la lumière-en-fil. — Vous êtes plus à l'aise, n'est-ce pas ? — Ils sont plus à l'aise. — Et vous, Jules ? — Est-ce qu'il est question de moi, mon gars ? Moi, j'ai fini. — Le pétrole était peut-être plus plaisant ? — Le pétrole, c'est de l'huile de terre, mon fils, bon pour les laboureurs de terre. — L'électricité aussi, Jules, d'une certaine façon. — Ah oui ? Et pourquoi n'a-t-elle pas l'odeur ? Pourquoi ne donne-t-elle pas la moindre fumée ? Pourquoi ne peut-on pas lever ni descendre la mèche ? L'électricité travaille toute seule. Elle n'a aucun besoin de vous. On n'aime pas les choses ni les gens dont on n'a pas à prendre souci. Quand il n'y a pas de souci, il n'y a pas de plaisir non plus. D'ailleurs, il n'y a qu'une lumière que j'aime : c'est le soleil. — Mais la nuit, Jules ? — Bien sûr, dit-il, mais l'électricité est trop claire. Quand on oublie de fermer les volets, chaque chien qui passe peut tout voir à l'intérieur de la maison. On se trouve nu avant de s'être déshabillé. Je vais me coucher, tiens ! »

Il se leva de son banc.

« L'électricité, c'est très bon pour ma fille. Mais celui-ci (il montra l'enfant), celui-ci voudra quelque autre chose. C'est bien. Pourvu qu'ils soient assez sages pour conserver le soleil ! »

Ils sont vingt-sept, assis des deux côtés d'une très longue table. Les femmes se comptent plus nombreuses que les hommes, mais le doyen est un petit vieillard, tout sec et tout vif, qui fait sonner très haut ses quatre-vingt-treize ans. A lui seul, il rachète l'insignifiance des mâles, sensiblement plus affaissés, plus éprouvés par l'âge que leurs commères. Celles-ci, pour la plupart, sont guillerettes sous les hautes coiffes blanches où le bleu de lessive, trop généreux, met un reflet de ciel. Il faut les voir se pencher l'une vers l'autre pour se faire des confidences publiques et véhémentes, écartant en arrière, d'un revers de main, les rares hommes qui les séparent. Pauvres hommes pensifs, renfrognés ou béats, qui attendent la nourriture en détaillant les affiches de la salle de bal. *Johnny White et son orchestre typique*. Bien. Mais aurons-nous des tripes ? Près de moi, dans la cuisine, une jeune serveuse, frappée par la Révélation, crie, dans le grésillement des frites : « Mon Dieu ! Ils ont plus de deux mille ans à eux tous. — Idiote, répond la cuisinière, vous n'avez pas honte ! Je le dirai à vos parents. »

On attend le maire pour commencer. C'est la commune qui offre ce banquet d'honneur où les descendants ne sont pas admis et dont les jubilaires, le plus souvent, sont des veufs et des veuves privés de noces d'or. Où diable est resté le maire ? Les vieux s'inquiètent. A leur âge, on est impatient. Ils ne veulent pas rater leur grand jour. Y en aura-t-il beaucoup d'autres ? Le doyen se dépense à droite et à gauche pour excuser le magistrat sur des raisons qu'il invente. Il est facile de voir qu'il est ravi de ce retard, de cette chaise vide au bout de la table qui fait de lui le premier personnage de l'assemblée. Assis ou debout, il garde un pouce à l'entournure de son gilet, l'autre caressant sa moustache, pour bien montrer qu'il se tient droit comme un trait sans aucun besoin de bâton. Il trouve des phrases de conseiller général qu'il distribue d'une voix grave le long des bancs. On fait silence quand il parle. Le vieux coq ne manque pas d'allure. La cuisinière lâche ses fourneaux pour venir regarder son manège : « Il est encore d'aplomb sur ses quilles, le bougre d'homme ! grogne-t-elle. Pas étonnant du tout. Il ne s'est jamais brisé le corps. Il est né riche. Sa mère avait déjà un char-à-bancs. » Mais il y a du respect dans sa mauvaise langue. Cependant, la jeune serveuse aux deux mille ans prend sa revanche : « Vous n'avez pas honte ? » dit-elle.

Et le maire arrive. Il est bien jeune, le maire. A peine quarante ans. Tout son corps exprime la confusion comme s'il venait de courir l'école buissonnière. C'était la réception du chemin rural de K... Ces ingénieurs sont si bavards et il faut pourtant se les mettre dans la manche si on veut en avoir des routes, n'est-ce pas, vous comprenez ! On comprend un peu. Pas tout. Vingt-sept paires d'yeux regardent le délinquant avec une affectueuse sévérité. On lui pardonnera si son repas est bon, l'andouille grasse et la purée bien battue. Asseyez-vous quand même, monsieur le Maire ! Maintenant, l'homme sourit comme un père tout frais devant des enfants fripés. Son rôle n'est pas facile. Il est seul de sa génération. Parmi ces vieilles mains, sagement posées à plat sur la table, trois ou quatre lui ont tiré les oreilles, il n'y a pas si longtemps. Un mois ou trente ans, peut-être. Il prend son verre de Raphaël et en avale une gorgée. Aussitôt, les voix abandonnent le ton de confessionnal pour s'élever peu à peu vers celui de la place publique. La fête a commencé. Dans la cuisine, les jeunes filles arrangent les plats comme on le fait dans les grands hôtels. Il n'y a rien de trop beau pour les vieux. Ils ont exactement deux mille et dix-sept ans, sans compter le maire.

Et le banquet ne tarde pas à battre son plein. De la tomate à la chair rôtie et du vin blanc de Nantes au vin rouge du Roussillon, c'est un spectacle étonnant de voir les ancêtres rajeunir et rejeter quelques siècles en même temps que leurs vestons. Les nourritures fortes ne leur font pas peur, réveillent en eux les anciennes forces. Certains commencent à conter leurs exploits de la guerre de 14 jusqu'à ce que s'élève un chœur, assez discordant en vérité, où l'on reconnaît quelques phrases de *La Madelon.* D'autres se parlent des culasses de grain qu'ils se jetaient autrefois sur l'épaule pendant les battages. En voulant montrer comment on faisait, l'un d'eux renverse un verre plein sur la nappe. On éponge les dégâts au milieu des rires, mais le pauvre homme est vexé et s'en va faire un tour derrière la maison. A la demande générale, le doyen court après lui pour le ramener et ils sont acclamés tous les deux. La plupart des vieilles se tiennent comme des dames de haute bourgeoisie, mais elles n'en perdent pas une bouchée pour autant. Les couples se surveillent mutuellement. Il faut rester convenable jusqu'au dernier morceau et la dernière goutte. Une si belle noce ! Au moment du pousse-café, monsieur le Maire se lève pour prononcer un bout de discours en breton. Honneur aux vieux, comme de juste. Tes père et mère honoreras. Aux jeunes, maintenant, de conduire la commune dans ses nouvelles voies. Il se rassied dans l'assentiment général. C'est un homme qui connaît son devoir.

Derrière les portes ouvertes, les enfants et les petits-enfants attendent, souriant avec un peu d'inquiétude. Les grands-parents n'ont-ils pas trop mangé ou trop bu pour leur âge ? Mais non ! Ils sont tout rayonnants d'aise et de satisfaction, fatigués sans doute de tout le bruit qu'ils ont fait et d'être restés trois heures à table, comme au bon vieux temps. Ils n'en finissent pas de se séparer les uns des autres, malgré les coups de klaxon du car qui doit ramener chez eux les plus éloignés : « Attendez donc, Jean-Marie ! Vous n'avez pas le feu au derrière, non ! »

L'an prochain, le maire l'a promis, il y aura de la langouste.

LE XXe SIÈCLE

Un de mes bons maîtres aime à raconter des histoires exemplaires. C'est un bretonnant de bon lieu et plein d'affection pour le petit peuple qui a du mal à suivre les nouvelles inventions, si nombreuses de notre temps. Il sait se mettre à la portée de tout le monde sans se forcer le moindrement et soyez assurés qu'il n'entre jamais une ombre de moquerie à l'égard de personne dans les propos qu'il tient. Ses histoires n'ont d'autre but que de faire comprendre au prix de quelles difficultés les gens sans instruction doivent s'adapter à une civilisation qui repose de plus en plus sur des sciences abstraites.

Il n'y a pas si longtemps, une brave femme vint le trouver pour lui demander conseil. On allait mettre l'électricité dans son bourg et elle se trouvait bien perplexe : « J'aurais bien voulu avoir la lumière en ampoules, dit-elle, mais je n'ai pas confiance. — Et pourquoi donc ? — Parce que j'habite la dernière maison de la rue. Alors, quand toutes les autres maisons auront tiré sur le courant, peut-être n'en restera-t-il plus une goutte pour moi. Ou bien je n'aurai que la lie du tonneau. »

Une autre femme avait son fils dans les études. Elle était d'assez pauvre situation et les livres coûtent cher, comme on sait. Mon maître lui conseilla d'acheter des livres d'occasion, fort propres et qu'elle pourrait avoir à moitié prix. Mais elle ne voulut rien savoir : « Je mangerai du pain sec s'il le faut, mais mon fils aura des livres flambant neufs. Les vieux livres, mon pauvre homme, quand d'autres écoliers ont déjà cherché leur nourriture dedans, il ne reste plus grand-chose à en tirer. » Et elle s'en fut tout droit chez le libraire.

Un jour, le proviseur du même lycée reçut la visite d'une mère d'élève de condition très modeste. Le garçon n'était pas merveilleusement doué. Il risquait fort de ramasser un « sac de bouillie » le jour du baccalauréat : « Je sais bien, dit la mère, qu'il n'est pas capable de ramener un grand bachot, mais donnez-lui un petit, le plus petit que vous avez. Il faudra bien qu'il fasse avec. »

Et maintenant, dites-moi ! Combien de gens seraient capables d'expliquer le fonctionnement des machines dont ils se servent tous les jours ? Combien trouvent leur chemin dans les papiers qui leur tombent dessus tous les jours, à commencer par la déclaration d'impôts ? Et combien pourraient dire ce qu'est exactement le « Kennedy Round » ?

Enfants du XXe siècle, ne répondez pas tous ensemble !

LA MAIRIE DE KERIBILBEUZ

Le maire de Keribilbeuz était un homme bien empêché depuis le jour où, se rendant à la mairie, il avait été frappé par l'état misérable du local de la commune. Ce n'était rien de plus qu'une pièce unique, élevée contre le mur de l'école des garçons à la manière d'une crèche à vache. Le secrétaire y siégeait dans une demi-obscurité, un air épaissi par l'odeur d'encre et de moisissure, au milieu de registres noirs et de dossiers bombés sous leur ficelle en croix. Il n'y avait même pas de couloir. Les citoyens attendaient leur tour dans une rue étroite et boueuse. Ils finissaient par entrer dans le café d'en face au grand dommage de leur pension et de leur moralité. La patronne du café, tout en servant à boire gardait un œil fixé sur la porte de la mairie. Quand elle voyait quelqu'un sortir, elle criait dans le tapage : « C'est le tour à qui ? » Quoi d'étonnant si les gens qui avaient des papiers à signer ou des sous à toucher disaient à leurs voisins, avant de partir : « Il faut que j'aille au *Tour-à-qui.* » Et les femmes ne manquaient pas d'insinuer aigrement : « Est-ce que vous n'allez pas plutôt au *tour-d'en-face ?* »

Ce n'était pas convenable, vraiment, pas convenable du tout. On disait aussi que, le secrétaire de mairie étant assez ventru, on en était réduit à élire un maire maigre, autrement ils n'auraient pas tenu tous les deux dans le municipal cagibi. Ce n'était pas démocratique, non, pas démocratique du tout. Et très déplaisant pour le point d'honneur. Dans les autres bourgs du canton, on ne se gênait pas pour parler de l'étable communale de Keribilbeuz et pour bêler au passage des Keribilbeuziens. De quoi enrager.

Le maire réunit son conseil : « Bonnes gens, dit-il, vous avez peut-être remarqué qu'entre l'église du XVe siècle et le monument aux morts de la guerre de 14, nous n'avons produit en commun aucune œuvre importante. Depuis, on nous a si souvent répété que notre monument aux morts est laid, que le courage nous fait défaut pour entreprendre autre chose avant un siècle ou deux. Mais nous ne sommes pas responsables du monument qui a été acheté sur catalogue, et encore d'occasion. Nous voulons être entièrement responsables d'une nouvelle mairie, c'est-à-dire la faire à nos goûts et à nos mesures. Je vais vous dire comment je la vois : une maison comme les nôtres, mais plus belle. En pierres de cailloux et en bois d'arbres, avec de l'ardoise dessus. Les commodités à l'intérieur avec de l'eau courante. Il y aura une grande salle où tout le monde pourra venir autant qu'il voudra. Elle sera largement ouverte sur la place par des fenêtres et des portes en verre, éclairée jusqu'à minuit. Et voici le meilleur : dans cette salle, nous exposerons les portraits de nos ancêtres comme on le fait dans des châteaux que vous connaissez. Vous me direz que Keribilbeuz n'a mis au monde aucun personnage réputé, sauf le grand-père d'Henri Le Saout qui fut sergent-major sous Napoléon le Vieux. Je vous répondrai d'abord que les personnages que l'on voit peints dans les châteaux ne sont pas plus célèbres, pour la plupart, que le sergent-major en question. Et ensuite que je ne veux pas faire peindre des figures avec un nom dessus, mais montrer, dans des vitrines, les costumes particuliers qui furent portés par nos parents, les coiffes de nos mères, les instruments des laboureurs qui ont défriché Keribilbeuz et les outils des artisans qui ont embelli nos maisons. Ainsi, tous ceux qui passeront chez nous pourront savoir qui nous sommes. Qu'en pensez-vous ? »

Les conseillers promirent de réfléchir. Là-dessus, la patronne du *Tour-d'en-face* mourut. On acheta sa maison pour en faire la nouvelle mairie. Et le premier citoyen qui vint y déclarer une naissance, quand le secrétaire lui demanda ce qu'il voulait, répondit naturellement : « Une chopine de vin rouge. »

L'idéale mairie est restée dans la tête du maire.

LA ROSE ET LE TRACTEUR

Le vieux paysan est planté sur les clous de ses sabots au pignon de sa maison, le pignon de l'aurore, là où se réunissent les femmes pour tricoter. Les femmes aiment s'abriter sur ce côté-là pour protéger leurs coiffes quand souffle le vent de mer. Le vieux n'a pas peur du vent pour lui-même mais pour la rose fragile qu'il tient entre ses mâchoires. Le temps des roses est passé et celle-ci, la dernière, est déjà dévorée par la rouille sèche. Elle tombe, pétale à pétale, entre les deux sabots de l'homme. Il reste impassible. Ses deux pouces demeurent accrochés à la couture de ses poches de pantalon. Les mains ne peuvent pas y entrer. Pendant près de soixante ans, elles ont empoigné si fort le manche de la houe qu'elles se sont arrondies à jamais, qu'elles ne peuvent plus ouvrir les doigts. Maintenant, elles ont fini leur travail. Elles ne font plus rien d'autre que de cueillir une rose par jour pour la bouche édentée. On ne sait pas comment fait l'homme, quelquefois. Depuis qu'il est revenu de la Grande Guerre, il a toujours trouvé une rose pour s'embaumer les trous du nez, églantine, trémière, coquelicot, camélia, jusqu'à la rose anonyme qui pousse aux lieux secrets où ne tombe jamais un regard.

« Comment allez-vous, mon oncle ? » Il n'a pas encore attrapé ses quatre-vingts ans, je ne peux pas l'appeler grand-père. Oncle lui convient bien puisqu'il est assez vieux pour être mon père. Et lui m'appellera son fils, bien sûr ! Le parler breton nous fait parents et c'est l'âge qui marque le degré de parenté. L'ancienne coutume, n'est-ce pas ? Ses deux mains remontent à ses lèvres, l'une saisit la queue de la rose, joliment, l'autre présente sa paume sous la fleur, de crainte qu'il ne se détache encore un pétale mort. Mais il me répond sans bouger les yeux qui sont fixés devant lui : « Regardez-le, mon fils ! C'est moi-même, à mes vingt ans. »

Plus loin, sur la place du bourg, un jeune homme a arrêté un tracteur rouge pour faire un brin de cour à une fille de jupe courte et de cheveux longs. La fille est appuyée contre la grande roue, le cultivateur lui a pris une mèche blonde pour en jouer. Et ils ne cessent de rire tous les deux. « Mon portrait vivant, poursuit l'oncle. J'étais comme lui, autrefois. Seulement, je venais au bourg à cheval. Les filles de ce temps-là aimaient beaucoup les cavaliers. Aujourd'hui, elles sont attirées par les tracteurs rouges. Et alors ! Rien de changé. Si, pourtant. Autrefois, c'étaient les filles qui caressaient la crinière du cheval. Leurs cheveux à elles étaient si étroitement serrés sous la coiffe qu'il n'était pas facile d'en savoir plus que la couleur. Et d'ailleurs, nous avions assez de nos yeux et de notre langue pour toutes nos explications. Maintenant, ils bavardent aussi avec les mains. C'est depuis qu'il n'y a plus la crinière du cheval entre eux, je suppose. »

Il me sembla que la voix du vieillard tremblait de quelque nostalgie. « Vous préférez le cheval au tracteur, mon oncle ! — Oui, parce que je suis trop vieux pour monter sur un tracteur. Autrement, vous m'auriez vu à califourchon sur celui-là, sans trop de regret du cheval. Mais le cheval a été ma jeunesse, fils, et avec elle il s'est détaché de moi. Bien des choses se sont effondrées, en Bretagne, autour des gens qui ont maintenant mon âge. Le plus important est resté. Bien des nouveautés nous sont arrivées au galop. J'ai vu venir l'électricité, les voitures à feu, les chars volants, la lanterne magique du cinéma et la boîte à paroles (comment dit-on ? La téhessef). J'ai battu le blé au fléau et je l'ai battu avec la grande batteuse. Hier, j'ai acheté un scoutère à ma petite fille. Le plus important n'est pas là. Dans notre métier à nous, dans notre état de laboureurs, le plus important nous est resté pour encore. — Et qu'est-ce qui est le plus important, mon oncle ? » Le vieillard leva vers ses yeux la fleur à demi fanée : « La rose, dit-il. Nous sommes toujours les valets de la rose. »

Là-bas, sur la place du bourg, le tracteur rouge fit du bruit et partit, son cavalier conduisant de la main droite, l'autre poing à la hanche et comment donc, hue ! La fille demeura sur la place, à fondre d'admiration jusqu'à ce que son prince eût disparu avec son dragon pétaradant. Et le vieux : « La charrue ou la houe, le tracteur ou le cheval, qu'importe, c'est la terre qui fait la loi. Aujourd'hui comme autrefois il faut ouvrir, répandre la semence, fermer et attendre. On va plus vite avec le tracteur et c'est plus facile pour le corps de l'homme. C'est comme si on travaillait avec des gants. Mais la terre se moque de savoir comment on lui écorchera la peau. Et après, nous devons prier pour le soleil et la pluie, vivre dans la crainte de l'orage et de la sécheresse. Il n'est pas facile de connaître le ciel. Or, la terre n'en fait qu'à sa tête ou elle a partie liée avec lui. Ils fleurissent merveilleusement les garennes sauvages et les talus abandonnés. Le chardon et la bruyère, l'ajonc et le genêt, les herbes mauvaises prospèrent autour de nous et l'alouette, au fond des cieux, se moque également de la pétarade du tracteur et de la sueur du paysan. Après avoir retourné et sarclé la terre, fait le mieux possible, souvent nous n'obtenons aucun bon résultat de notre travail. Mais, toujours, on trouve des bouquets de roses à la lisière des champs et jusqu'au milieu des pièces labourées, des bouquets fleuris sans nous. Fragiles, souriants, renouvelés à chaque aurore, ils sont la part de la terre, seule, et une joie donnée pour rien, pour cent fois rien. Tant que la terre sera terreuse, aucun tracteur ne pourra empêcher la rose de fleurir. Je ne peux pas parler plus clairement. Demain, j'aurai une autre rose. »

JAMAIS AUTANT

Neuf heures du matin. Le pont a beau être large, il n'arrive pas à écluser toutes les voitures qui se pressent des deux côtés de la rivière. Les feux passent du vert au rouge avant d'avoir libéré cinquante mètres de carrosseries grondantes. Un camion chargé de caisses de bière tombe en panne au beau milieu du carrefour de la rive droite. Aussitôt éclatent les coups de klaxon, brefs et rageurs. Le conducteur descend, les bras au ciel, en témoignage d'impuissance et de bonne volonté. Il soulève son capot et se met à fourrager dessous pendant que les plus petits véhicules manœuvrent prudemment pour essayer de passer quand même. Une espèce de tortue rouge vif, habitée par un barbu nerveux, se coince entre la bière et le trottoir. Tout est paralysé du coup. Vacarme de klaxons, dominé par des stridences péremptoires : c'est l'agent de service au feu de la rive gauche qui traverse le pont à pas comptés, le sifflet aux dents.

Un vieil homme en blouse bleu et noir et chapeau à boucle s'est arrêté pour prendre son plaisir à ce spectacle de choix pour un piéton. Il a l'œil rieur, la bouche grande ouverte sur des gencives démeublées. Il s'exclame à voix haute et pour lui-même en breton : « Jamais autant ! Le diable a pris un nœud entre ses cornes et sa queue. »

Mais les nœuds se dénouent. Voilà le camion qui repart dans une gloire de fumée, la tortue rouge sous son arrière-train comme s'il venait de la pondre à l'instant. Toutes les files de voitures s'ébranlent à la fois. Là-dessus, notre vieil homme s'ébranle aussi sur la chaussée, sans aucun souci du feu rouge qui brille au-dessus de son chapeau à boucle. Coups de freins, coup de sifflet de l'agent qui regagne son socle. Le vieux ne s'arrête pas pour si peu. Il a mis le cap sur la cathédrale et il y va tout droit. Après quatre-vingts ans de vie à la campagne, on ne va tout de même pas se gêner pour des pétoires, non!

On l'a laissé passer aussi bellement qu'un roi. La plupart des conducteurs souriaient ou s'esclaffaient derrière leur pare-brise. Un caractère, ce vieux-là, un homme échappé d'un autre temps. Malgré le feu vert aux voitures, l'agent a étendu les bras pour couper le trafic à tous, sauf à lui. Peut-être se souvenait-il de ses premières années, quand il jouait aux billes dans les trous de la grand-route en attendant de voir apparaître la seule automobile du canton. Jamais plus on n'en verra autant.

DIALOGUE INGÉNU

MARIE : Regardez qui, donc! Fine que c'est. Jamais autant, par exemple! Depuis le temps que j'avais pas vu la couleur de vous.

FINE : Moi non plus, ma pauv' fille. Vieilles qu'on devient à force d'aller. Et après, je viens pas souvent en ville depuis qu'y a des feux rouges avec eux plein les rues. S'arrêter partout qu'y faut faire, pire que devant le chemin de croix. J'ai plus de goût, pour dire la vérité.

MARIE : Même chose pour moi. Epouvantable que c'est, même, parce que main'nant je suis attrapée avec les yeux. Usés qu'ils sont allés à force. Beau faire, l'âge est là, s'pas. Depuis combien de temps qu'il y a des lunettes avec vous, déjà?

FINE : Cinq ans depuis la Saint-Michel. Combien de misère que j'ai eu pour m'habituer à elles au commencement, *maaaa* (1) ! Une pitié c'était. Obligée de faire attention avant de frotter ma figure, pensez donc ! Main'nant ça va. Elles vont toutes seules sur mon nez comme rien. Mais justement, la semaine dernière, j'ai cassé un côté d'elles sans faire exprès. Echappées de mes mains, tombées par terre et moi, la *droch* (2), qui tourne mon sabot dessus, courez après si vous voulez, là ! Avec moi qu'elles sont, dans ma sacoche. Cher que j'aurai à payer, j'ai peur, pour mettre un brancard neuf dessus, avec le prix de la marchandise. Et de la Sécurité je toucherai pas grand-chose, non alors. Quasiment rien qu'on m'a dit.

MARIE : Ceux-là sont pas francs avec leur argent, non. Tellement qu'on a travaillé toute sa vie pour mettre deux sous de côté ! Mais vous, Fine, vous avez de quoi ?

FINE : De quoi j'ai pas. Moi, je suis pas veuve de guerre comme vous. Autrefois j'avais. Mais l'argent est allé à presque rien depuis vingt ans. Surtout que mon mari est tombé dans la faiblesse main'nant.

MARIE : *Cheee* (3) ! Dans la faiblesse ! Sa tête va pas bien avec lui ?

FINE : Non, *gast* (4), c'est pas ça. Faible avec son corps qu'il est venu, capable de rien. Beaucoup de changements qu'il y a eu avec lui, ces temps ici. Et maigre, ma pauv' fille, si fort qu'il était avant. Il reste pas deux sous de lui main'nant.

MARIE : Je suis étonnée avec vous. La *startijenn* (5) peut-être, qui est venue à manquer d'un seul coup ? Pourtant, y a pas huit jours encore, je l'ai vu dans son jardin, tiré son paletot avec lui, en train de ramasser ses haricots.

FINE : Oui, comme ça, un peu, pour faire semblant devant les gens. Mais plus, il peut pas. Et tout le travail sur mon dos à moi, pensez donc ! Assez de misère que j'ai, vous savez.

MARIE : Le médecin vous avez vu avec lui ?

FINE : Trois fois. Jusqu'à venir ici, tous les deux, trouver le spécialiste. Des tas de *louzou* (6), qu'il nous a donnés. Toujours pareil.

MARIE : On voit de toutes sortes. C'est comme mon neveu, le fils de Corentine, vous savez, celle dont le mari a été tué avec son cheval, la pauvre femme. Pour faire ce garçon tenir tranquille, on sait pas quoi chercher. Dans un cerisier qu'il était monté, l'aut'jour. Cueillir des cerises qu'il disait faire, censément. Et il *bransigellait* (7) au haut de l'arbre, ce *génaoueg* (8). La branche qui casse et le voilà qui roule-déroule jusqu'en bas par terre. Si encore il était resté *a-istribill* (9), mais rien. Perdue sa respiration avec lui quand sa mère est arrivée.

FINE : *Cheee !* Beaucoup de mal qu'il a eu ?

MARIE : Non, heureusement. *Blonsé* (10) de partout qu'il est. Mais la pauvre Corentine a tremblé toute la nuit avec la peur.

FINE : Les enfants, c'est le pire de tout. Une mère, c'est jamais fini pour elle de se tracasser avec eux. Votre lait qu'ils prennent d'abord, votre sang qu'ils mettent à aigrir après. Terrible. Mais vos enfants qu'ils sont jusqu'à la fin, s'pas. Il faut faire avec.

MARIE : Et où est votre fille avec vous, main'nant, la petite ?

FINE : A Brest qu'elle est, partie servante dans un commerce.

MARIE : Celle-là n'a pas les deux pieds dans le même sabot. Apprise à travailler avec sa mère et belle fille par-dessus le marché. Revenir elle va faire à la maison avec un second-maître ou plus.

FINE : On ne sait pas. Rares qu'ils sont les seconds-maîtres, aujourd'hui. Peut-être bien. N'importe qui qu'y aura de lui, il sera pas volé avec ma fille à moi, toujours.

MARIE : Sûrement. En attendant, un peu de café irait avec nous, peut-être. Deux commissions j'avais à faire, une j'ai fait. Du temps assez qu'on a.

FINE : *Maaa !* Vous croyez ! Moi je suis venue faire réparer mes lunettes.

MARIE : Réparer vos lunettes on fera. Mais à 9 heures qu'elles ouvrent, les boutiques. Avant, c'est pas la peine.

FINE : C'est vrai, quand même. J'aime pas trop boire du café n'importe où. Vous connaissez une maison où on sait faire avec lui ?

MARIE : Deux ou trois je connais. Et des gens agréables. Pas des *tagnouz* (11) comme on voit main'nant.

FINE : Et ils servent du pain qui n'est pas coupé d'avance. Du *fonabl* (12) quoi !

MARIE : Oui, ma foi. Et du beurre tout nu sur un plat. Moi, je n'aime pas le beurre en petits paquets, comme c'est la mode avec eux, en ville.

FINE : *Ec'h* (13) ! Moi non plus. Une chance que j'ai eue de vous rencontrer par ici. Autrement, j'aurais passé sans mon café. A moi ce sera de payer tout.

MARIE : Vous ne ferez pas, Fine, par exemple. Chacune la moitié.

(1) Abréviation exclamative de *ma doue* (mon Dieu). — (2) Sotte. — (3) Exclamation, abrégé de Chezuz (Jésus). — (4) Ponctuation de conversation dont le vrai sens (femme de mauvaise vie) n'est plus senti. — (5) Force physique et morale. — (6) Produits pharmaceutiques. — (7) Se balançait. — (8) Niais. — (9) En pendant. — (10) Meurtri. — (11) Hargneux. — (12) Substantiel. — (13) Exclamation de dégoût.

Ce texte est fait de bribes de conversations entendues à droite et à gauche dans la bouche de bretonnants qui s'expriment en français. Inutile de préciser qu'il n'y a aucune intention de moquerie à l'égard de qui que ce soit. Il m'a semblé intéressant de faire cette synthèse pour rendre sensibles les tournures les plus caractéristiques du breton et sa valeur expressive de langage parlé.

LE MÉNAGER

L'autre jour, sur quatre lieues de route, j'ai trouvé une dizaine de maisons tombées en poudre, comme on dit. Il n'en restait plus que les murs nus, le squelette pierreux, avec quelques plaques de crépi sur la façade au soleil, quelquefois, un reste de blanc de chaux sur le manteau de la cheminée. Des lézardes dans les pignons, pareilles à des éclairs figés et morts, vouaient à la ruine ces logis foudroyés. Je suis entré dans l'un d'eux à travers la ronce et l'ortie. J'y ai trouvé une crémaillère et un trépied sur l'âtre, une faucille rouillée, sans manche, la pointe fichée entre deux pierres de taille. C'était là, naguère, le manoir misérable d'un ménager.

Par une petite fenêtre, j'ai jeté un coup d'œil sur le petit clos derrière. Trois pommiers se desséchaient sous le fardeau de la mousse et du lierre. Rien ne bougeait, ni animal ni plante, malgré le soleil d'un printemps éclaté au tout début de mars. Un cimetière sauvage. Le vent lui-même, qui soufflait ailleurs, n'osait pas venir apporter le moindre trouble dans ce recueillement des choses abandonnées dont la vie s'est enfuie. La mort des choses est plus pitoyable, tout compte fait, que celle des hommes : on enterre les cadavres, mais les ruines demeurent devant vos yeux et n'en finissent pas de mourir.

Quand je suis sorti de la vieille demeure, une tige haute et duveteuse m'a frôlé la joue. Une rose trémière ? Peut-être me suis-je trompé parce que je sais trop bien qu'autrefois la femme du ménager aimait à faire pousser cette rose de chaque côté de sa fenêtre.

La race des ménagers est allée au néant, ou presque. Combien de maisons, en Bretagne, sont tombées après ces gens-là ! Le ménager était un pauvre journalier qui travaillait sur les terres des riches, sur les métairies assez grandes pour nécessiter d'autre aide que les bras de la famille. Mais il possédait en propre une maison sèche, souvent bâtie en bord de route, avec un petit clos derrière et une crèche avec une vache à lait dont la femme avait le souci. Le ménager avait été grand valet avant de se marier et il continuait, chef de famille maintenant, à travailler sous son maître. Le destin de ses fils était de garder les vaches d'abord, de faire contrat de domestique ensuite et de se marier avec une servante, fille d'un autre ménager, avant de devenir ménagers eux-mêmes. C'était le menu peuple de nos campagnes, des gens solides, honnêtes et assez heureux de leur pauvre bien, je le jure, quand la santé ne les quittait pas.

Mais le temps continuait à passer. Les choses devinrent plus faciles pour les ménagers avec l'instruction qui gagna les campagnes, particulièrement après la guerre de 14. Bien doués et portés au travail, leurs enfants purent atteindre d'abord à quelque petit emploi en ville ou conquérir des galons dorés sur les vaisseaux du gouvernement. Après le temps des brevets, ils ambitionnèrent de s'en prendre au baccalauréat. Les uns entrèrent au séminaire, d'autres purent devenir maîtres d'école ou employés des postes. Le ménager travaillait la terre de son maître, louait un champ et une prairie, engraissait des porcs, nourrissait des poules, tondait ses poux, comme on dit, pour en vendre le poil au chiffonnier, se serrait la ceinture pour tenir son fils ou sa fille aux écoles. Mais quel orgueil pour notre homme quand il voyait ses enfants s'élever plus haut que lui-même pendant que d'autres, autour de lui, tombaient en décadence ! Et, à la fin du compte, ses enfants furent ingénieurs, officiers, députés, évêques. Il n'y eut aucune haute charge dont ils ne fussent prêts à entreprendre la conquête. Le ménager vieillissait dans sa maison de chaume ou d'ardoise, avec sa femme et sa vache, et il savait bien que son nid allait se dessécher puisque aucun de ses petits n'y restait. Un petit nombre d'entre eux avait trouvé du pain en Bretagne, d'autres se défendaient à Paris, partout en France, en Amérique du Nord et du Sud, jusque dans les îles sans nom de l'océan Pacifique.

Aujourd'hui, en Bretagne, « le petit pâtre » est le nom véritable d'une clôture électrique. On manque beaucoup de personnel dans les campagnes. Les ménagers sont morts presque tous. Notre vieux pays est confronté avec des problèmes nouveaux qui ne sont pas faciles à résoudre. Nous sommes assez opiniâtres pour nous en tirer une fois de plus. Or, dans les ruines des maisons sèches, où aucune main ne s'occupe désormais des roses trémières, on trouve des faucilles rouillées, fichées entre deux pierres de granit et qui tremblent sans bruit quand passe un tracteur sur la grand-route. Une civilisation fait place à une autre. Et bon vent !

L'AGONIE D'UN VILLAGE

L'échine blême du Roc Tredudon m'apparaît tout à coup, par-delà le haut du village, pareil à un corps malsain qui vient de se dénuder. C'en est presque indécent. Un frisson lui passe dessus, peut-être à cause d'une haute lance, immobile et vibrante à la fois, plantée tout droit dans sa chair : le pylône de la télévision. Son métal est plus chaud à l'œil que la terre. Un coup de soleil fugitif n'arrive pas à faire chanter la moindre couleur. Le vent est dur, qui lamine les rares queues de chats égarées dans la désolation céleste. J'en arrive à regretter la boue grasse qui me pompait les semelles plus bas, à l'entrée de cette ferme où roule encore une charrette tirée par un cheval aux pieds si poilus qu'il semblait marcher sur sa propre crinière. Mais que pouvais-je faire de mieux ? J'ai été rejeté jusqu'ici par un village qui ne voulait pas de moi parce qu'on préfère être seul pour méditer son testament. J'ai été poussé dans le dos par les portes fermées, les cours désertes, les fenêtres mortes, les crèches en ruine, les écriteaux « maison à vendre », poussé vers cette crête où s'élève un monument aux patriotes qui combattirent et moururent ici, les premiers de tous, pour la liberté des survivants. Les survivants sont libres, certes, mais libres d'aller vivre ailleurs quand il est trop tôt pour mourir et trop dur de rester.

Le cheval aux pieds poilus avait un conducteur, un homme de soixante ans et plus. « Quand je suis venu ici, dit-il, le village avait trente-deux feux. Il n'en reste plus que sept aujourd'hui. Et pourtant, on a tout ce qu'il faut, l'électricité, l'eau sur l'évier (oui, mon gars !), un téléphone pour appeler les gens, une boîte aux lettres jaune pour leur écrire. Mais les maisons se vident. Et mon cheval a vingt-deux ans, il va bientôt s'en aller aussi. Je ne compte pas durer longtemps après lui. » Il a soupiré pour la forme, tiré sur la queue épaisse du cheval comme sur un cordon de sonnette. Les pieds poilus se sont remis en marche sans se presser. Assis à l'avant de la charrette, le paysan laissait aller ses jambes au rythme des cahots. Il s'en allait mollement vers la soupe du soir et c'était assez pour lui. La vie est quotidienne et le jour en trois ou quatre morceaux pour vous occuper.

Les maisons qui ont gardé leurs habitants sont bien entretenues, quelquefois refaites avec les meilleurs débris des autres. Résidences secondaires déjà ? Dans les îlots abandonnés, les ardoises pèsent trop lourd sur les voliges, les toits sont concaves, s'apprêtent à crever, à se déverser à l'intérieur. Une vieille femme est debout devant sa maison, bâtie par elle à son arrivée ici. Je lui demande pourquoi les bâtiments du village sont si serrés les uns contre les autres, bien qu'orientés différemment, ce qui multiplie les cours et les passages de telle sorte que les habitants devaient vivre les uns sur les autres au vieux temps d'avant la guerre. « C'est peut-être pour casser les vents, dit-elle ou pour se garder autrefois des voleurs, pour mieux s'entraider sûrement. On se fréquentait beaucoup, en ce temps-là. On avait plaisir à se raconter des choses. Maintenant, les jeunes sont partis. A quoi sert de parler quand il n'y a plus de jeunes pour vous écouter ? Entre vieux, on ne peut que radoter. Alors, on finit par se taire. Vous venez pour la télévision ? Il n'y a rien à voir, ici, rien à montrer aux autres. »

Ce n'est pas l'avis de tout le monde. Quand je redescends, je vois battre un balancier d'horloge par la porte ouverte d'une maison. Engagée dans la cheminée d'une demeure voisine, une tête de pierre dirige un regard de Gorgone sur la route d'accès au village. Elle n'a pas suffi à effrayer les marchands. Une grosse automobile descend prudemment un chemin boueux entre les bâtiments délabrés. Elle est chargée à couler bas de vieux meubles et objets divers, bois, ferrailles, osiers. Les dernières dépouilles du village tombent dans la brocante.

LE FUGITIF

Des villages en perdition, il y en a plus d'un à l'intérieur des terres. Des bâtiments vides, fermés, semant aux alentours les ardoises de leurs toits, assiègent les dernières habitations où vivent des hommes sur le déclin de l'âge. On vit au ralenti dans ces lieux, non seulement parce que la vieillesse économise ses mouvements, mais parce que le temps lui-même s'est fatigué de courir après sa queue. Voilà encore un cheval qui tire une charretée de betteraves. Il avance lentement, il avancerait lentement quoi qu'on lui fasse. Peut-être irait-il plus vite s'il voyait un enfant, s'il entendait rire et crier. Mais il n'y a pas d'enfants par là. Le crissement de l'essieu lui-même est amorti. Grisâtre de la tête aux pieds, le conducteur se confond avec son chargement.

De vieilles femmes paraissent un moment sur le pas des portes, regardent les voitures bleues de la Télévision embourbées dans les ruelles, les hommes bottés qui installent des caméras. N'approchent pas, ne demandent rien. Quelle importance ! Elles en ont fini avec la curiosité. Rentrent chez elles.

J'aimerais savoir ce qui se passe dans leurs têtes à longueur de journées et presque de nuits, car je jurerais qu'elles ne dorment pas beaucoup. Est-ce qu'elles remuent encore des pensées ? Y a-t-il encore, à briller sourdement au fond de leurs cœurs, le dernier brin de paille d'un espoir et lequel ? Est-ce que le passé les nourrit chichement ou les désole ? Vivent-elles, au jour le jour, au rythme des soupes maigres, des feux à allumer, des vaisselles, des ravaudages ? Attendent-elles des visites, des lettres, ou les reçoivent-elles comme on reçoit le temps qu'il fait ? Mènent-elles encore des conversations au-delà de deux phrases ? Comment fonctionnent ces êtres vivants ?

Les ronces et les orties défendent les masures en ruine dont on dirait qu'elles s'enfoncent en terre. Leurs débris encombrent les passages. Elles sont un souci pour les gens qui restent. Presque à chaque tempête, on entend s'écrouler un pan de pignon. Le vent sauvage bombarde les maisons habitées avec les lourdes ardoises qu'il rafle sur les toits pourris. De temps en temps, l'une d'elles se met à claquer à coups pressés comme un oiseau hargneux qui s'escrimerait du bec sur quelque tronc. Et puis on l'entend glisser, s'écraser à terre. Satisfait sans doute de lui-même, le vent s'en va faire un tour plus loin. Il y a un silence.

Par la fenêtre béante d'une maison à ciel ouvert, on voit à l'intérieur un lit-clos délavé par les pluies. Le reste du mobilier montre des pans biêmes au travers des plantes folles. La maie s'est écroulée sur ses pieds pourris. De pauvres ustensiles sont demeurés sur le foyer. Quand on ouvre le banc-coffre, apparaissent des hardes pliées, couleur de terre. On n'ose pas y toucher de peur de les voir tomber en poudre. La lampe, naguère accrochée au plafond, s'est abattue avec lui. Ses débris sont éparpillés parmi les autres épaves de toutes sortes qui s'accumulent sur le sol de terre battue. Des ronces grosses comme le pouce serpentent à travers ce dépotoir. Elles finissent toujours par gagner, même sur les orties.

J'entends dire que le dernier occupant est parti un beau jour, il y a quelques années, laissant tout derrière lui, le bol de sa dernière soupe sur la table, la vaisselle à faire. Il est parti sans fermer la porte, comme on partait autrefois quand la misère était trop grande. Il n'a rien emporté de son pauvre ménage. Mieux vaut avoir les mains vides pour entrer dans une autre vie. Mais il a fermé son lit-clos par respect pour ses anciens rêves.

UN HOMME DÉLAISSÉ

Dans la campagne proche d'une grande ville bretonne, un vieux paysan solitaire vient de mourir. Il est peut-être mort de faim, bien qu'on ait trouvé un croûton de pain dans sa poche quand on a enfoncé la porte pour découvrir son cadavre. La maison était si démunie que les souris même l'avaient quittée. Il a fallu crever le toit de la crèche pour dégager les deux vaches qui vivaient encore sur un tel entassement de fumier que la porte ne pouvait plus s'ouvrir. Une troisième vache, morte, était embaumée dans la litière pourrie. Autour de la ferme, toutes les terres étaient en friche depuis dix ans. En vain avait-on proposé au vieux une bonne poignée de millions pour ses biens. Il ne daigna jamais répondre. Depuis dix ans, il avait décidé de ne plus prononcer un mot, ni oui ni non. Il était enfermé dans le silence.

Il n'était pas avare, dit-on. Il savait fort bien qu'en vendant ses terres il aurait pu vivre comme un bourgeois jusqu'à la fin de ses jours. Alors ? A-t-il sombré dans la folie douce ? Ceux qui l'ont connu avant le commencement de sa passion affirment que, sans être un joyeux luron, il ne boudait pas son plaisir quand il se trouvait en bonne compagnie. Un léger bégaiement ne l'empêchait pas de chanter, sans heurt, d'une assez belle voix. Seulement, sa chanson préférée était une *gwerz* qui commençait ainsi : « Combien cruelle est ma planète... »

Les médecins trouveront un nom grec à mettre sur sa maladie. Je ne peux m'empêcher de penser que cet homme a été dépassé par son siècle. Ses sabots pesaient trop lourd pour lui permettre de suivre la caravane qui s'était mise, tout à coup, à presser le pas. « Le marbre des vieux temps jusqu'aux reins nous enchaîne », dit le poète. Peut-être notre paysan était-il empêtré jusqu'à la gorge dans la civilisation de sa jeunesse. Peut-être les nouveaux temps, qui déferlent sur nous à lourdes vagues l'avaient-ils incité à tirer son épingle du jeu, à se désintéresser de tout, qui sait ?

Il a libéré l'avenir. Sur le domaine qui fut le sien, on va construire un collège pour la jeunesse. Quel symbole !

Il n'a pas eu l'occasion d'apprendre à lire. Ni l'envie ni le besoin. Quand il était enfant, l'instruction était un luxe inutile, presque une ambition déplacée pour un petit misérable de son espèce. Il était appelé à vivre en répandant sa sueur sur les terres des autres, sans faire connaissance avec le monde qu'à travers deux ou trois cantons. Il y avait pourtant une école au bourg, mais le bourg était trop loin. Et qui aurait gardé les deux vaches, les trois sœurs et le petit frère ? Plus tard, il aurait pu, comme quelques-uns, profiter de son temps de service pour se fourrer le nez dans le papier noirci. Mais il avait une jambe plus courte que l'autre. On n'a pas voulu de lui sous le drap bleu.

Cela ne l'a pas empêché de se marier, d'élever cinq enfants qui ont tous attrapé leur certificat d'études à l'époque où celui-ci était un grand honneur pour une famille pauvre. Le dernier garçon est même bachelier. Ils ont tous été très respectueux envers leur père qui n'a jamais, de toute sa vie, construit une seule phrase en français. De temps en temps, ils lui proposaient, en riant, de lui apprendre à lire et à parler cette langue. En riant lui aussi, la joue un peu rouge, il répondait qu'il y penserait sérieusement quand il aurait d'abord appris à jouer au football.

Et puis, le temps a passé sur lui. Il a vu arriver, dans sa maison, des gendres et des brus auxquels il ne pouvait parler qu'avec un de ses enfants pour interprète. Il est devenu grand-père de jeunes gens qui savent l'anglais et l'allemand, mais ne connaissent du breton que *tad-koz* et quelques bribes de vocabulaire. Il a perdu sa femme. Il a vu partir presque tous ses amis. Maintenant, il habite en ville, patrouillant dans les rues à la recherche de quelqu'un à qui tenir conversation dans sa langue. L'autre jour, je l'ai rencontré avec deux vieillards aussi illettrés que lui. Nous avons fait plus de bruit en breton, à nous quatre, que toute une chambrée de caserne. Quand il a fallu nous séparer, il m'a dit en soupirant : « Adieu, Jakez ! Je retourne derrière mon mur. »

LES DEUX FINAUDS

Youenn B... a très bien vécu sans savoir lire ni écrire. Son ami Noun G... lit à peu près en breton, mais il n'y voit goutte en français. Cela étonnera peut-être quelques-uns, mais le gars Noun, quand il vient à Quimper, ne manque pas souvent de faire un pèlerinage au tribunal. Là, il retrouve la pancarte *Divennet eo kranchad war an douar* (il est interdit de cracher par terre). Il la lit une vingtaine de fois en se pourléchant les babines et il retourne à ses affaires, tout joyeux d'avoir vérifié qu'il n'a pas perdu son instruction. Je lui ai fait cadeau d'une affichette. *Aman vez komzet brezoneg* (Ici on parle breton). Il l'a bien installée sur son vaisselier. C'est son certificat d'études. Son bréviaire, c'est *Buhez ar Zent* (La Vie des Saints) avec un petit livre de catéchisme en breton pour complément. « Et pourquoi n'apprenez-vous pas à lire en français. Noun, vous êtes un homme si bien pourvu d'esprit ? Ce sont pourtant les mêmes lettres. » Noun se gratte la barbe du samedi, une vraie brosse à chiendent qui aurait décrassé du linge au lavoir pendant trois ans. Il se rase les crins le dimanche pour aller à la messe. « Les Anglais aussi ont les mêmes lettres que nous, dit-il. Est-ce que vous lisez l'anglais, vous ? » Je ne lis pas l'anglais, je suis battu. Youenn B... éclate de rire et regarde son ami Noun avec admiration.

Les enfants de Youenn B... ont mis la télévision.

Youenn y prend plaisir. Il est attiré par tout ce qui se passe dans cette boîte. « Mais vous ne comprenez pas ce qu'ils disent, Youenn ! — Je vois ce qu'ils font. Bien sûr, ils chantent, ils crient, ils se démènent comme une potée de souris, ou alors ils prêchent sur le grand ton. Mais ce qui compte, c'est de les voir. Seulement, je trouve qu'ils ne travaillent pas souvent, non, pas souvent. Ils doivent être riches comme la mer, ces gens-là. »

Il se penche à mon oreille : « Ce qui me plaît, dit-il, c'est que je n'ai plus besoin d'apprendre à lire. Je n'ai qu'à écouter. Vous voyez ? J'ai sauté par-dessus leurs livres sans jamais y avoir mis le nez. — Un fameux saut, Youenn. Mais vous feriez bien d'apprendre à parler français, vous seriez plus à l'aise... » Noun sourit, clignant de l'œil vers Youenn : « Oh ! nous comprenons à peu près tout. Seulement, nous ne voulons pas l'avouer, autrement les autres ne parleraient plus breton avec nous. »

C'EST TROP BEAU

Une maisonnette blanche dans la campagne de Fouesnant. Au moindre coup de soleil, la façade vous salue d'un sourire tout frais lavé au lait de chaux. Les volets sont peints en bleu, un bleu sombre et dense qui s'accorde avec l'âge des propriétaires, rendus l'un et l'autre au soir de la vie, plus près de la nuit que du jour. L'homme et la femme viennent cueillir chaque aube dans le jardinet planté qui prospère au midi. Ensuite, on les voit aller et venir, à pas tranquilles, entre la porte, la barrière et le puits. Quelques menues besognes suffisent à manger leur temps. Quand la lumière baisse, la ménagère a tôt fait de rentrer tandis que le vieux fait une dernière patrouille autour de son domaine pour voir si tout est bien en ordre. Je pense que le roi n'est pas son cousin.

La maison est plantée vers le sommet d'une agréable colline qui donne sur la baie de La Forêt. A travers les vieux arbres et les vieux chemins, on voit miroiter une mer d'un bleu de lin. La mince presqu'île du Cap-Coz s'y étale comme une serpe dont le tranchant blanchit à chaque fois qu'une vague vient crever sur la plage courbe. De l'autre côté de la baie, la côte vous conduit, de prés en bocages, vers l'entrée du port de Concarneau. Là-dessus règne un ciel vertigineux, un peu vert, un miracle de la création.

Un jour de l'été dernier, un monsieur et une dame sont montés sur la colline par les sentiers à aubépines et à noisettes. Ils ont vu la maison, le clos, les deux vieux. Ils ont regardé la baie, les plages, peut-être même le ciel. Ils se sont fatigués la tête et la langue pendant une heure pour acheter la maison qui n'était pas à vendre. Et savez-vous le dernier argument qu'ils ont trouvé ?

« Tout ceci, c'est quand même trop beau pour qu'on vous le laisse. »

Exactement ces mots-là. Vaut-il mieux sourire ou se mettre en colère ? Le vieux, dit-on, en a pleuré.

MORT D'UN TALUS

Depuis quelques jours, deux énormes machines sont arrivées dans le pays. Elles sont laides à faire peur et cependant personne ne s'épouvante devant elles, malgré le vacarme d'enfer qu'elles font en traînant leur masse d'acier sur la grand-route. Ce sont des sortes de chars d'assaut qui auraient troqué leurs pièces de canons contre de curieux béliers, semblables à ceux dont se servaient les gars de César quand il fallait enfoncer les portes ou crever les murailles des villes assiégées, il y a bientôt deux mille ans. Il ne s'agit pourtant pas de guerre ni d'assaut, mais de l'arasement des talus pour le remembrement des terres. Je ne chercherai pas à prononcer le nom exact de ces monstres de machines. Je ne parle assez convenablement que le breton et le français, excusez-moi. Et les talus de Basse-Bretagne, les pauvres, ne comprennent que le breton, alors que la science de notre temps préfère s'exprimer dans un patois américain.

Aujourd'hui, les deux énormes bêtes sont tapies devant un vieux talus qui s'étire paresseusement à travers la pente d'une colline. Sur sa nervure s'articulent d'autres talus dont il est aisé de reconnaître qu'ils sont plus récents. Les talus sont parfaitement le contraire des hommes. Plus ils sont vieux et plus il leur pousse de cheveux. Le moteur de la première machine se met à gronder et tout le paquet s'ébranle pour aller plus loin, maladroit, pataud et redoutable de puissance. Le travail qui lui est dévolu, c'est d'abattre une section de talus pour combler un chemin creux. Là-dessus, l'autre engin émet un bruit de catastrophe et tremble de toute sa mécanique pendant qu'un camion recule jusqu'au talus condamné. On l'a déjà tondu, comme les victimes que la Révolution mène à la guillotine. Et c'est bien la Révolution qui est maîtresse de nos campagnes. Bonne ou mauvaise, on verra bien, nécessaire et fatale en tout cas. Les mâchoires du bélier mordent le talus, en tirent de pleines bouchées de nourriture inutile puisqu'elle est recrachée aussitôt dans le camion. Que de richesses, pourtant ! Il y a là, mêlés à la terre menue et aux racines torses toutes sortes de débris de vaisselle et de ferraille mangée de rouille : des serrures d'un ancien modèle avec la clé figée dedans, des gonds géants, des faucilles hors d'usage, des fers à chevaux. Des sédiments de civilisation à faire rêver les futurs archéologues. Ce bout de talus était le cimetière de toute la quincaillerie qui marque les travaux et les jours des hommes de la terre.

Ils sont là, ces hommes, et ils regardent le bélier effacer les traces du temps révolu. Leur visage est impassible et il leur tourne dans l'esprit un nœud de pensées dont on ne verra la couleur que plus tard. Pas un ne souffle mot. Le plus muet est Pierre-Jean avec qui j'ai fait, autrefois, mon école buissonnière, Pierre-Jean qui connaissait mieux que quiconque les ressources des talus.

— Et alors, Pierre-Jean ! Les voilà qui s'en vont. Une chance que nous soyons trop vieux, aujourd'hui, pour aller dénicher des oiseaux. Nous serions bredouilles.

— Il y a trop d'oiseaux, dit-il, et trop de talus. Nous n'avons pas le temps de jouer si nous voulons suivre le ton. Savez-vous que j'ai acheté un tracteur ?

— Je sais. Est-ce qu'il est rouge, au moins ?

— Rouge, comme de juste. Un vrai coquelicot. Nous n'avons jamais eu que des chevaux à peau rouge. Mais celui-ci, m'est avis, il n'est pas brossé aussi souvent que ceux d'avant. Et je serais bien attrapé pour lui tresser la queue, hein ! Il faudra que vous veniez le voir quand même.

— Mais comment ferai-je ? Avant, je suivais le talus et je descendais dans le chemin creux. Sauf en hiver, quand il était inondé. Alors, il fallait que je monte sur le talus pour ne pas remplir mes sabots.

— Vous n'êtes pas venu depuis longtemps. Maintenant, il y a un chemin neuf qui mène tout droit jusqu'à la cour. Et un écriteau planté sur le bord de la grand-route avec le nom de ma ferme dessus. J'ai mis aussi un étage sur ma maison et la femme a arrangé l'intérieur assez joliment. Vous verrez. On a beau dire, d'une façon cela va mieux. On a tué la misère.

La mécanique dévorait toujours le mur de terre en claquant des mandibules.

— Vous vous rappelez, dit Pierre-Jean. Une année, nous avons traqué un renard je ne sais combien de fois par ici. On a tendu des pièges, enfumé tous les terriers d'alentour. Il s'est toujours moqué de nous.

— Tellement moqué, Pierre-Jean, que je ne sais encore pas s'il a existé ou non.

— Comment ? Je l'ai vu, moi, un matin. C'était un superbe animal roux, avec un collier de poils plus clairs autour des oreilles. J'aurais vendu mon baptême pour lui mettre la main dessus. Il venait juste de sortir d'un terrier qui est là-bas plus loin, à l'endroit où le talus donne sur un bout de taillis, voyez-vous ? Avant midi, le « bull », comme on dit, lui aura mis sa chambre à l'air. Idiot que je suis, il y a des fois où je crois le voir courir tout au long du talus, dans le soleil levant. Un mirage. Maintenant, je ne le verrai plus.

Moi, j'ai cru que Pierre-Jean regrettait le fantôme de son renard.

Un peu plus tard, nous sommes allés goûter son cidre. Il était célèbre, autrefois. Rien de comparable à la piquette d'orge ou à l'aigre breuvage que l'on extrayait ordinairement des pommes du pays et dont les femmes disaient que, si on en avait introduit une seule goutte dans le derrière d'un chien, la pauvre bête aurait fait le tour du monde en aboyant à mort. C'était un cidre qui avait du corps en demeurant léger et pimpant, et vous laissait dans la bouche un déboire d'allégresse. Au dire de Pierre-Jean, son grand-père, quand il en avalait un pichet, ne prenait pas le temps de se torcher le museau avant de se précipiter dans la cour et de sauter par-dessus le puits sans toucher la margelle. Aujourd'hui, j'ai retrouvé son goût inimitable, mais légèrement gâté par le bruit de la machine diabolique, dehors, qui démolissait le talus en grondant furieusement. Pierre-Jean se leva pour fermer la fenêtre.

— Je suis un homme pour aller de l'avant, dit-il. Mais vous devriez demander à vos camarades ingénieurs de nous chercher des machines qui fassent moins de bruit. C'est un casse-tête. Comment trouvez-vous le cidre ?

— Extra, dis-je (ce mot latin, inscrit sur les boîtes de notre usine de conserves, est synonyme de champion du monde). Tout à fait extra. Mais j'ai bien peur que les pommiers ne disparaissent avec les talus.

— Les miens dureront autant que moi. Je ne leur ai pas laissé les talus de mon verger (« eux », ce sont les gars du gouvernement, c'est-à-dire toute l'administration). Quand j'y pense bien, une ferme de chez nous, jusqu'à présent, a été gardée par ces talus-là et les mauvais chemins qui devaient les suivre, bon gré mal gré. Maintenant, nous sommes ouverts à tous. Mais j'ai quand même le droit de conserver un clos autour de ma maison, non ! En ville, ils élèvent bien des murs autour de leurs bouts de terrain, même s'ils n'en ont que la valeur d'une taupinière. Ma taupinière à moi, c'est mon verger. Allons ! Il faut finir la bouteille. Le cidre noircit de honte quand il a connu l'air. Il perd son teint de jeune fille, vous comprenez.

Pierre-Jean se met à rire doucement.

— C'est drôle. Quand les gars ont commencé à mettre bas les talus, par ici, je me suis trouvé mal à l'aise dans ma peau. J'avais froid à l'intérieur, comme il arrive quand on n'est pas assez vêtu. En vérité, ce n'était pas moi, mais mes terres qu'on était en train de mettre à nu. Et voilà !

— Justement. Les talus sont bien les vêtements du champ, n'est-ce pas ! Nous le savons bien. Nous avons cherché leur abri contre les mauvais vents, quand nous gardions les vaches. Une fois qu'ils seront abattus, le suroît sera le maître sur la plaine. Et il a la langue diablement salée.

— Il faudra voir. Quand on gagne d'un côté, on perd toujours un peu de l'autre. Et puis... personne n'a plus besoin du bois des talus pour faire du feu dans l'âtre. On ne fait plus de feu dans l'âtre que pour le plaisir de regarder les flammes en rêvant du passé. Charbon de terre, butagaz, électricité, et allez donc ! Ce sont les femmes qui sont contentes ! Et le contentement de la femme fait la paix du mari. C'est bien. Quand je pense à mon père qui économisait la moindre branche de saule et qui passait l'inspection de ses talus, tous les dimanches, pour voir si les petits galopins n'y avaient pas coupé de quoi se faire un bâton !

C'est à mon tour de rire, cette fois.

— Je me le rappelle, dis-je. Quand nous allions patrouiller à la campagne, le jeudi, nous mourions d'envie de nous couper un bâton à chacun. Un bâton, cela fait plus sérieux pour des aventuriers. Mais nous étions élevés dans le respect de la propriété, si bien que nous allions honnêtement trouver un paysan à bon cœur pour lui demander où il y avait des bâtons. Il nous indiquait un talus bien fourni en branches lisses, généralement du saule. Et il ne manquait pas de nous avertir nettement : « Coupez un bâton, mais pas deux. Autrement, ce seraient des béquilles que vous auriez sous l'aisselle et le rhumatisme vous nouerait les membres. » Façon de nous faire comprendre qu'il ne fallait pas dévaster le talus ni gâcher le bois vivant. Et nous obéissions assez souvent. Moi du moins, crédule que j'étais. Quand il m'arrivait de mal choisir mon bâton ou de le fendre en le coupant, pour rien au monde je n'aurais attaqué une autre branche, de peur de sentir mon pauvre corps se paralyser d'un coup.

Pierre-Jean recula sa chaise et se mit debout avec un soupir.

— Ces choses-là sont arrivées il y a mille ans, dit-il. Et aujourd'hui je me prépare à élever des poulets en grand. Moi qui déteste la volaille.

LE VIEUX GARÇON

Le bruit court, depuis quelque temps, qu'il s'est mis à boire. C'est bien étonnant, car on ne l'a jamais vu s'attarder à un comptoir autrement que par politesse. Son habitude était de vider posément un seul verre en proposant de payer la tournée, après quoi il prenait la porte avec son demi-sourire en s'excusant toujours de la même formule : *morse daou* (jamais deux). Dans un pays où chacun attrape un sobriquet entre la première communion et le mariage, il en avait gagné deux du même coup. Les femmes l'appelaient *Morse-daou* comme pour faire honte à leurs hommes qui avaient tendance quelquefois à préférer le troisième verre aux deux premiers. Les hommes se revanchaient en le traitant de *Nemedeun* (rien qu'un) comme pour insinuer qu'il n'était qu'un freluquet de pacotille. Or, c'était un fort gaillard qui aurait pu s'expliquer avec la boisson sans lui laisser prendre le dessus. D'autre part, il n'était pas le dernier à rire quand il y avait de la farce dans l'air. Etant jeune, et sans la moindre méchanceté dans la tête, il a même imaginé quelques tours si réjouissants qu'on en parle encore à travers le canton. Quant à conter fleurette aux filles, il savait s'y prendre comme pas un, disent-elles, et quelques-unes doivent savoir à quoi s'en tenir. Au reste, seul héritier de la ferme du Grand Matéano et plutôt joli garçon, voilà l'homme.

L'homme a eu cinquante-cinq ans cette année. Quand on le rencontre, pour lui tirer deux mots, c'est le diable. Il n'invite plus personne à mettre les pieds chez lui. Il ne descend plus jamais au bourg, même pour les enterrements. Quelquefois, il reste si longtemps sans se faire voir qu'on se demande s'il n'est pas mort. Et puis, quelqu'un annonce qu'il a vu de loin sa silhouette maigre passer sur un champ à l'écart de la route. Maintenant, il se mettrait à boire, dit-on. Tout seul, sa serrure bouclée à double tour. Que lui est-il arrivé ? Pas grand-chose. Il n'a pas trouvé de femme.

S'il ne s'est pas marié, au retour du régiment, c'est sa mère qui en porte d'abord la faute. Cette mère, Anna Matéano, était éprise de grandeur. On n'ouvre pas sa porte à n'importe quelle bru quand cette porte est sur une maison de pierre à deux étages, entourée d'une écurie à trois chevaux, d'une étable à dix-huit vaches et de vingt-deux hectares de riches terres. Sans compter que le maître de tout cela se pavanait au banc du chœur à l'église, et au conseil municipal depuis trois générations. Son mari mort prématurément, Anna avait reporté ses ambitions sur son fils. Il serait maire, rien de moins. Il devait donc épouser la plus pourvue des héritières du pays pour avoir le rang et les appuis qu'il faut. Mais la plus pourvue ne voulut rien savoir. Sans doute aurait-elle pris volontiers le jeune homme si elle n'avait eu peur d'entrer dans une maison où elle n'avait aucune chance de devenir maîtresse du vivant d'Anna qui promettait de durer longtemps en gardant la haute main sur son fils. L'héritière trouva vite à porter sa dot ailleurs, dans un endroit sans belle-mère où les clés des armoires lui furent remises dès le lendemain de ses noces.

Trois ans s'étaient passés à ces intrigues. Le jeune homme laissait aller les choses, non pas qu'il manquât de volonté ou d'esprit de décision, mais il savait bien que son rang ne lui permettait pas d'épouser n'importe qui sous peine de déconsidérer sa famille aux yeux des gens. Il l'aurait fait volontiers s'il avait rencontré la femme unique de sa vie, mais cette femme-là ne marchait pas apparemment sur les mêmes routes que lui. D'ailleurs, il n'était pas pressé. Il aimait les livres. Chaque fois qu'il allait en ville, il en ramenait un ou deux sous le bras, ce qui étonnait les coupeurs de vers autour de lui. Cultivateur avisé, il faisait prospérer si bien sa ferme que l'on venait y prendre leçon d'assez loin. Et, en attendant une femme qui finirait bien par se présenter un jour, même poussée aux épaules par Anna Matéano, il courait de foire en pardon et de noce en aire neuve sans jamais négliger son travail ni laisser passer une occasion de prendre du bon temps. Or, il faut avouer qu'il intimidait presque autant les garçons que les filles à cause d'une certaine retenue que l'on devinait toujours derrière sa joie. Peut-être était-il déjà le siège d'un secret, mais si profondément enfoui dans sa nature qu'il ne le connaissait pas lui-même.

Cependant, Anna Matéano ne cessait pas de chercher pour son fils une bonne épouse, c'est-à-dire une bru à sa convenance. Il n'est pas facile de trouver les deux en une seule personne, allez-y voir ! Elle courut tout le canton et même au-delà, interrogeant les uns et les autres sur la réputation et les biens des familles qui pouvaient prétendre à s'allier avec la sienne, trouvant mille prétextes pour s'introduire chez ces gens-là, regarder comment la maison était tenue, sonder les mentalités, mine de rien, sans lâcher la fille d'un quart d'œil, l'évaluant de la tête aux pieds et de la hanche au petit doigt. Quand elle en avait trouvé une à lui plaire, elle se mettait en quête d'un marieur ou d'une marieuse comme il y en avait encore en ce temps-là, personnages habiles et quelquefois retors qui se vantaient volontiers de pouvoir unir le feu et l'eau sans dommage pour l'un ni l'autre. Par trois fois, elle fit faire ambassade, par trois fois ce fut un échec. Anna n'y comprenait rien. Elle était persuadée de faire honneur en demandant pour son fils une héritière un peu au-dessous de son rang. Et de fait, les parents de l'héritière auraient bien dit oui, mais le temps était déjà passé où les filles répondaient *amen* à la volonté des parents.

Passé déjà le temps où les grands maîtres paysans avaient pris le relais des petits nobles de l'Ancien Régime. S'ils tenaient encore le conseil municipal, l'Eglise commençait à leur échapper en même temps que la soumission des gens de peu. Ces derniers avaient compris qu'une instruction modeste pouvait éviter à leurs enfants la condition domestique. Après la marine ou l'armée qui en avait toujours pris quelques-uns, les chemins de fer en attirèrent d'autres et voilà que les postes et l'enseignement s'ouvraient à ceux qui avaient pu tenir à l'étude quelques années après le certificat. Le pays se vidait inexorablement de sa jeunesse pauvre. Plus de grand valet derrière les chevaux, plus de servante à tout faire entre le ménage et les champs. Les fermiers ne pouvaient même plus compter sur leurs propres enfants, séduits par le mirage des villes. Encore heureux quand ils arrivaient à garder l'aîné à la terre au prix de mille difficultés de partage, d'arrangements boiteux qui aigrissaient les cœurs. Les héritières campagnardes convenablement dotées préféraient jeter leur dévolu sur un second maître ou un garde républicain avec l'espoir de marcher tous les jours en souliers de cuir sur une rue pavée et d'avoir l'eau sur l'évier au lieu d'aller la tirer du puits dix fois par jour, en gros sabots, à travers une cour boueuse. C'était là le sort qui les attendait en épousant un cultivateur, aussi riche qu'il fût.

Anna Matéano était trop fine mouche pour ne pas comprendre ce qui arrivait. Elle fit mettre un moteur sur son puits pour avoir l'eau courante à la maison. Et pendant qu'elle était en train, elle commanda d'installer la première douche que l'on eût vue dans le pays. Sa cuisine fut carrelée en blanc du haut en bas, y compris la cheminée à bois qui reçut d'emblée une cuisinière électrique sans passer par le charbon. L'argile-à-crapaud du sol fit place à un plancher ciré, s'il vous plaît. Tous les dimanches, les mères de filles à marier qui n'étaient pas de trop bas étage furent invitées à s'extasier devant ces splendeurs sous prétexte de boire du café avec des biscuits à champagne qu'Anna faisait venir de loin, exprès pour elle, en se gardant bien d'en indiquer la provenance à qui que ce soit, mais en laissant entendre qu'ils coûtaient fort cher, trop cher pour d'autres que les maîtres du Grand Matéano. Les mères ne perdaient pas une bouchée ni un coup d'œil. Elles parlaient les unes sur les autres pour mieux placer leurs compliments : heureuse, cent fois heureuse la jeune femme qui régnerait sur cette cuisine, qui aurait tout ce qu'il est désirable d'avoir dès le début de son mariage. Là-dessus apparaissait le fils, Morsedaou, qui venait saluer la compagnie. Toujours net et poli, presque un monsieur. Sans le demi-sourire qui lui était naturel, il aurait coupé le souffle aux commères. Il trouvait les mots qu'il fallait pour chacune d'elles, mais refusait de s'asseoir et retournait à ses occupations pour ne pas les déranger. Et quel bel homme ! Avoir un gendre comme lui... Avant de leur donner congé, Anna ouvrait la porte de la salle à manger d'où les vieux meubles à clous avaient été proscrits au bénéfice de menuiseries lourdes et solennelles. Ceci est *Renaissance,* disait-elle. Les autres avalaient le mot pour le digérer plus tard à force de le répéter. « Je vous y recevrais bien, continuait Anna, mais elle est pour ma bru. Il est juste qu'elle soit la première à s'en servir. » Les mères étaient éperdument d'accord. Elles s'empressaient de décrire à leurs filles, sans leur faire grâce de rien, toutes les splendeurs qu'elles avaient admirées au Grand Matéano. Il y avait un couplet spécial pour la *Renaissance.*

Or, les filles ne voulurent pas y aller voir, les filles

préféraient une chambre meublée au sixième étage, mais avec une ville autour et un mari en chemise à col et cravate à nœud dedans. On raconte que le père de l'une d'elles entreprit de lui donner le fouet trois soirs de suite pour la décider à épouser le laboureur Morsedaou. De la route, on entendait hurler la martyre. Elle ne hurlait pas seulement de douleur, elle hurlait aussi non, non et non. Rien n'y fit.

Et cinq autres années se passèrent ainsi. Le fils observait le manège de sa mère sans impatience. Il acheta un tracteur et d'autres machines, ce qui était fort bien, mais il remplit sa chambre de livres et sa mère s'en inquiéta beaucoup. Un cultivateur qui lit tant, ce n'est pas sain pour sa tête. Les filles du pays continuaient à s'en aller au diable.

Alors, Anna Matéano joua son va-tout. Ce que lui coûta de larmes et de rage un tel sacrifice, personne d'autre qu'elle ne l'a su. Elle possédait une petite ferme à quelque distance de la grande et qui s'appelait le Petit Matéano. Cette ferme était louée par elle à l'un de ses journaliers. Celui-ci, ayant élevé ses enfants, se retira au bourg où il trouva de petites occupations pour son âge. Anna fit refaire complètement la maison et les dépendances qui devinrent une sorte de manoir autour duquel un homme de métier planta un jardin d'agrément. Elle y prit aussitôt sa réservation dans les vieux meubles de ses parents qu'elle avait récupérés sous la charretterie. Tous les jours, elle venait travailler chez son fils. Mais on savait désormais que la grande maison était tout à fait libre pour la jeune femme qui voudrait l'occuper. La future belle-mère passait la main d'avance. Elle ne voulait pas commander plus longtemps.

Autour de Morsedaou dont les tempes commençaient à grisonner, il ne resta que deux journaliers qui allaient bientôt cesser tout travail et qui ne seraient remplacés par personne, il ne fallait pas y compter. Un moment, on crut qu'une veuve sans enfant qui approchait de la quarantaine se déciderait à venir faire la maîtresse. Elle plaisait bien à Morsedaou. On dit qu'il lui plaisait aussi et qu'ils allèrent assez loin dans leur plaisance mutuelle. Anna Matéano leur acheta d'avance une chambre à coucher neuve, la plus chère qu'elle put trouver, sinon la plus belle. Mais la veuve était de petite santé. La charge qu'elle allait assumer lui fit peur. Elle préféra son veuvage. Et c'est alors qu'Anna mourut sans prévenir, laissant derrière elle son vieux garçon.

De ce coup-là, Morsedaou se mit lui-même à chercher femme. La disparition de sa mère fit de lui un vieil orphelin désemparé. Il découvrit que, sans elle, rien ne marchait plus nulle part autour de lui. De l'aube au soir, il se heurtait à mille soucis. Et soudain il comprit. C'était le Grand Matéano qui commençait à se retirer de lui en même temps que lui-même se détachait de la communauté paysanne. Il était maintenant trop âgé pour suivre une jeunesse qui devenait de plus en plus jeune. Célibataire, il n'avait pas pu entrer complètement dans la compagnie des notables chefs de famille. Il lui fallait une femme à tout prix s'il voulait garder son état et son bien. Or, il ne voulait pas autre chose.

Une tante qui n'avait de famille que lui accepta de tenir son ménage en attendant. En attendant quoi ? C'était une curieuse femme, Marie Vihan. Toujours tirée à quatre épingles, propre et lisse comme une chatte, et coquette que c'en était un plaisir de la voir et de l'entendre. « Quel âge avez-vous, Marie Vihan ? — Quel âge ? Le même que Corentin Trévern, exactement. Si vous voulez le savoir, allez le lui demander. Moi, je l'ai oublié. — Mais Corentin Trévern est descendu en terre l'an dernier. — C'est juste. Alors, il n'y a plus personne au monde à connaître notre âge à tous les deux. » Et de rire en se lissant les cheveux dans une glace de poche qui portait au revers le portrait de Gloria Swanson, une actrice de cinéma qui avait enchanté sa jeunesse.

Marie Vihan avait soixante-dix-huit ans. C'est elle qui dit à son neveu Morsedaou : « Il faut que vous achetiez une voiture si vous voulez avoir une femme. — Mais j'ai déjà une camionnette pour la ferme. — Non. Il faut une voiture qui ne serve qu'à votre femme. Une voiture pour elle toute seule, pour qu'elle aille se promener quand elle voudra. Une voiture blanche. Il n'y en a pas de cette couleur par ici. Et puis, vous irez courir la chance autour des filles qui travaillent à l'usine, celles qui n'ont pas un sou vaillant et même pas d'embauche toute l'année. Peut-être que la voiture blanche en attrapera une. Pour le reste, laissez-moi faire. »

Il acheta la voiture. Il lui bâtit un beau garage à l'autre bout de la cour. Et Marie Vihan, tous les dimanches, comme autrefois Anna Matéano, invita les mères des filles de l'usine à boire le cherry ou le porto, s'il vous plaît, avec des cacahouètes et des raisins secs, dans la salle à manger Renaissance. Elle allait jusqu'à leur mettre des tasses à filets d'or, pensez donc ! Quand les femmes sortaient de là, gavées de délicatesses et de boissons douces, les portes du garage étaient ouvertes et le maître des lieux, le vieux garçon Morsedaou, lavait et polissait la voiture blanche qui n'avait jamais roulé. « C'est pour celle qui viendra ici », soufflait Marie Vihan sur le ton de la confidence.

Il y eut bien une demi-douzaine de commères qui firent la leçon à leurs filles, les engageant à ne pas laisser passer une exceptionnelle fortune. Il ne s'agissait que de prendre un paysan qui n'était pas des plus jeunes, mais resté bel homme, facile à vivre de l'avis général, grand travailleur et qui n'aimait pas boire. Il faut avouer que la voiture blanche joua son rôle de miroir aux alouettes. En l'absence de Morsedaou, les ouvrières de l'usine vinrent la regarder quatre par quatre ou deux par deux, sous divers prétextes qu'elles inventèrent. Marie Vihan, sous d'autres prétextes, leur faisait ouvrir les portières, s'installer sur les coussins. « Elle est juste à votre taille », disait-elle toujours à l'une ou à l'autre. Jurer qu'il n'y en eut pas certaines qui furent sur le point de succomber serait mentir. Mais enfin, aucune d'entre elles ne revint seule ou avec sa mère au Grand Matéano. Leur plus grande ambition était d'être vendeuses dans un grand magasin, là où il passe beaucoup de monde, où l'on travaille en bas de soie avec du rouge aux lèvres.

Et les années passèrent de plus en plus vite. Marie Vihan mourut le jour où elle ne trouva plus le courage de rire. Elle avait demandé qu'on la mît au cercueil avec sa petite glace dans sa poche pour ne pas quitter son amie Gloria Swanson. Quand Morsedaou revint du cimetière, il entassa des fagots dans le garage qui servait de tabernacle à la voiture blanche et y mit le feu. Tout brûla.

Quelques mois plus tard, le Grand Matéano était en vente. Le vieux garçon ne voulut rien garder sauf les livres. Il les transporta lui-même en brouette au Petit Matéano où il allait vivre désormais. Il y en avait sept brouettées. Le dimanche où l'on vendit le mobilier, les gens accoururent en foule pour se rassasier les yeux de la cuisine blanche d'Anna, de la salle à manger Renaissance où recevait Marie Vihan et de la chambre à coucher destinée à la veuve et que personne n'avait jamais vue, même pas elle. Mais ce fut elle qui la fit racheter pour son compte. On dit qu'elle a pleuré longtemps, mais elle n'avait pas de santé, la pauvre femme, ce n'était pas sa faute. Quand on adjugea la « Renaissance », le garçon du notaire ouvrit les portes et l'on vit briller les tasses à filets d'or. Il fit remarquer en riant qu'il restait du porto et du cherry dans les bouteilles, mais personne ne rit avec lui. Morsedaou ne vint pas autour. Il avait déjà coupé tous les ponts. Ce fut un renoncement total, sans désespoir ni rancune, d'une impressionnante sérénité. Ne voulant reparaître que le moins possible devant des gens de connaissance qui auraient pu troubler sa retraite, il acheta une auto pour aller faire ses provisions à la ville voisine. Et il ferma sa porte.

Maintenant, le bruit court qu'il s'est mis à boire. Mais ce n'est pas vrai. Louis Plouzennec le sait bien. C'est le facteur. Toutes les semaines, il porte à Morsedaou les journaux de Paris, ceux qui ne donnent pas les nouvelles de ce pays-ci. Des paquets de livres de temps à autre et, trois ou quatre fois par an, une lettre à l'adresse imprimée.

« Cet homme ne boit pas, dit Louis. Ce n'est pas possible. Quand il ouvre sa fenêtre pour me prendre ce qu'il y a, je vois bien que l'intérieur de la maison est aussi propre, aussi bien rangé que du temps d'Anna Matéano, sa mère. Les clous des meubles brillent toujours autant. Et lui, Morsedaou, est habillé avec soin, sans tache, ni déchirure, ni bouton qui manque, ni rien. On dirait un monsieur qui aurait pris sa retraite ici après avoir tenu de grands emplois. Il a toujours son demi-sourire sur les lèvres, mais il ne parle pas, même pour dire merci. Moi, je ne lui parle pas non plus et cela me coûte. Pas seulement parce que je suis bavard, mais parce que j'ai toujours envie de lui faire plaisir, à cet homme. Personne ne peut plus lui faire plaisir. On voit bien, dans ses yeux, qu'il s'est retiré très loin. Et c'est justement à cause de ces yeux-là que deux, peut-être trois femmes, ont fait courir le bruit qu'il s'était mis à boire. Deux, peut-être trois femmes beaucoup plus jeunes que lui et qui aimeraient bien l'épouser pour son argent, pour se pavaner à ne rien faire au Petit Matéano qui est une belle propriété. Et quand on pense que l'une d'entre elles n'a pas voulu de lui autrefois, quand sa mère se démenait pour le marier ! Maintenant, n'est-ce pas ? ce n'est plus un paysan dans sa ferme, c'est une sorte de bourgeois qui habite... comment dit-on ? Une résidence secondaire. Elles se sont mises sur sa route pour essayer de lui parler quand il va se promener au fond de la campagne, du côté des bois de pins. Peine perdue ! Mais elles ont vu ses yeux. Des yeux sans regard, humides et ternes à la fois, perdus, je ne sais pas comment vous dire. Et c'est vrai qu'il ne regarde pas, si bien qu'il lui arrive d'aller de travers ou de buter. Un ivrogne, Morsedaou ? Oui, si l'on peut se saouler avec des livres. Car il s'est retiré dans les livres, il a élevé un mur de livres entre lui et le monde. Il ne vit que de lire. C'est un goût qu'il a eu très jeune et sa mère s'en inquiétait déjà. Mais aujourd'hui, c'est ce goût-là qui le protège de tout. Je ne saurais pas mieux vous expliquer, mais il y a une chose dont je suis sûr. Morsedaou est un homme heureux autant qu'on peut l'être tout seul. »

Avez-vous entendu la dernière nouvelle ! La veuve qui fut tout près de se marier avec lui dans le temps, celle qui n'avait pas trop de santé, elle vient de mourir. Cette femme a toujours regretté d'avoir dit non. Elle ne regrettait pas le Grand Matéano, ni le Petit, ni tous les biens de Morsedaou. Elle regrettait d'avoir laissé passer un homme pareil, surtout avec les sentiments qu'elle avait pour lui et qu'il avait pour elle, paraît-il. Elle est morte un peu de ce regret, disent les gens. Un peu ou beaucoup. Je me demande quelle tête ferait le vieux garçon si quelqu'un osait lui crier la nouvelle à travers sa fenêtre. Mais ce quelqu'un-là mériterait d'aller aux galères. Ce ne sera pas moi.

LE TEMPS DE REVIVRE

LES VIEILLES CHOSES

Il y a des choses qui pleurent, dit le poète, des choses qui sécrètent des larmes. Telles sont, en Bretagne, les chapelles qui s'écroulent un peu partout après avoir rassemblé, pendant des siècles, des foules éperdues de foi. Telles sont les croix de carrefours devant lesquelles on ne se signe plus, encore heureux quand elles n'ont pas été cassées, comme certains menhirs, pour donner du corps au talus voisin. Telles sont les fontaines qui guérissaient autrefois et qui ne donnent même plus à boire, sinon au mufle des vaches. Tels sont les manoirs qui ont perdu leur vocation dès qu'ils sont tombés en roture et que les roturiers, hélas ! ne peuvent pas tenir debout hors de la vocation dont je parle. On a beau s'émouvoir ou s'indigner en passant devant, il est souvent trop tard. Quand il est encore temps de sauver l'édifice, l'énormité de la tâche décourage les plus indignés et les plus émus. Alors, on laisse pleurer les choses.

Il faut dire, pour être juste, que les vieilles choses dérangent toujours quand elles ne servent plus à rien. Elles prennent de la place, elles encombrent la circulation, elles sont incongrues et parfois dangereuses, elles demandent des soins, elles coûtent de l'argent ou elles empêchent d'en ramasser et surtout elles sont trop. La seule façon de les conserver est de leur trouver une utilité qui compense leurs inconvénients tout en respectant leur visage à défaut de leur caractère et de leur destination. Ce n'est pas toujours facile. Ceux qui sont obligés de faire tourner une ferme d'aujourd'hui dans un vieux manoir fourbu me comprendront, de même que ceux qui logent, sans le moindre confort, dans les vieilles maisons des villes qui, pour être historiques, n'en sont pas moins des tanières. Il est beau de s'extasier pendant trois minutes devant des façades médiévales, juste le temps d'impressionner une pellicule photographique. Mais s'il s'agissait de vivre à l'intérieur, d'un bout de l'année à l'autre, gageons qu'il y aurait moins d'amateurs.

On accuse volontiers le petit peuple de Bretagne d'abandonner un bon nombre de chapelles qui témoignent sous le ciel de son ancienne foi. C'est oublier que la foi n'est plus la même, que les centres d'activités se sont déplacés, que d'autres charges et d'autres soucis surgissent tous les jours, que les campagnes se tournent en déserts, inexorablement. On l'accuse de manquer de goût, de ne pas savoir d'instinct apprécier ses trésors. C'est oublier que le goût change, à commencer par celui des classes dirigeantes. L'histoire de l'art est une succession de reniements et de réhabilitations. Combien de hauts seigneurs ont fait abattre leur château de famille pour en édifier un autre au goût du jour ! Combien de vieilles statues ont été enterrées dans le cimetière ou reléguées dans les chambres des cloches, par ordre du clergé, sous prétexte de désuétude ! Et l'on voudrait que le peuple reste fidèle à son paysage alors que, d'autre part, on l'adjure de se mettre à l'heure ! Et le tronc de la chapelle de Languivoa, arrêtée dans sa ruine par de courageux jeunes gens, ne reçoit pas dix francs par jour en plein été. Il faudrait tout de même accorder le biniou et la guitare.

Le monde est un cimetière de choses. Il y a au moins sept villes étagées dans le site de Troie. Quand les ruines sont encore debout, c'est parce qu'elles ne gênaient personne ou parce qu'il fallait trop de travail et trop d'argent pour les raser. Le château de Josselin ne se dresserait plus sur les bords de l'Oust si le cardinal de Richelieu avait pu le démolir pierre à pierre. Tout bien pesé, l'amour des vieilles choses nous est venu depuis peu. Peut-être depuis que nous sommes incapables d'en créer de nouvelles qui vaillent les anciennes.

Cela dit, je déplore avec vous ces abandons, ces écroulements, cette indifférence polie ou ces indignations hypocrites. J'admire ceux qui apportent des brins de paille pour endiguer les torrents ou même ceux qui mettent des emplâtres sur des jambes de bois. Je respecte les musées, ces hangars solennels pour les vieux débris. Mais j'ai bien peur que nous ne soyons plus assez riches pour conserver une si importante galerie d'ancêtres. C'est désormais au-dessus de nos moyens dans tous les sens du terme. C'est particulièrement au-dessus de notre courage. Car il faut être courageux pour supporter que, dans la durée de notre vie d'homme, des sanctuaires de famille deviennent simplement un capital touristique.

LES GRANDS CHARS GÉMISSANTS

L'autre matin, je suis allé faire une promenade à la campagne. Je n'y pouvais plus tenir. La ville a beau me garder pour la rançon de ma pitance quotidienne, je m'arrange toujours pour faire l'école buissonnière de temps à autre, histoire d'ouvrir mon cœur entre les champs et le ciel. Il y avait une goutte de soleil, comme on dit, et la terre en était si bien transfigurée que l'hiver, lui-même, faisait voir un sourire. Sur les talus nouvellement émondés, la dernière averse avait semé des perles d'autant plus précieuses qu'elles demeuraient pendues, rondes et brillantes, aux arbustes dépouillés, au lieu d'être mangées par les feuilles vertes. Je suivais un chemin creux, encaissé entre deux levées de terre. Des chênes têtards tordaient là leurs troncs noueux où s'ouvraient des bouches aux lèvres épaisses qui clamaient en silence comme les sept gargouilles d'une cathédrale. Un couple de rouges-gorges voletait devant moi d'une souche à l'autre. Voulaient-ils m'attirer dans leur jeu, peut-être ? Mais il y a bien longtemps que j'ai renoncé à voler, même en rêve. Bientôt, les oisillons se fatiguèrent de leur manège inutile et se perchèrent tous les deux, l'un près de l'autre, sur une branche nue qui se balança mollement sous eux. La tête enfoncée dans leur gorgerin rouge feu, ils me regardaient de biais, attendant de moi quelque geste, menace ou encouragement. Rien. J'aurais bien joué un moment à leur faire peur sans un bruit étonnant qui résonnait clair à travers la campagne, un bruit que j'avais classé dans ma mémoire, au tiroir des choses révolues. Mais non, je ne me trompais pas : quelqu'un, dans un champ tout proche, sifflait un *jibidi* à tue-tête pour son seul plaisir.

Aussitôt, j'ai sauté sur le talus. Les deux rouges-gorges disparaissent, aile contre aile, vers le fond du chemin creux. Ils sont si surpris qu'ils n'osent même pas pépier. Qu'ils aillent au diable ! Je suis debout parmi les souches de troènes, fouillant des yeux les champs devant moi. A deux cents pas tout droit, derrière un autre talus, je vois bouger un vieux chapeau sans couleur. C'est un paysan qui fagote. C'est lui le siffleur. Vite ! Courons faire la connaissance de ce phénix surgi de ses cendres ! J'entends les coups de serpe qui scandent le *jibidi.* L'homme fuse de joie dans la laideur de l'hiver.

Mais comment faire pour le rejoindre ? A mes pieds, le champ est noyé d'eau. Il faut que j'en fasse le tour. Par où ? Je redescends dans le chemin creux pour chercher une entrée de charrette, une brèche, une barrière, que sais-je moi ! Mais le chemin m'éloigne du siffleur, me tient prisonnier dans son tunnel boueux où je glisse tous les deux pas, regrettant les sabots de bois de ma jeunesse et mes pantalons de panne rapiécés aux genoux. J'ai bonne mine, certes, avec mes gants de cuir et mon col de bourgeois. Quand j'y pense, les deux rouges-gorges de tout à l'heure se sont assez moqués de moi. Le siffleur de *jibidi* se moque aussi. Je me trouve misérable sur cette terre. La campagne ne veut plus me faire accueil. Elle me bouche la route qui mène au paradis secret du fagoteur. Je suis traité en étranger qui ne mérite pas mieux que la boue et les ornières. Le *jibidi* s'est tourné en gavotte.

Il ne me reste qu'à rejoindre ma voiture, sur la grand-route. Pourtant, je suis un peu consolé. Depuis trop longtemps je n'avais pas entendu un paysan chanter derrière la charrue ou siffler son contentement au milieu de son champ. Nos campagnes sont tristes parce que le destin des laboureurs de terre est en train de changer son cours. Les voilà tenus maintenant par toutes sortes de machines. On ne parle pas avec un tracteur comme on faisait avec un cheval. On ne peut que supporter son bruit et mener le deuil du chant des oiseaux quand la parole est à ce bavard qui ne sait pas travailler en silence. D'ailleurs, quand il faut mesurer le temps à la montre, l'envie de siffler ne monte pas en vous. Il est bien perdu, hélas ! monsieur Hugo, le temps pastoral des « grands chars gémissants qui reviennent le soir ». Avons-nous gagné, tout compte fait ? Peut-être.

Sur le chemin du retour, je me suis trouvé devant un troupeau de vaches. Les bêtes nonchalantes remplissaient la route. Il me fallait attendre. Elles ont passé, une à une, à droite et à gauche de ma voiture, me regardant de leurs yeux tièdes. Derrière elles, j'ai reconnu mon siffleur à son chapeau. Il sifflait toujours, le vieillard maigre, et il suivait sa route à son pas. Il n'a pas daigné jeter un regard dans ma direction. Pour lui, je n'étais qu'une auto. Et une auto, à côté du ciel et de la terre, cela n'existe pas.

LA NUIT NUE

Pleine campagne. Ici, pendant le jour, c'est la Montagne du Roi, une colline verte, carrelée de champs et de vergers fertiles. On ne sait pas de quel roi il s'agit. Mais, maintenant, il est 2 heures du matin et je suis vraiment au centre d'un royaume.

L'insomnie m'a chassé sur les chemins sans lune et sans étoiles, avec un bâton de coudrier contre les sortilèges. Quand ma porte se fut fondue à vingt pas derrière moi, j'avais marché plus de sept lieues avec mes sabots de tous les jours. A l'entrée du premier chemin, il a fallu que je me ramasse tout entier dans mes yeux pour démêler le ciel de la terre. J'ai reconnu un bouquet de ces fleurs jaunes qui se ferment au soleil. C'étaient des pièces d'un or fade qui n'aurait fait trébucher aucune balance, des excoriations vénéneuses sur la peau de la nuit. Au-dessus, une cicatrice légère séparait le talus du ciel, mais c'était la même peau des deux côtés, un peu plus claire dans le haut. Devant moi, comment dire ? une obscurité plus molle, une sorte de souffle à peine perceptible et vaguement humide trahissaient le sentier qui va se jeter dans le vallon, plus bas. Mais il semblait s'ouvrir sur le vide.

J'ai retenu ma respiration et je suis descendu prudemment. Devant moi, le bâton de coudrier balayait le néant, au cas où ce néant aurait enfanté un arbre ou un rocher. Mes yeux écarquillés m'étaient inutiles. Je ne pouvais avoir confiance qu'en mes pieds qui éprouvaient les cailloux et les ornières à travers mes sabots. Cela dura longtemps, longtemps. Le bâton ne heurta jamais la moindre branche pour me nourrir d'un bruit vivant. A la fin, au moment où j'allais m'arrêter et m'asseoir quelque part, dans cette tombe immense, pour attendre la première clarté, j'entendis le murmure d'un filet d'eau et le sentier se mit à remonter. Quel soulagement ! La poitrine libérée, j'ai gravi le flanc de la Montagne du Roi sans y voir plus qu'auparavant, mais avec l'assurance de celui qui va déboucher sur un sommet, face au ciel.

M'y voici. J'ai trouvé une grosse pierre pour m'établir et je me roule dans la nuit comme dans un bain de jouvence. La paix est totale, l'obscurité sans fêlure. Aucun horizon nulle part. C'est la nuit toute nue sans le moindre bijou de lumière, la nuit pudique, à la fois offerte et refusée. Il n'y a même pas, dans les lointains, ces pâleurs diffuses, cette électricité projetée dans le ciel par les villages et les villes d'aujourd'hui pour conjurer quelle inquiétude ? Lumières dérisoires qui ne sont, au mieux, que les vers luisants du soleil. Feux d'artifice immobiles et vains qui n'éclosent même pas en fleurs multicolores, mais vous dévorent votre sommeil quand vous dormez comme vous pouvez. Il n'y a plus que les campagnes reculées, les hameaux pauvres, qui connaissent encore de vraies nuits, profondes, noires, pesantes et pacifiques. Des nuits comme celle-ci ou comme celles de mon enfance, quand je me levais de mon lit-clos, prétextant une envie de pisser, pour aller regarder dehors. Sans faire de bruit devant la face de la nuit, de peur de la faire chavirer. Hé quoi ! Il n'y a que le coq qui ait des droits sur elle. Quelques paroles d'Albert Camus émergent dans ma mémoire. Elles ne conviennent pas exactement au lieu ni à la circonstance, mais qu'importe ! Je ne peux que les accueillir puisqu'elles ne s'en vont pas : « Je suis né pauvre sous un ciel heureux, dans une nature avec laquelle on se sent un accord, non une hostilité. Je n'ai donc pas commencé par le déchirement, mais par la plénitude. »

Sur la Montagne du Roi, mes yeux persévérants apprivoisent la nuit. Peu à peu, elle me livre ses habitants les plus proches, muets et graves. J'arrive à distinguer un bout de talus couronné d'ajoncs sauvages et de jeunes chênes. Plus près encore, des choux à vaches et des sillons de pommes de terre. Sous mes pieds crisse de la bruyère sèche. Et soudain, je me trouve de trop dans cette nuit qui leur appartient de toute évidence. Le mieux à faire est d'éviter de bouger et de penser. Oui, de penser. Qui sait si mes méditations ne les dérangent pas ? Si je ne veux pas être un trouble-fête, le mieux à faire est de m'endormir le plus tôt possible sur ma plénitude. Je vais appuyer mon dos contre le talus et je ferme les yeux en attendant le chant du coq.

C'est le bruit d'un tracteur matinal qui a déchiré ma nuit.

LE COMBAT DU COUCOU

Le coucou a chanté de bon matin à l'autre bout de mon verger. Il est perché dans le plus haut cerisier et il s'est bien vidé la gorge car les deux notes sortent claires et veloutées à la fois. Cinq heures et demie, pas un souffle de vent, un ciel couleur de petit lait, un silence peuplé d'oiseaux trop endormis encore pour élever la voix et qui s'ébrouent dans les bouquets d'ajoncs. Pour une fois, le plus paresseux d'entre eux s'est mis au travail et les autres le laissent faire son jeu, pour une fois. Couver le printemps, c'est l'affaire du coucou, n'est-ce pas ? A lui de se débrouiller. Et il ferait bien d'aller vite. Voilà déjà le 15 du mois d'avril et les arbres demeurent nus, c'est à peine si les bourgeons sont noués, les semences ont gelé pour la seconde fois dans la terre bréhaigne, l'hiver ne veut pas enchaîner la meute de ses vents ni tiédir son haleine sauvage. A quoi sert le coucou, alors ? Il y a trois semaines qu'il a chanté l'arrivée du printemps. Quel héraut dérisoire ! Aujourd'hui encore, vous verrez, il va rater son coup, le triste sire. On le laisse aller tout seul à la disgrâce. Pas un autre oiseau pour l'aider. Je sais que les bouquets d'ajoncs du talus sont pleins de Ponce Pilate ailés dont l'amertume n'arrive pas à dissiper le remords.

Maintenant, je marche sous mes arbres noirs, à travers mon herbe maigre, à peine attendrie par un soupçon de rosée. De temps à autre, j'attrape une branche au-dessus de ma tête et je la secoue. J'entends les autres branches qui échangent des coups de bâtons secs. Des squelettes, seulement des squelettes qui attendent la réincarnation du printemps. Qui attendent patiemment. Les arbres luttent contre le froid en se mettant aussi nus que la grenouille, et contre la chaleur en se couvrant de feuillage. Nous, les hommes, nous faisons tout le contraire, dépouillés en été, enveloppés de laine pendant l'hiver. C'est pourquoi les humains, qui ont un cerveau, sont plus fragiles que les arbres, qui ont des racines. Vais-je tomber dans la philosophie à 6 heures du matin ? C'est trop tôt, je pense. Ecoutons le coucou ! Il s'est envolé plus loin, de l'autre côté du chemin de terre. Le jour est tout à fait levé. Je peux voir l'oiseau couleur d'ardoise, dressé au sommet d'un cerisier, et qui appelle de plus belle. Sa voix est plus veloutée que jamais. Si le printemps n'obéit pas à celui-là, il nous faudra garder notre hiver jusqu'au Jugement Dernier. Les petits oiseaux le savent, bien qu'ils n'aient ni les racines des arbres ni le cerveau des hommes. Soudain mille papotages discordants et gauches s'essaient à encourager le coucou qui chante, solitaire, ses deux pauvres notes, obstiné qu'il est. Il force mon admiration. Je m'en veux de lui préférer le merle, ce railleur, et la fauvette roncière, cette m'as-tu-vue. Il y a des moments où l'obscure persévérance vaut mieux que tout l'esprit du monde. A quoi sert l'esprit le plus fin quand le printemps est en cause. Allez-y, coucou !

J'ai sauté mon talus. J'ai descendu la colline Bonidou jusqu'au petit port de La Forêt. Pleine mer. Personne sur le quai; encore personne nulle part. Il fait un froid noir. Mais un soleil diffus éclaire, à gauche, quelques maisons blanches devant la plage de Concarneau. A droite, Beg-Meil est endormi dans les bois de pins. La presqu'île du Cap-Coz, devant moi, est une salissure incongrue sur la vitre sans défaut de la baie. On a envie d'empoigner un chiffon de laine pour effacer cette chiure de mouche. Tout le reste est trop beau pour que j'ose en parler. Je viens de lire, dans une revue de Paris, un article fort savant à propos d'un peintre italien nommé le Tintoret. On y expliquait comment cet artiste parvenait à reproduire toute chose créée sans perdre une once de beauté ni un liard de valeur. D'accord pour le peintre. Mais l'auteur de l'article, si enthousiaste pour analyser la reproduction, serait-il capable de s'émerveiller autant devant le modèle original ? Il y a plus d'un paysage que l'on ne trouve sans pareil que parce qu'il a été peint d'abord par un artiste célèbre.

C'est un honneur pour l'artiste, une honte pour les spectateurs distraits.

Allons ! Encore de la philosophie. Et le coucou ? A-t-il attrapé le printemps avec sa voix de velours ? Quand je suis remonté vers mon verger, l'oiseau couleur d'ardoise a pris une volée vers l'ouest. Il continue à chanter et une cloche déchante avec lui du côté de Clohars. Six heures et demie. Un vent mauvais, un vent glacial court les chemins, court à travers les guérets où les gens s'affairent, vaille que vaille, aux travaux du jour. Justement, il y a trop de gens. Si l'on nous avait laissés tous les deux, le coucou et moi, peut-être aurions-nous réussi à ramener le printemps. Il était sur le point de venir, je le jure. Mais que dis-je, tête folle que je suis ! Moi aussi, j'étais de trop. Pardonnez-moi, coucou, mon ami. Une hirondelle ne fait pas le printemps, un poète non plus. C'est assez d'un coucou.

LE SENTIER MORT

Je l'ai bien connu autrefois. Il avait déjà beaucoup vieilli. La jeunesse des sentiers, comme celle de bon nombre d'hommes, c'est de rester en service. La trace renouvelée des pieds et des pattes les garde chauves. Quand la chevelure des herbes sauvages les gagne, c'est le déclin et bientôt l'abandon. Celui-ci est devenu une étrange coulée d'orties et de digitales entre deux talus, avec des stries de ces fleurs jaunes dont je n'ai jamais su le nom et la double barre des iris quand un ruisselet agonisant le traverse. On dirait un chemin paré pour une procession de la Fête-Dieu qui a oublié de passer par là.

Je m'engage dans les hautes tiges en levant les bras comme pour me rendre à un ennemi qui m'attendrait à l'autre bout. Parfois, mon pied retrouve un bout d'ornière et je trébuche. Une autre fois, je me trouve sur un îlot nu dans le fleuve des herbes. C'est un pavé de pierres plates, établi par quelque ancêtre sur un passage boueux. Il est sec, désormais. Quand je baisse les bras et les yeux pour me reposer, je vois un fer à cheval mangé par la rouille. Le fer à cheval, c'est la marque des lieux qui furent civilisés. Les préhistoriens de l'avenir feraient bien de s'en aviser. Il est posé à plat sur le sol, bien à l'endroit, hérissé encore de trois pointes, comme si le pied de l'animal venait à peine de le quitter, de s'en déchausser pour galoper plus à l'aise. Je n'ose pas y toucher. Ce serait voler le sentier d'un bien qui est à lui pour le temps que va durer sa clandestinité. Je relève les bras et j'avance.

Et le sentier s'élargit pour aboutir à une sorte de cirque où tremblent des herbes rares, hautes, sèches, fragiles. Il me faut un peu de temps pour m'apercevoir que je suis dans une ancienne cour de ferme ou une aire à battre. Tout autour, une épaisse végétation. Des pommiers très vieux et très tordus, un figuier centenaire dépassent à peine d'un inextricable lacis de ronces. Alors, j'aperçois la maison, ou plutôt ce qu'il en reste. De la façade, presque rien. On a prélevé les pierres de taille des fenêtres et des portes pour bâtir ailleurs. L'un des pignons est entièrement écroulé, l'autre intact, ainsi que le mur du fond. Je m'étonne, une fois de plus, que la haute cheminée à manteau conserve tant de suie et si noire. La suie enterre des générations, même cent ans après le dernier feu.

Un bruit de roulement qui paraît venir du ciel. Et soudain, à la hauteur de la cheminée qui reste, un camion s'avance, une énorme cuve à pétrole, lentement, monstrueusement. Quand il s'arrête, on le dirait en équilibre sur la cheminée. C'est impressionnant. La vérité est qu'à dix mètres derrière la ruine il y a une grand-route neuve, fondée sur une masse de déblais. Le vallon s'arrête là désormais. Cette route est la corde qui l'étrangle. Là-dessus, le camion repart, son conducteur ayant allégé sa boutique à eau (1), comme on dit. Il se croyait dans le désert, sans doute. Et il y était.

LE FILS PRODIGUE

J'ai arrêté l'automobile au sommet de la côte. Silence. L'instant d'après, le chant des oiseaux m'a rempli les oreilles. Ils sont assez grincheux, à les entendre. A cause du moteur, sans doute, cette respiration et cette voix d'un animal bizarre auquel ils ne sont pas encore habitués, bien qu'il leur ait ravi jusqu'aux chemins creux. L'haleine est puante, et, quant à la voix, on n'y comprend goutte quand on est né dans le taillis ou le talus, volatiles du Bon Dieu. Et où fuir, maintenant ? L'alouette, au matin vif, rencontre dans les cieux des chars volants dont les ailes ne bougent pas, des chars qui font du bruit dans une langue inconnue et sauvage. Le royaume des oiseaux se rétrécit dans l'air comme sur la terre. Un crève-cœur et pis encore : on connaît les noms des automobiles et des avions (volés aux oiseaux, quelquefois), on n'est plus capable de faire la différence entre un rossignol et un rouge-gorge. Une honte ! Aujourd'hui, les oiseaux de nos champs sont des étrangers pour nous. Maintenant, je sais pourquoi j'ai arrêté l'automobile.

Une grive se balance devant moi sur un bouquet d'ajonc. Son œil rond me fixe, un œil de juge. C'est avec cet œil-là que les onze Apôtres ont regardé

1. Ayant uriné.

Judas quand il vendit le Sauveur. Derrière le bouquet d'ajonc, il y a le champ de Meot que j'ai vendu à l'oubli avec ma jeunesse. C'est moi le douzième apôtre, le traître.

Comprenez-moi. Je sais pourquoi j'ai arrêté l'automobile. Dans le champ de Meot, il y a beau temps, un gosse aux pieds nus a gardé la vache rouge, celle qui l'embarqua sur ses cornes, un jour, pour aller le jeter, au grand galop, dans le néflier qui a poussé tout en bas, sur le talus traversé par les tanières des lapins. Il a gardé la vache noire, une vache spirituelle au possible et capable d'apprendre à lire, affirmait le grand-père. La vache noire, quand elle était fatiguée de sa longe, déplantait le pieu avec son sabot, sans hâte ni difficulté, puis s'en allait faire un tour dans le bois de pins pour s'aérer la tête. Mais, quand le moment était venu de retourner à la crèche, on la retrouvait paissant tranquillement à l'endroit même où l'on avait planté le pieu. Encore un peu et elle l'aurait remis dans le trou. Il a gardé la vache grise qui partait en folie à travers la contrée, la queue en l'air, modulant des moqueries d'une voix de soprano aigu. Elle courait plus vite que le pauvre gosse et celui-ci fouillait chaque lande, chaque bois et chaque chemin creux jusqu'à la nuit noire avant de retourner à la maison, noyé de larmes, pour entendre la grisette grogner des injures dans sa crèche et subir lui-même la fessée dûment méritée par un vacher négligent. Il a gardé bien d'autres vaches qui n'étaient que des vaches à lait, des vaches sages qui portaient leur pis comme le Sacrement.

Vacheries d'autrefois, épopée à la mesure de l'enfant, il ne reste après vous que quelques images cocasses, des beuglements lointains et un point douloureux au tréfonds de l'âme. Il faut avouer que, quelquefois, l'animal se gardait lui-même. Le gosse allait au bois de Ménez-Poullou pour chercher des pierres « farineuses » et en dessiner, sur la porte des crèches, des maisons qui fumaient par trois cheminées au moins, la troisième pour faire honte à la réalité. Il s'en allait cueillir la vipérine pour guérir les verrues avec son lait acide. Ou bien il creusait un four dans le talus pour faire du feu à cuire des pommes de terre. Le goût de fumée valait bien le goût de sel et, si le cœur de la pomme demeurait assez cru, la chair qui touchait à la pelure avait une odeur de paradis. Et ensuite, une sieste dans l'herbe fourmillante d'insectes, bercé par les coquelicots qui se balançaient dans le soleil.

C'est moi qui fus cet enfant-là, avant d'apprendre à nouer une cravate et à élever un mur de livres entre mes yeux et le champ de Meot. Oui, maintenant je sais pourquoi j'ai arrêté l'automobile. L'œil rond de la grive est toujours fixé sur moi. Je sais. Les champs, l'herbe, les arbres, les blés, les oiseaux ont été mon univers. Je ne les rencontre plus que par hasard et de loin en loin. Je vais les contempler en cachette pour nourrir mon remords et réveiller ma jeunesse. Rarement. Et pourtant, ils sont là, tout près. Mais ils m'ont perdu. On ne se fréquente plus. Et, quand on se trouve face à face, on sourit jaune. On éprouve un peu d'humeur parce qu'ils n'ont pas été capables, eux, de me garder, et parce que j'ai honte, moi, d'avoir été ingrat.

J'ai pensé à tout cela pendant la durée d'un éclair. Un éclair m'a suffi. La grive s'est enfuie. Je suis descendu de l'automobile et me voilà dans le champ de Meot, entièrement couvert d'une pièce de blé noir. Je me couche à la lisière et j'envoie ma cravate au diable. Mon visage est tout près de la terre, la paille bruit au-dessus de mes yeux. Un liseron qui vrille autour d'une tige mûre chante l'Office des Ténèbres. Des insectes cuirassés d'or bruni traversent (vers quelle expédition vont-ils, ces centurions ?) la forêt de blé noir qui s'enracine fortement dans la terre légère. Mais les épis, là-haut, chantent de plus en plus fort et le chaume craque de sécheresse absolue. L'orage de la faux n'est pas loin.

Je m'endors dans le bonheur.

LES LAVANDIÈRES

Un filet d'eau coule sous le trèfle blanc, sous le trèfle sauvage qui a jailli, qui sait comment, au milieu des herbes maigres du vallon. Quand il traverse le chemin-de-loup, c'est assez d'une pierre plate, plus étroite que deux sabots, pour le couvrir. Une bergeronnette est perchée sur un morceau de branche pourrie, tombée au lit du ruisseau, et fait un remue-ménage terrible pour si peu de plume autour de si peu de corps. Si le grand-père était encore de ce monde, il dirait, une fois de plus : « Regardez la demoiselle hoche-queue qui s'affaire à sa toilette. Elle est pareille à une femme au lavoir. Mais la femme est une dame hoche-langue. Et la langue de la dame frappe sur la réputation du prochain pendant que son battoir frappe sur le linge. Mais le battoir blanchit le linge pendant que la langue salit la réputation. Et l'eau emporte la fange des vêtements, elle n'emporte pas les saletés de la médisance. Rappelez-vous cela, fils, et gardez-vous de parler de lavoir devant votre mère si vous ne voulez pas attraper le torchon à vaisselle sur ce qui vous sert pour vous asseoir. » Le vieillard, un honnête homme s'il s'en trouve encore, poursuivrait aussitôt : « Il ne faut pas dire du mal des femmes, petit, sinon nos braies se changeraient en robes et il serait juste que nous allions laver au lavoir. C'est le lavoir qui fait les mauvaises langues. Au lavoir, on trouve toujours une nièce du diable boiteux qui excite les femmes à pousser leurs cancans. Quand il s'élève querelle dans la paroisse à cause de quelque médisance entendue au lavoir, toutes les femmes s'accusent les unes les autres jusqu'au moment où il est fait mention d'une étrangère qui n'a jamais été vue et ne sera jamais vue que cette fois-là. C'est la nièce du diable boiteux, sans mentir, nos femmes à nous sont trop bonnes chrétiennes. Heureux les hommes qui n'ont pas à se rendre dans de tels lieux. Assez de diables cherchent à les circonvenir par ailleurs. N'est-ce pas vrai ? »

Par-derrière, sans ôter son chapeau, le grand-père passerait le peigne de ses doigts dans les cheveux gris de sa nuque. Le chapeau lui tomberait un peu sur le nez et la fleur d'un sourire éclorait sur ses lèvres : « On ne damne pas de filandière, en Bretagne, de tissandière non plus. Rien que des lavandières. Pourquoi donc, petit, puisque les unes et les autres travaillent sur le linge ? Oui, mais le fil du rouet et la trame du métier sont encore purs, qu'ils soient lin ou chanvre ou toison ou herbes de la terre. Tandis qu'une chemise ou une pièce de vêtement a été contaminée par le corps de l'homme et ses péchés. Quand il arrive qu'une femme ait envie de se détruire (Dieu l'en garde !), souvent elle se jette dans le lavoir, hélas ! Mieux vaudrait pour elle, de l'avis des vieux, se précipiter dans le puits. Dans le puits, on ne trouve pas de nièce du diable boiteux. Le lavoir est le carrefour des diableries. Quand j'étais jeune, les lavandières faisaient le signe de croix avant d'empoigner le battoir. »

Là-dessus, le vieillard donnerait une pichenette à son chapeau pour le faire basculer sur sa nuque et montrerait ses yeux bleus : « Mon fils, quand vous entendez les battoirs résonner dans les vallées, ne vous mettez pas en peine. Sur le bruit des battoirs, il ne vient que des paroles décentes. Il n'y a pas d'âme en perdition. Mais, quand le bruit cesse d'un seul coup, c'est que la nièce du diable boiteux est en train de murmurer aux commères des choses laides. Et elles demeurent bouche bée sur neuf heures, le battoir en l'air. Les hommes, dans les champs, se glissent les uns aux autres : " On est en train de mettre en pièce quelque robe, au bord de l'eau. "

La bergeronnette s'est envolée depuis longtemps. J'entends encore la voix rouillée du grand-père : « Le pire, c'est que les hommes aiment voir les femmes aller au lavoir. C'est au lavoir qu'on apprend les nouvelles sans attendre le dimanche, que l'on sait qui est né ou mort, qui a envie de se marier, qui va bâtir une maison neuve, et avec quel argent, gagné de quelle manière ; qu'on apprend des choses qui ne devraient être tombées dans l'oreille de personne, et d'autres qui sont des mensonges vifs. La femme revient à la maison avec deux fardeaux : les hardes et les ragots. Elle est en retard pour faire la galette. Mais le maître avale n'importe quoi de bon appétit. Il ne sait pas ce qui lui descend au ventre. Il écoute la maîtresse qui débobine ce qu'elle a entendu au lavoir, avec un brin de supplément. Il rit ou il entre en fureur selon la matière. La vérité sera triée ensuite, demain peut-être, un jour ou l'autre. Les mensonges se perdront au long des jours, mais ils triomphent en attendant parce qu'ils ont plus de saveur, n'est-ce pas ? Et le pauvre homme aime le vrai et le faux. »

La voix s'est tue. Je songe qu'aujourd'hui lés lavandières ont été trahies par les journaux. Les commérages sont montés sous le pavois à la première page. On paie des journalistes pour fouiller jusqu'au fond des chambres à coucher. On raconte par le menu toutes les affaires privées, on dévoile de bout en bout les secrets des gens. Et les gens eux-mêmes étalent sans honte leurs histoires. Vrai ou faux, qu'importe ! Mais le faux est plus excitant et fait mieux vendre le papier. Le lavoir a gagné les salles de rédaction où règne la grande commère, la nièce du diable boiteux.

Si le seigneur Dieu est aussi juste qu'on le dit, les

lavandières du vieux temps, condamnées au purgatoire pour leurs mauvaises langues, ont été promues au paradis depuis belle lurette.

GOÉMONS

Le mois de septembre a passé, voilà octobre en marche. On s'occupe à ouvrir la terre pour semer le grain dans le même temps que les oiseaux font leur mue. Naguère, en cette période, j'allais voir les fours à brûler le goémon qui dégageaient leur fumée tout au long de la côte, depuis Penhors jusqu'à Audierne. Une fumée épaisse, lourde, jaunâtre, qui se répandait à ras de terre sur les campagnes nues, s'effilochait si bien sous le vent qu'il n'en restait que quelques écharpes claires dans les vallons. Mais jusqu'au bourg, à une lieue plus loin, les travailleurs des champs levaient l'échine, de temps en temps, se tournaient vers l'ouest et ouvraient leurs narines aux senteurs puissantes de la mer. Chacun se trouvait ragaillardi dans sa peau, prêt à traverser la mauvaise saison sans précipiter le souffle. Le brûlage du goémon était une sorte de fête, des feux de la Saint-Jean pour célébrer l'automne. Hélas ! septembre a passé, octobre est en marche, il n'y a pas le moindre feu sur les côtes d'Audierne, il n'y a que le vent humide qui s'élève par à-coups, trop faible encore pour siffler, assez fort pour nourrir le regret de l'été.

Goémons. Je vois encore les femmes de mon pays entrer dans la mer, en robes, deux à deux, repoussant la vague de toute la force de leur corps bandé. Entre elles, une sorte de civière pareille à une échelle. Avec la fourche et le râteau, elles ramassaient les haillons roux, butin de la tempête sur les récifs. On aurait dit des cuisinières soigneuses, occupées à écumer une énorme soupe à l'oignon. Quelle étonnante moisson qui n'était précédée d'aucune semaille! Ensuite, il fallait monter le goémon sur la falaise, l'étaler sur l'herbe courte pour le faire sécher. Je vois encore la palud de Penhors couverte de varech, à l'exception d'une surface, autour du port, qui était spécialement réservée aux filets. On ne pouvait traverser, pour gagner la grève, qu'en prenant un sentier de lièvre qui menait à une échancrure de la falaise où suintait une fontaine d'eau douce.

Plus tard, le goémon sec était mis en tas autour des fours. Ces derniers sont creusés tout à fait au bord, en surplomb de la grève et dans les lieux les plus élevés pour bénéficier du plus de vent possible. On peut les y voir encore, bien qu'ils soient parfaitement abandonnés. Des sortes de fosses pour enterrer, au ras du sol, des corps d'hommes un peu trop longs de taille, un peu trop étroits d'épaules. L'intérieur en est revêtu de pierres plates. C'est là que j'ai lu, adolescent, *les Trois Mousquetaires* et une brassée d'autres livres, étendu à l'abri comme un chevalier gisant du Moyen Age, immobile dans mon lit de pierre, pendant que sifflaient autour de moi les vents sauvages sans parvenir seulement à faire trembler les pages. De temps à autre, je voyais un pêcheur venir se planter au-dessus de moi. Ses sabots de bois, tout près de mon nez, semblaient des vaisseaux de haut bord et sa figure, tout là-haut, était mangée par son menton : « Hé bien ! mon gars, vous avez trouvé un siège solide », disait l'homme. Et moi, en plaisantant : « Je ne sais pas trop bien. Les pieds sont pourris. » Il s'éloignait en riant. Hélas ! c'était vrai. Tous les hivers, la mer déchaînée avalait un pan de falaise et le four à goémon par-dessus le marché.

Le temps du brûlage venu, les goémonniers compartimentaient le four avec des pierres plates, chaque compartiment aux dimensions d'un pain de dix livres. On remplissait avec des fourchées de goémon et on mettait le feu. Venait alors le plus dur du travail. Il fallait alimenter le feu sans cesse, le tenir en surveillance pour l'empêcher de flamber, tourner le goémon pour désenfumer le tas, composer la pâte qui bouillait au fond et qui ferait le pain de soude, une fois refroidie. Le plaisir était le lot des enfants, toujours attirés par la fête du goémon. Ils gobaient la fumée en sautant par-dessus la fosse, les yeux fermés, la bouche ouverte. Mais les hommes peinaient dur à tasser au *pifon* cette bouillie qui durcirait au cours de la nuit. A l'aube, toujours avec le pifon, cinq ou six pains de soude seront dégagés et sortis du four. Il faut se garder de les casser. Ce serait montrer à l'acheteur qu'ils n'ont pas été bien faits. Un camion viendra charger les pains pour les emmener à l'usine. Aujourd'hui, ce même camion ramasse le goémon sec et l'usine fait le reste. On ne brûle plus sur les côtes.

Quand nous étions enfants, nous récoltions des crabes, des berniques et des bigorneaux pour les faire cuire sur le feu de soude. Ils mijotaient dans une boîte de fer-blanc remplie d'eau de mer, au sein d'une lourde fumée qui les imprégnait d'un goût d'iode. C'était meilleur que le dîner de la maison, cent fois meilleur. Souvent aussi, dans la soirée, les paysans, qui avaient travaillé tout au long du jour dans les champs proches, venaient cuire de pleines casserolées de pommes de terre dans leur peau sur les fours vifs. Les deux nourritures, celle de la mer et celle de la terre, étaient partagées entre tous. Je n'ai rien mangé de meilleur, depuis, à la table des grands de ce monde.

LE GÉANT D'AUBE

Hier, c'était hier dernier, mes yeux en sont encore éblouis, mon corps n'a pas repris son poids. Ce n'est pas rien de voir s'éveiller des monstres qui ne sont pas tout à fait hors de vous. Et de les voir se fondre en lumière d'eau comme si de rien n'était. Et de les sentir diffus dans votre sang ou quelque part à l'intérieur, est-ce que je sais !

Quatre hommes, donc, nous voilà quatre hommes à marcher sur une grève au début de la septième heure, en décembre. Autour de nous, la dure nuit de silex. Une lueur de sable nous mène vers le point vif d'une lanterne de mer, au loin dans le sud, qui nous traverse à chaque tour d'une gifle sans main. A gauche, la terre est morte. La mer est lourde à droite, montagneuse et peuplée d'avalanches, une masse de pâte en proie à de sourdes nausées. Le purgatoire est de marcher entre cette mort et cet enfer, le purgatoire est le plaisir suprême. Et nous allons au Diable ou à Dieu par la marée basse et son chemin de laine.

C'est alors que des mains blêmes sont apparues à contre-océan, des doigts confus ont bâillé vers nous sans vergogne. Et puis, des coudes verts d'usure ont pris appui. Quelqu'un se hissait patiemment sur le mur de la terre inerte. Quelque géant sans tête, au sortir du sommeil, s'étirait à l'est en prenant tout son temps. Quand il a rougi soudain des épaules, des milliers d'ailes ont applaudi d'un long bravo. Des peuples de volatiles pesants attendaient le signal pour s'enlever de la grève à force de battements, avec des cris d'angoisse. Du vent de leur vol nous avons été frappés comme d'un ressac. Le haut précipice de la mer les a engloutis. Adieu, les plumes !

Maintenant, le géant est étendu de toute sa peau sur le parapet de la terre. Cette peau est jaune sale, mais elle se débarbouille à mesure qu'elle s'étale dans son lit d'horizon, elle s'éclaircit d'un miel léger qu'elle pompe par on ne sait quel nombril clandestin. Et elle n'arrête plus de bourgeonner à travers le ciel sous la pression de nouvelles chairs. Des cuisses, des poitrines fleurissent en lèvres de toutes parts, poussent des langues dans le silence. De tête, point de nouvelle. Mais un bras de lave se met à couler en direction du feu de mer. Et le feu s'éteint aussitôt que touché de l'ongle. Les marcheurs de la grève ne savent plus où ils vont.

Ils ne savent pas non plus qu'un autre bras du géant d'aube s'est glissé vers eux. Les voilà cueillis dans une paume immense. Il est trop tard pour se tirer d'affaire. Rien ne pèse plus nulle part, rien n'a plus de limites. A chaque pas, ils retrouvent la précédente empreinte. Pendant un très long temps, peut-être vingt secondes, ils font semblant de se mouvoir sur l'invisible main. C'en est déjà fait de la nuit, là-haut, mais le jour n'arrive pas encore à se trouver, à s'affermir autour d'eux. Ombres, sueur et fumée.

Et soudain, tout devient solide. Le sable crisse à mes oreilles. La mer s'allume au ralenti. Et quel spectacle ! J'ai vu des cavaliers cottés de mailles courir sur son dos en sautant d'une vague à l'autre, poursuivis par leurs propres chevaux d'écume. J'ai cru voir, donc j'ai vu. J'ai vu la mer se gratter l'aisselle où s'empêtrait un chalutier dans des crins brunâtres. Autour de lui, une nuée d'oiseaux, les mêmes que tout à l'heure, criaient souvenez-vous, souvenez-vous ! Mais le vrai naufrage était sur la grève. Une énorme masse de béton gris, hérissée de ferrailles rouillées, sombrait immobile dans le sable avec le regret de ses canons. Le Mur de l'Atlantique. Et moi d'entrer dedans pour reprendre mon souffle.

En sortant de là, j'ai vu qu'en terre ferme le géant d'aube s'était dissipé. Il n'y avait plus que des dunes habillées d'une herbe maigre, un duvet frissonnant où persistait comme un reflet de corps nu. Mais n'écoutez pas ce que je dis. C'est tout mensonge pour les autres, vérité pour moi seul. Qu'est-ce que je peux y faire ?

Je me souviens.

Achevé d'imprimer en mars 1980
sur les presses de l'Imprimerie Bussière
à Saint-Amand (Cher)

— N° d'édit. 1599. — N° d'imp. 1269. —
Dépôt légal : 1er trimestre 1980.

Imprimé en France.